MALVINAS
CINCO DÍAS DECISIVOS

García Enciso, José Enrique
 Malvinas : cinco días decisivos / José Enrique García Enciso ; Benito I. Rotolo - 1a
ed. - Ciudad Autónoma de Buenos Aires : SB, 2021.
 272 p. ; 23 x 16 cm.

 ISBN 978-987-8384-53-5

 1. Guerra de Malvinas. I. Rotolo, Benito. II. Título.
 CDD 997.11024

1° edición en Buenos Aires, mayo 2021

ISBN 978-987-4434-53-5

© José Enrique García Enciso (garciaenciso@hotmail.com)

© Benito I. Rotolo (birotolo27@hotmail.com)

© Sb editorial
 Piedras 113, 4 "8" - C1070AAC - Ciudad Autónoma de Buenos Aires - Argentina
 Tel.: (+54) (11) 2153-0851
 www.editorialsb.com • ventas@editorialsb.com.ar • www.facebook.com/editorialsb

Distribuidores

España: Logista Libros • Pol. Ind. La Quinta, Av. de Castilla-la Mancha, 2, Cab. del Campo,
(+34) 902 151 242 • logistalibros@logista.es

Argentina: Waldhuter Libros • Pavón 2636 - Ciudad Autónoma de Buenos Aires
(+54) (11) 6091-4786 • www.waldhuter.com.ar • francisco@waldhuter.com.ar

México: Grupo Cultural Lizma • Playa Roqueta # 218, Col. Mil. Marte, Iztacalco, México
(+52) (55) 380444 • www.lizmalibros.com.mx

Chile: Alphilia Distribuciones / LaKomuna • Pedro León Ugalde 1433 - Santiago de Chile
(+56) (2) 25441234 - www.https://www.alphilia.cl - contacto@alphilia.cl

Uruguay: América Latina Libros • Av. Dieciocho de Julio 2089 - Montevideo
(+598) 2410 5127 / 2409 5536 / 2409 5568 - libreria@libreriaamericalatina.com

Perú: Heraldos Negros • Jr. Centenario 170. Urb. Confraternidad - Barranco - Lima
(+51) (1) 440-0607 - administracion@heraldosnegros.com

Paraguay: Tiempo de Historia • Rodó 120 c/Mcal. López - Asunción
(+595) 21 206 531 - info@tiempodehistoria.org

Colombia: Campus editorial • Carrera 51 # 103 B 93 Int 505 - Bogotá
(+57) (1) 6115736 - info@campuseditorial.com

Brasil: Librería Española • R. Augusta, 1371 - Loja 09 - Consolação, São Paulo
(+55) 11 3288-6434 - www.libreriaespanola.com.br - libreriaespanola@gmail.com

JOSE ENRIQUE GARCIA ENCISO
BENITO I. ROTOLO

MALVINAS
CINCO DÍAS DECISIVOS

Por qué la guerra
pudo tener otro final

sb

Madrid - México - Bogotá - Buenos Aires - Santiago - Montevideo - Asunción - Lima - San Pablo

Índice

Para Irene, Francisco y Mariana, Dolores,
Sofia y Nacho, Ignacio y Emi, Panchito, Santi,
Fede y Pipe sin olvidar a Sheldon

José Enrique García Enciso

A mi esposa, a mis hijas, familia y amigos,
que tanto ayudaron para que llegue a buen puerto.

Benito I. Rotolo

La guerra no es una relación de hombre a hombre, sino de Estado a Estado, en la cual los particulares son enemigos solo accidentalmente, no como a hombres ni como a ciudadanos, sino como a soldados: no como a miembros de la patria sino como a sus defensores. Un Estado solo puede tener por enemigo a otro Estado, y no a los hombres.

Jean-Jacques Rousseau,
El contrato social, libro 1, capítulo 4.

```
URGENTE
   LIMA 2 (AP) EL PRESIDENTE FERNANDO BELAUNDE TERRY DIJO HOY
QUE GRAN BRETAÑA Y ARGENTINA ANUNCIARAN ESTA NOCHE EL CESE DE TODA
HOSTILIDAD EN SU DISPUTA POR LAS MALVINAS.
   (SIGUE)

AP-NY-05-02 2211GMT
   URGENTE

   CABEZA BELAUNDE  MALVINAS

   LIMA 2 (AP) - EL PRESIDENTE FERNANDO BELAUNDE TERRY DIJO HOY
QUE GRAN BRETAÑA Y ARGENTINA ANUNCIARAN ESTA NOCHE EL CESE DE TODA
HOSTILIDAD EN SU DISPUTA POR LAS ISLAS MALVINAS.
   EL DOCUMENTO BASE FUE REDACTADO POR EL SECRETARIO DE ESTADO
NORTEAMERICANO ALEXANDER HAIG Y TRANSMITIDO AL GOBIERNO ARGENTINO
POR MEDIO DEL PRESIDENTE PERUANO, DIJO
      DIJO QUE LOS CONTACTOS PERMANENTES Y PROLONGADOS ENTRE LAS
DOS PARTES SE INICIARON AYER, PROSIGUIERON ANOCHE Y ESTA MADRUGADA
Y SERAN DADOS A CONOCER ESTA NOCHE.
   BELAUNDE DIJO QUE NO PODIA ADELANTAR LOS PUNTOS DEL ACUERDO
CON LA EXCEPCION DEL PRIMERO, SOBRE EL CUAL NO HAY DISCUSION:
CESACION INMEDIATA DE LAS HOSTILIDADES+.
   AP-NY-05-02 2244GMT
MN
```

Cable de Associated Press del 2 de mayo de 1982 que informa el acuerdo de paz fundado sobre la cesación inmediata de las hostilidades. Casi en el mismo instante, tres torpedos impactaban al crucero ARA General Belgrano.

COMUNICACION DEL Sr Grl MENENDEZ CON EL Sr Grl IGLESIAS.

14 1055 Jun 82 (Comunicación en clar

Esto se acabó. Ya no nos quedan medios. Se combatió duramente hasta las últimas horas.

El Grupo de Artillería ha sido pulverizado

El Sr Grl Jofre ha logrado recomponer una posición precaria. No sé si podrá aguantar en ella y defenderla más allá de esta noche.

Esta comunicación es fundamental, entiendo que quedan siguientes alternativas:

1. Aceptar la Resolución 502 y retirarnos con nuestras banderas.

2. Aceptar una matanza.

3. Aceptar la posibilidad de una desbandada con tropa agotada y con munición que se acaba.

Toy con Jofre. Me informa que han afectado nuestro hospital. No tienen consideración por nada.

Todo lo que digo es duro pero debo ser franco. Entiendo que debe ser tomada la resolución en breve lapso para salir con honor.

Si necesitan tiempo deben considerar que no tenemos mucho por aquí. Me avisan que los ingleses están a 4 ó 5 cuadras de este lugar.

Para la Resolución no disponemos más que minut

Notas apresuradas con lápiz de lo que se escucha en alta voz de la tensa comunicación al aire de Menéndez con Iglesias. Galtieri estaba presente en la sala. Menéndez describe la situación y exige a Galtieri que le aclare si el sacrificio serviría de algo. Escuchado en directo en Secretaria General de Presidencia el 14 de junio de 1982.

Prólogo

Los primeros cinco días de mayo de 1982 cambiaron el curso de la guerra de Malvinas. Entre el 1º de mayo y el 2 a la madrugada la flota argentina estuvo en condiciones de dar una batalla decisiva contra una gran parte de las fuerzas navales británicas. La batalla no se dio. Durante esos días, también, se gestó una negociación por la paz, que incluía un cese de hostilidades entre la Argentina y el Reino Unido. El 2 de mayo por la mañana, la flota no atacó cuando estaba todo dado para hacerlo. Esa misma tarde, el crucero ARA General Belgrano fue hundido por un submarino británico.

Este libro cuenta dos historias que sucedieron en dos lugares distintos al mismo momento: los testimonios en primera persona de un piloto de la Marina argentina que estaba a bordo del portaviones ARA 25 de Mayo, Benito Rotolo, y el de un licenciado en Ciencias Políticas convocado a la Casa Rosada para integrar un grupo de trabajo reservado de apoyo a la presidencia de la Nación sobre la cuestión Malvinas, José Enrique García Enciso.

Uno de nosotros se había quedado con la sensación de haber perdido una oportunidad histórica de jugar una batalla naval decisiva, que más allá del resultado, hubiera podido cambiar el rumbo de la guerra.

El otro lo vivió todo desde la Casa de Gobierno. Continuó trabajando allí sobre el tema Malvinas hasta diciembre del 83, momento en que su jefe le sugirió conservar toda la documentación para seguir con la investigación y el análisis de lo sucedido en el enfrentamiento bélico. Entre esos papeles –que son documentos fidedignos– está la explicación de por qué aquel piloto que se había preparado para atacar a la flota británica nunca recibió la orden de hacerlo.

Al conocernos y escuchar mutuamente nuestros relatos, descubrimos que nuestras historias se complementaban para crear un relato global de lo que sucedió en esos cinco días de mayo que se revelaron decisivos, tanto el teatro de operaciones como en la conducción del conflicto en la Casa Rosada.

Pudimos reconstruir la historia completa de lo que había sucedido en esos cinco primeros días de mayo, incluyendo el hundimiento del crucero ARA General Belgrano. Comparamos nuestras experiencias personales y las contrastamos con lo que se ha escrito hasta hoy sobre Malvinas, tanto en la Argentina como en el Reino Unido y también en los Estados Unidos y en el Perú, países mediadores con una participación ineludible en el conflicto. El aporte fundamental a este período de la historia es nuestro testimonio y la documentación con la que contamos. A esto le debemos agregar la consulta permanente a las investigaciones que se han venido realizando sobre el tema en los últimos casi cuarenta años.

¿Por qué escribir hoy un nuevo libro sobre Malvinas?

Desde ya, creemos que nuestro testimonio contribuye a enriquecer la historia del conflicto del Atlántico Sur y, habiendo trascurrido este tiempo, nos vemos en la necesidad personal de contar con honestidad nuestra experiencia. El ataque suspendido del 2 de mayo dio mucho que hablar en las Marinas del mundo, porque hubiese sido la última batalla naval decisiva del siglo XX.

Nuestro aporte es también un sentimiento de correspondencia de José Enrique con su grupo de trabajo en la Casa Rosada y quienes colaboraron desde el Reino Unido, porque ninguno de ellos está hoy con vida. Pero, sobre todo, nos parece fundamental mostrar y analizar los documentos guardados, que son de tal relevancia que hasta sirvieron para preparar la moción de censura a Margaret Thatcher por el parlamentario inglés Tam Dalyell, que se presenta a lo largo del libro.

Estos documentos, todos originales, fueron fotocopiados y dispuestos en tres cajas. El contenido de una ellas fue precisamente el que, con expresa autorización verbal de Secretaría General, José Enrique sacó de la Casa Rosada para enviarlo por partes y sucesivamente a Tam Dallyel a Gran Bretaña, para que se conociese la verdad desde la posición argentina.

Otra es la que, con autorización, conserva José Enrique hasta el día de hoy. Y la tercera fue enviada a la Comisión Rattenbach. Con una salvedad: a la Comisión se enviaron los documentos finales, y no los borradores que se habian utilizado. Por eso, por ejemplo, conservamos el borrador de la aceptación de la propuesta de paz de Belaunde corregido de puño y letra por Galtieri, entre otros elementos significativos. También se encuentran aquí los documentos mostrados a Clifford Kiracofe, enviado especial del senador norteamericano Jesse Helms con la misión de investigar la actuación de Alexander Haig como mediador. Igualmente es desconocido lo relacionado con la investigación sobre la actuación de Alexander Haig que realizamos con un enviado del senador Jesse Helms. Estos documentos no podían ser publicados de acuerdo a una ley de secreto militar derogada en 2013, momento desde el cual pasaron a ser de dominio público y comenzaron a ser liberados.

Por último, consideramos importante contar nuestras vivencias posteriores al conflicto, que confirman nuestras hipótesis de qué fue lo que sucedió en esos días de mayo de 1982.

El espíritu de este libro no es en modo alguno generar animosidades ni del lado argentino ni del lado británico, sino contribuir con nuestro conocimiento de los hechos, tal cual la vivimos.

En cualquier caso, no pretendemos más que sumar un poco más de luz sobre los hechos acaecidos durante los primeros cinco días de mayo de aquel año, por las consecuencias que tuvieron. Esperamos que, con esta información disponible, las nuevas generaciones puedan conocer mejor lo que sucedió esos días. Ni más ni menos que eso.

Una aclaración final: el Informe Rattenbach es accesible de modo completo en la siguiente dirección web: https://www.casarosada.gob.ar/informacion/archivo/25773-informe-rattenbach. Consta de 17 tomos. El primero contiene el Informe final. Siguen 10 tomos de Anexos documentales, con numeración romana. Luego 5 tomos con Declaraciones. El último tomo consta de actas.

En los casos en que nuestra documentación fue remitida al Informe Rattenbach, citaremos el informe con su ubicación precisa. Cuando no, presentaremos un testimonio visual y comentado del mismo. Si el lector quisiera profundizar en ellos, podrá encontrarlos en el sitio web de la editorial. Y siempre podrá comunicarse con los autores por medio del correo electrónico.

Capítulo 1
Malvinas, un conflicto geopolítico

El 2 de enero de 1833, un día particularmente soleado y agradable, no muy frecuente en Malvinas, una fragata británica –la HMS Clio– al mando del capitán Onslow fondeó en Puerto Luis, sede de la comandancia de Islas Malvinas.

El gobernador de las islas, teniente coronel José María Pinedo, se vistió con su mejor uniforme para subir a bordo y saludar al comandante de un navío que pertenecía a una nación amiga.

En efecto, en el año 1825 el Reino Unido había firmado con las Provincias Unidas del Río de La Plata un Tratado de Amistad, Navegación y Comercio. En dicho tratado, el Reino Unido no planteaba ningún reclamo territorial. Las Malvinas habían sido ocupadas formalmente por las Provincias Unidas en 1822.

La sorpresa de Pinedo fue mayúscula cuando, al subir al barco, su capitán le entregó un documento en el cual Su Graciosa Majestad le rogaba que arriara el pabellón celeste y blanco, tomara sus pertenencias y abandonara las islas, pues estas eran británicas.

Pinedo, asombrado, decidió resistir con lo poco que tenía.

Al día siguiente, 3 de enero de 1833, las tropas británicas desembarcaron y, luego de un breve combate, se apoderaron de Puerto Luis.

El 2 de enero de 1982, 149 años después, en un día igualmente luminoso y claro, el almirante Anaya mantuvo una larga y reservada reunión con el recientemente asumido presidente de la Nación, general Leopoldo Galtieri. Nuevamente, y luego de un siglo y medio de inútiles reclamos por parte de la Argentina, la rueda de la historia comenzaría a girar rápidamente para las Malvinas, la Argentina y el Reino Unido. Ese día, el mensaje de Anaya fue que en breve se cumplirían 150 años de la ocupación ilegal. Por tanto, era imprescindible apurar la negociación diplomática exigiendo resultados concretos, y si estos no se alcanzaban, había que buscar la forma de ocupar las islas para presionar la negociación.

Es imposible entender una guerra sin comprender la historia. No pretendemos ser historiadores, no queremos reescribir cosas ya mil veces escritas y disponibles en cualquier biblioteca o en Internet. Solo queremos refrescar al lector cuál es la "cuestión Malvinas", porque a menudo sucede que cuando se habla tanto de un tema, el inicio de la conversación, la raíz del conflicto, queda olvidado. Es necesario, entonces, retrotraernos a los tiempos remotos, allí donde esas tierras al sur del mapa, definidas por sus costas irregulares, estaban completamente deshabitadas.

La palabra "deshabitadas" no es tan solo una expresión, sino que se trata de un detalle muy significativo en el conflicto: no hay ningún registro histórico de que haya existido algún tipo de comunidad aborigen que habitara las islas, lo que implica que en Malvinas no existe algo similar a un "pueblo originario" o una "comunidad autóctona". El origen de la contienda por las islas, entonces, está vinculado con la ampliación de los imperios europeos desde el siglo XV hasta el XIX.

A partir de 1545, tras el descubrimiento del fabuloso cerro de plata de Potosí, sumado a las minas de plata y oro de México, comenzó a desarrollarse la que sería durante dos siglos la principal corriente de comercio marítimo mundial. El traslado del metal precioso a España y la provisión de mercaderías a América se convertirían en un gigantesco desafío logístico, político y militar.

Tanta riqueza solo podía despertar codicia, y muy pronto el Caribe –y, en especial, las Antillas– se vería rebosante de piratas, bucaneros y filibusteros,[1] primero holandeses y luego británicos. Algunos llegaron a ser tan importantes que hasta recibieron títulos nobiliarios, como sir Francis Drake.

El sistema ideado para enfrentar este desafío fue el de las grandes flotas. A partir del monopolio comercial, por el cual solo podían realizar

---

1. Son tres formas diferentes de ejercer actos delictivos en el mar, que suelen englobarse equivocadamente bajo el término "piratería".

este comercio navíos españoles, se organizaban dos grandes convoyes por año, tanto de ida como de vuelta, protegidos por navíos militares. Pero siempre podían darse circunstancias en las cuales, por tormenta, averías u otras causas, quedaran buques rezagados o desprovistos de custodia.

> "No hay ningún registro histórico de que haya existido algún tipo de comunidad aborigen que habitara las islas, lo que implica que en Malvinas no existe algo similar a un "pueblo originario" o una "comunidad autóctona."

Durante casi dos siglos, el sistema de las grandes flotas pudo sobrevivir a todos los desafíos, y los metales americanos financiaron al Imperio español.

Como principal puerto de intercambio surgió y creció Portobelo, situado en las proximidades de lo que hoy es el canal de Panamá. Sus ferias eran el punto de intercambio entre el Pacífico y el Atlántico.

Pero este crecimiento y el sistema mismo de las grandes flotas terminarían abruptamente a raíz de una guerra entre el Reino Unido y España, conocida como la guerra de la oreja de Jenkins.

Jenkins era capitán del navío Rebecca y fue apresado por un guardacostas español frente a las costas de Florida mientras introducía artículos de contrabando. Cuando volvió al Reino Unido, sostuvo que el capitán del buque español le había cortado la oreja de un sablazo y que manifestó que haría lo mismo con la del rey del Reino Unido si acaso este se atrevía a levantar armas contra España. Como prueba, llevó consigo una oreja dentro de una botella de ron.

La cuestión llegó al Parlamento británico, donde se sostuvo que la oreja de Jenkins, al ser este súbdito de Su Graciosa Majestad, pertenecía en cierta manera a la Corona, por lo cual se votó exigir a España una reparación de 96.000 libras. Dado que este requerimiento fue rechazado, el 23 de octubre de 1739 el primer ministro Robert Walpole declaró la guerra contra España.

La guerra fue larga y enconada, pero produjo importantes efectos que se vincularían al tema de Malvinas.

Cuando terminó la guerra, Portobelo había caído en manos británicas y el sistema de grandes flotas había desaparecido. De allí en más, el comercio entre España y América se realizaría no a través de grandes flotas, sino a través de navíos de registro españoles que navegaban individualmente. Ello cambió nuevamente el flujo del comercio internacional, y el estrecho de Magallanes se volvió clave para la conexión del Atlántico y el Pacífico. Una base cercana era, pues, de enorme valor.

Quienes primero advirtieron esa nueva realidad fueron los franceses, que en 1764 tomaron posesión del archipiélago más cercano al estrecho de Magallanes, estableciendo allí una colonia permanente. El 5 de abril de 1764 se realizó el acto formal por la toma de posesión de las islas, luego de una expedición a cargo de Louis Antoine de Bouganville y una flota de navegantes provenientes del puerto francés de Saint-Maló. En honor a ellos fue que el rey Luis XV nombró a las islas *"Malouines"* por su gentilicio, que luego se castellanizó como "Malvinas".

España consideraba que las islas, por cercanía, formaban parte del continente americano y, puesto que Francia no tenía autorización para formar colonias en América del Sur, de acuerdo a lo firmado en los Pactos de Familia que unieron a ambos reinos entre 1733 y 1789, el rey Carlos III reclamó a su par, Luis XV, el cumplimiento de lo acordado y el abandono de las islas.[2] Francia accedió al pedido de España, con la condición de que su aliada tomara inmediata posesión de las islas. Esto último correspondía al temor de que el enemigo común de ambas naciones, el Reino Unido, encontrase el archipiélago disponible y lo colonizase, logrando así su necesaria estación intermedia para comandar sus viajes al Pacífico, que eran su objetivo militar principal por aquellos años. Francia conocía el interés que había comenzado a desarrollar el Reino Unido por el pasaje bioceánico.

Sin embargo, ni Francia ni España pudieron evitar que los británicos se asentaran en las islas: el 23 de enero de 1765, cuando no habían pasado todavía diez meses del establecimiento de Bouganville, una flota encabezada por el comodoro John Byron tocó tierra en la isla Trinidad, al noroeste del archipiélago, donde un año después se estableció en forma definitiva el llamado Puerto Egmont.

En este punto es importante detener la sucesión de acontecimientos históricos para comprender el cuadro de situación: en medio de una batalla encarnizada por "conquistar el mundo" –esta expresión debe ser tomada en su sentido literal–, en la que expandir territorios era

---

2 Caillet-Bois, R., *Una tierra argentina: las Islas Malvinas*, p. 325.

sinónimo de mayor poder, de nuevos mercados por conquistar y de nuevas fuentes de materias primas y de metales preciosos, todo territorio virgen era escenario de disputa, en especial cuando este se ubica en una posición estratégica clave como vaso comunicante entre los océanos Atlántico y Pacífico. A la vez, es necesario también imaginar una geografía irregular, donde los mapas se creaban o modifican a medida que se avanzaba en la navegación, y donde grandes partes del mundo estaban aún por ser descubiertas. Así, es perfectamente posible hacerse la imagen de dos establecimientos paralelos en las Islas Malvinas, uno al este, en la isla Soledad, y el otro al oeste, en la isla Gran Malvina. En el primero, la pequeña colonia de Port Saint Louis era habitada por franceses, que estaban a la espera de los pobladores españoles para hacer el traspaso formal de la posesión al Reino de España. En el segundo, a menos de 150 kilómetros de distancia pero separados por el estrecho de San Carlos y por incontables fallas geográficas, un puñado de británicos buscaba dejar registro de su ocupación en las islas a través de su radicación en el denominado Puerto Egmont.

Retomando el hilo de la historia, el 1º de abril de 1767 España finalmente tomó posesión de Port Saint Louis, nombrando a Felipe Ruiz Puente como gobernador de las Islas Malvinas, que pasaban a ser una dependencia de la gobernación del Río de la Plata. Desde entonces, y ya enteramente anoticiados de la presencia británica en la isla Trinidad, España hizo diversos intentos diplomáticos por echar a los británicos de las Islas Malvinas, acusando su ocupación de "clandestina" y reclamando su legitimidad por la soberanía de todo el archipiélago. En 1770, incluso, España y el Reino Unido estuvieron al borde de iniciar una guerra debido al conflicto malvinense. En junio de ese año, por orden del virreinato del Perú, del que las Malvinas formaban parte, una flota de cuatro buques españoles al mando de Juan Ignacio de Madariaga desembarcó en Puerto Egmont y exigió el retiro de todo ciudadano británico de la isla. Una semana después, la guarnición británica que ocupaba la zona presentó su rendición, pero las noticias rápidamente llegaron al norte, desde donde se cuestionó el accionar ibérico.[3]

Ante la inminencia de una guerra total entre las aliadas España y Francia contra el Reino Unido, este último cedió posiciones y aceptó

---

3 Goebel, J., *La pugna por las Islas Malvinas*, p. 355 y ss.

abandonar las islas, siempre y cuando no fuera en forma inminente y se presentara como una decisión del gobierno británico.[4] El Reino Unido retomó la posesión de Puerto Egmont el 15 de septiembre de 1771, cumpliendo lo pactado, que establecía que poco después se retiraría. Esto sucedió en mayo de 1774, aunque al abandonar el asentamiento, el gobierno británico alegó que lo hacía porque era inviable económicamente, y no porque se estaba cumpliendo lo acordado con España casi tres años atrás.[5] Como toda huella de su paso por las islas, dejaron flameando de un mástil una bandera británica, así como una placa que reclamaba la soberanía de la isla Trinidad para Jorge III. Al año siguiente, los restos de la ocupación británica en Puerto Egmont fueron quemados por guarniciones españolas, y la placa fue retirada y enviada a Buenos Aires, donde posteriormente se perdió.

Desde 1774 hasta 1811, los españoles mantuvieron ocupadas las islas como una dependencia de la gobernación de Buenos Aires. Ante la disolución del Virreinato del Río de la Plata y tras los efectos de la Revolución de Mayo de 1810, abandonaron Puerto Luis (ex Port Saint Louis), no sin antes dejar una plaqueta declamando su soberanía sobre las Islas Malvinas.

Basándose en el principio de *Utti Posidettis Juris*, las Provincias Unidas del Río de la Plata ejercieron su derecho en todos los territorios que eran parte del Virreinato del Río de la Plata, incluyendo las Islas Malvinas. Así, mientras se sucedían las guerras internas y las discusiones que formaron parte de la constitución del Estado argentino, en 1823 el gobernador de Buenos Aires de aquel momento, Martín Rodríguez, envió a Luis Vernet a ocupar las islas con una concesión para explotar la faena de focas y cobrar impuestos a los balleneros, acompañado de Pablo Areguatí, quien fue nombrado comandante militar de las islas. El 10 de junio de 1829 se estableció oficialmente en Puerto Luis (también conocido como Puerto Soledad) como primer comandante político militar de las Islas Malvinas. Durante los seis años que transcurrieron entre uno y otro hecho, las islas se fueron poblando con criollos, extranjeros, gauchos, negros e indígenas, llevados todos a las islas con el fin de aprovechar el ganado cimarrón que había quedado desde tiempos de la colonia francesa, así como la pesca de distintas especies y la caza de lobos marinos.

---

4 Caillet-Bois, R., *op. cit.*, p. 150 y ss.
5 Goebel, J., *op. cit.* y Caillet-Bois, R., *op. cit.*

Uno de los mayores desafíos que enfrentaba Vernet como gobernador de las Islas Malvinas era regular la pesca ilegal de ballenas y la caza
no autorizada de focas en el archipiélago por parte de buques extranjeros, en su mayoría, estadounidenses y británicos. A fines de 1831, un
ballenero norteamericano, la goleta Harriet, se negó a pagar los impuestos. Ante la exigencia de Vernet para que pagara, el ballenero se quejó
ante un buque de guerra también norteamericano, el USS Lexington. El
27 de diciembre, mientras Vernet estaba en Buenos Aires respondiendo
por la goleta Harriet y reclamando el caso, la corbeta de guerra norteamericana USS Lexington llegó a Puerto Luis con una bandera francesa
para no levantar sospechas, y bombardeó y saqueó el poblado. Este hecho desencadenó un fuerte cruce diplomático en el que ambos países
cortaron relaciones y retiraron sus embajadas por once años.[6]

> "Desde 1774 hasta 1811, los españoles mantuvieron ocupadas las
> islas como una dependencia de la gobernación de Buenos Aires [...]
> En 1823 el gobernador de Buenos Aires, Martín Rodríguez, envió a
> Luis Vernet a ocupar las islas con una concesión para explotar la fae-
> na de focas y cobrar impuestos a los balleneros."

Luego de aquel ataque y después de un período de confusión en el
archipiélago, en noviembre de 1832 llegó el nuevo comandante designado por el gobernador de Buenos Aires, pero poco le duró su comandancia: el 30 de noviembre se produjo una sublevación y el comandante
Esteban Francisco Mestiver, recién llegado, fue asesinado en su casa. Su
sucesor en el cargo, teniente coronel José María Pinedo, asumió el control de las islas, reestableciendo el orden.

El gobierno británico no estuvo ajeno a lo sucedido. Ya en 1829 había
recibido un pedido de parte del Almirantazgo de estudiar la necesidad
de instalar una base en las Islas Malvinas para facilitar la colonización de
Australia. Ante esta consulta del Almirantazgo, la respuesta del primer
ministro, lord Wellington, fue: "He repasado los papeles concernientes a
las islas Falkland. No resulta de ninguna manera claro para mí que jamás
hayamos poseído la soberanía sobre esas islas"[7]. Pese a ello, luego de en-
terarse de cómo el Lexington había atacado las islas con relativa facilidad,

---

6 Ibid.
7 Citado en Costa Méndez, N., *Malvinas. Esta es la historia*, p. 26.

el Almirantazgo reflotó la idea de tomarlas para instalar en ellas la base que le permitiera llevar adelante sus planes. El 20 de diciembre, la corbeta HMS Clio, al mando del capitán John Onslow, arribó a lo que alguna vez había sido Puerto Egmont, lugar deshabitado desde que 59 años atrás el Reino Unido lo había abandonado, según lo pactado con España.

Recalaron donde había estado el fuerte, y el 2 de enero de 1833 desembarcaron en Puerto Luis, donde se encontraron con el gobernador Pinedo, quien los recibió amistosamente, en función del tratado de amistad y comercio firmado con el Reino Unido en 1825, en la cual esta última no realizaba ninguna reivindicación territorial, pese a que conocía la presencia argentina en las islas. Sin embargo, el capitán Onslow le comunicó que debía abandonar las islas. Luego de una resistencia puramente formal, al día siguiente, 3 de enero, Pinedo capituló.[8] Salvando la sublevación de un grupo de pobladores al mando del gaucho Rivero en agosto de ese año, los británicos consolidaron su posición e ignoraron sistemáticamente los reclamos argentinos.

Entre los documentos que se trae Pinedo, figura el dato de que en 1832 había nacido en las islas una hija de Vernet, la cual fue anotada como argentina nacida en Malvinas. Fue conocida como Malvina Vernet. Formó familia con el ingeniero Cilley y de este matrimonio descienden más de 500 personas que viven en la Argentina, y pueden alegar títulos más sólidos que cualquiera de los isleños nacidos posteriormente.

Desde aquel día de enero de 1833, la Argentina agotó vías diplomáticas, realizó reclamos múltiples tanto ante el Reino Unido y luego de 1945 ante las Naciones Unidas, las cuales reconocieron la existencia del conflicto de soberanía. A pesar de ello, las islas permanecieron siempre bajo ocupación británica.

Como se puede ver, la disputa por la soberanía de Malvinas no es algo nuevo, ni fue un hecho que surgió en 1982 o en años inmediatamente anteriores. Nada de lo que hemos dicho en estas líneas es novedoso, pero nos parecía importante hacer un alto entre tanta bibliografía sobre la materia para recordar cuál fue el inicio del conflicto y para señalar que, justamente, el conflicto existe no por un gobierno o por otro, sino desde el descubrimiento mismo de las islas. El reclamo argentino ha sido permanente desde 1833 hasta 1982.

---

8 Caillet-Bois, R., *op. cit.*

Capítulo 2

Octubre 1981 - marzo 1982

José Enrique García Enciso

Un plan secreto para recuperar las Islas Malvinas

En octubre de 1981 entré por primera vez a los despachos de la Casa de Gobierno de la Nación, ese emblemático edificio que tantas veces había observado distraídamente al cruzar Plaza de Mayo. Debía dirigirme a la Subsecretaría de Relaciones Institucionales de la Secretaría General de Presidencia. Luego de realizar los trámites pertinentes, atravesé un pequeño patio y subí por un ascensor que indudablemente hubiera sido muy valorado en un museo por su antigüedad. En el segundo piso me llevaron a la llamada "Sala de Situación", donde transcurriría gran parte de la historia de Malvinas. ¿Cómo llegué hasta allí? Yo mismo a veces me sorprendo al pensar en cómo se fueron encadenando los hechos para que yo llegara a tan importante lugar.

Había sido convocado originalmente por el Dr. Francisco Arias Pellerano, director de la carrera de Ciencias Políticas de la Universidad Católica Argentina. Por haber sido presidente del centro de estudiantes, había desarrollado con él una relación muy cercana. Arias Pellerano había recibido una consulta informal de un alto nivel gubernamental sobre la posibilidad de contactar a algún egresado de buen nivel académico que tuviera formación en relaciones internacionales, dominio del idioma inglés y conocimiento de historia, cultura e idiosincrasia del

Reino Unido, todo lo cual yo había adquirido en el San Jorge de Quilmes, tal como conté anteriormente.

No dudé en responder al llamado del Dr. Arias Pellerano. No sabía de qué se trataba, pero consideraba, por el respeto que le tenía, que debía viajar inmediatamente. Y así lo hice. De un momento a otro, entonces, cambié el paisaje verde de mi querida Corrientes por el cemento porteño.

Una vez en Buenos Aires, Arias Pellerano me dijo que debía reunirme con el coronel Antonino Fichera en casa de otro egresado de Ciencias Políticas y gran amigo mío, Federico Carman.

Allí, el coronel Fichera, luego de hablar de temas generales, me invitó a concurrir a su despacho, en la Casa Rosada, al día siguiente. No sabía aún cuál era el motivo de la invitación. Supuse que tal vez tuviera que ver con algún tema de la provincia de Corrientes.

Al otro día, cuando entré por primera vez a la Casa Rosada, me recibió Fichera. El tono amable y despreocupado del día anterior fue reemplazado por un tono más firme y duro, más directo. Profesionalmente, sin preámbulos, el coronel me preguntó si estaría dispuesto a integrar un equipo especial de presidencia dedicado al tema Malvinas.

Sin mostrar mi asombro, que era muy grande, pregunté, también directamente, cuál era el objeto de ese equipo, pues tradicionalmente era un tema de Cancillería.

Me contestó, luego de aclararme que lo que iba a decirme era reservado y que no podía contárselo a nadie, que se poseía información, trasmitida por el entonces canciller Oscar Camilión, de que el Reino Unido había decidido no negociar el tema de la soberanía de Malvinas –lo cual fue confirmado posteriormente por el Informe Franks–[1], y que no se descartaba que el 3 de enero de 1983, aniversario de los 150 años de la ocupación, el Reino Unido realizara algún anuncio vinculado a la llamada "postura Edén",[2] que sostiene que la ocupación pacífica e ininterrumpida del territorio durante ese período genera la prescripción de cualquier reclamo, pues tiene más validez que un título jurídico, cualquiera que sea, dada su posesión. Esto permitiría dar un papel cada vez mayor al Concejo de las Islas, que promovía la autodeterminación.

---

1 Informe Rattenbach, t. I, cap. II, fojas 7-15.
2 Foreign Office, documentos 371/19763, citado en Pereyra, E. F., *Las Islas Malvinas. Soberanía argentina*.

En lo personal, más allá de tener que dejar mi tierra de modo intempestivo, estaba muy contento con la nueva oportunidad laboral: podía aplicar todos mis conocimientos en pos de una causa justa, y siendo muy joven iba a tener la ocasión de participar en un proyecto trascendente para la historia del país.

> "Existía una fuerte preocupación porque el aniversario en números redondos trajese aparejada una reivindicación británica ante la comunidad internacional por los supuestos derechos de soberanía sobre las islas, basados en una permanencia prolongada."

En el gobierno nacional, presidido para entonces por el teniente general Roberto Viola, existía una fuerte preocupación porque el aniversario en números redondos trajese aparejada una reivindicación británica ante la comunidad internacional por los supuestos derechos de soberanía sobre las islas, basados en una permanencia prolongada. El temor era que el Reino Unido tratara de forzar de alguna manera o bien la pertenencia de los isleños al Reino Unido como ciudadanos de plenos derechos o bien alguna forma de autonomía o una solución para las islas que excluyera la devolución a la Argentina. Como Nación, nadie estaba dispuesto a dejar que eso sucediera, y desde los altos mandos se había empezado a trabajar, a modo preventivo, para estudiar la cuestión a fondo.

Como se comentó en el capítulo 1, la Argentina venía arrastrando una extensa serie de reclamos por las islas. Los más enfáticos –o, por lo menos, los más significativos– se habían dado en los años más recientes. Luego de la resolución 2065 sancionada por la Asamblea General de Naciones Unidas en 1965, la Argentina estaba ante un contexto internacional favorable para debatir la cuestión de Malvinas, puesto que, a partir de dicha resolución, para la ONU las islas constituían desde ese momento un territorio a ser "descolonizado", rechazando la utilización del principio de autodeterminación para ese caso en particular y reivindicando el principio de integridad territorial. Además, se reconocía un conflicto de soberanía sobre las islas, a diferencia del Reino Unido, que no reconocía ninguno. Esta resolución se daba en el marco de una creciente tendencia a la eliminación de todo tipo de colonias y territorios de ultramar en el mundo, o al menos, se debía a la voluntad de la ONU y de sus países miembros de reducir ese tipo de situaciones. Que la soberanía de Malvinas fuera un tema de debate resultaba en cierta medida positivo para el país, porque si bien no se aceptaba lo reclamado por la Argentina, por lo menos se exigían mesas de diálogo periódicas entre ambas naciones para discutir la cuestión.

Sin embargo, como se verá luego, aquellas conversaciones no fueron más que una pantalla británica en la que se simulaba debatir la cuestión de fondo, pero en realidad nunca se avanzaba en nada, puesto que el Reino Unido no estaba dispuesto a negociar la soberanía, argumentando que los deseos de los isleños a ese respecto eran determinantes.

Ese era el marco en el que yo ingresaba en la Casa Rosada, con la clara misión de estudiar la cuestión Malvinas de principio a fin, haciendo una investigación profunda de la resolución de la ONU y de los encuentros bilaterales posteriores y, a la vez, estudiando casos análogos que se pudiesen utilizar para defender la postura argentina. Todo este trabajo debía ser desarrollado cuanto antes, porque el horizonte de expectativas era realizar un reclamo ante la ONU antes del 3 de enero de 1983, pero en esta ocasión, uno mucho más enérgico que los anteriores.

Cuando llegué a la Casa de Gobierno, me presenté en la oficina de Fichera, que estaba al lado de la del presidente. Era la dirección de Relaciones Institucionales, en el segundo piso, pegada a la secretaría general y al despacho presidencial, y enfrente de la Sala de Situación, donde se tomaron las grandes decisiones antes, durante y después de la guerra.

En la oficina me encontré con la sorpresa de que estaban dos amigos míos que habían sido también convocados sin que yo tuviera la más mínima idea: uno era Luis González Balcarce, también licenciado en Ciencias Políticas, y el otro era Fernando Lascano, brillante periodista del diario La Nación, que después hizo una carrera muy importante en el sector empresario. También estaba Nelly Seinhert, que era socióloga y por quien adquiriría a lo largo de esos difíciles tiempos un enorme afecto y respeto.

El lugar parecía más un club inglés que una dependencia pública, porque era la parte antigua de la Casa Rosada: boiserie, sillones Chesterfield y unos muy lindos escritorios antiguos. Al lado estaba la oficina del secretario y la del subsecretario, que eran nuestros superiores, y nosotros estábamos en una especie de antesala de esas oficinas, pero el espacio era muy grande y confortable, lo que hacía que resultara todavía más atractivo trabajar ahí: estaba estudiando un tema que me interesaba, aplicando todos mis conocimientos de estudios secundarios y universitarios en pos de una causa histórica para la Nación, y encima lo hacía en una oficina cómoda dentro de la Casa de Gobierno, y con gente joven con la que me llevaba muy bien.

En ese momento, nuestra tarea era investigar alternativas diplomáticas para presentar ante la ONU. No se consideraban opciones de tipo militar.

En mi primera semana de trabajo, me enteré de cosas como las siguientes: la República Argentina comenzó a presentar sus reclamos desde el momento mismo de la invasión. El trabajo de Manuel Moreno, embajador en Londres en ese momento, había sido excelente. Pero el Reino Unido no había contestado. Desde entonces, la Argentina ha presentado infatigablemente sus reclamos. El Reino Unido, por su parte, se limitó a ignorarlos. Sin embargo, fue consciente desde un primer momento de la debilidad de su posición. Como mencioné antes, el duque de Wellington declaró en una oportunidad: "No me resulta claro que alguna vez hayamos poseído soberanía sobre las islas"[3]. En 1910, el Foreign Office (FO, por sus siglas en inglés)[4] encargó a Mr. De Berherndt, bibliotecario jefe del organismo, un estudio sobre el tema y el experto concluyó: "La actitud argentina no es injustificada, y hemos sido prepotentes". Un año después, un subsecretario del FO recomendó lo que sería la política británica a partir de ese momento: "No podemos fácilmente llevar a cabo una reclamación válida y debemos sabiamente evitar una discusión con la Argentina sobre este tema". Otro funcionario declaró: "Nuestro procedimiento en 1833 fue tan arbitrario que nos exponemos a ser considerados unos bandidos". En 1936, el jefe del Departamento Americano del FO declaró: "Lo mejor que podemos hacer es guardar silencio, evitar discusiones y aferrarnos con toda nuestra fuerza a las islas". Ello no impidió que, en 1946, el FO, en un documento oficial, no deje de reconocer que "la ocupación de 1833 fue un acto de agresión injustificable".

Pero a partir de 1965, con la Resolución 2065 –que fue considerada como una seria derrota del Reino Unido en el plano diplomático– la situación cambió. Para la ONU, este territorio debía ser descolonizado y existía un conflicto de soberanía que debía resolverse mediante negociaciones.

---

3 Todos los textuales de este párrafo fueron obtenidos de Costa Méndez, N., *op. cit.*, p. 25 y ss.
4 Foreign Office, u Oficina de Asuntos Exteriores, es el equivalente británico a nuestra Cancillería.

Si esta negociación pasaba por la legitimidad de los títulos de soberanía, el Reino Unido no tendría una argumentación sólida, como ellos mismos reconocían. De allí que la posición británica –más allá de sus declaraciones de que no tenían dudas sobre su soberanía, lo cual era, como se ve, falso– se vuelca a la prescripción y a la autodeterminación. Esta era la posición en ese momento, y esta es la posición hoy, aun cuando el mismo Parlamento británico declaró en 1983 que "el peso de la evidencia argumenta a favor de la posición de los títulos argentinos, que son de mayor substancia de lo que es aceptado por el Reino Unido"[5].

Este era, pues, el análisis de situación aquel día de fines de 1981, cuando comencé a formar parte del equipo. Debíamos, entonces, seguir el análisis, pensar alternativas y estudiar antecedentes en otros lugares del mundo referentes a casos que pudieran tener alguna similitud con el de Malvinas. Y con todo entusiasmo me incorporé a la tarea.

La primera gran modificación se dio al mes de mi arribo. En diciembre del año 81, algo que no estaba previsto sucede: internan al general Viola y asume en su reemplazo al mando de la presidencia de la Nación el teniente general Leopoldo Fortunato Galtieri. Con su llegada, se produce una serie de modificaciones importantes en la Casa Rosada; la que a mí más me afectó fue el traslado de quien me había convocado, el coronel Fichera. En su reemplazo se nombró como subsecretario general al coronel Mario Zambonini, que iba a estar subordinado al nuevo secretario general de la presidencia, el general Héctor Iglesias, mientras que por debajo de Zambonini se incorporaba el mayor Horacio González.

Como los cambios se dieron de un modo un tanto intempestivo, ninguno de ellos recibió en ese momento una instrucción definitiva acerca de nuestro trabajo, pero así y todo, el general Iglesias decidió conservar al equipo, hasta que finalmente habló con Fichera para entender concretamente qué era lo que estábamos haciendo. Cuando recibió esa información, no solo avaló el plan, sino que el énfasis en la misión comenzó a ser mucho mayor.

Con la llegada de Galtieri al poder, el clima pasó a ser distinto, y Malvinas cobró una relevancia inusitada para lo que venía siendo el proyecto hasta ese momento. El 20 de diciembre nos anticiparon en una

---

5 Declaración en la Cámara de los Comunes, año 1983.

reunión informal que se iba a cambiar el enfoque de la cuestión Malvinas: si bien se iba a mantener nuestra misión de investigar a fondo los tratados, las resoluciones y la historia política de las islas, habían llegado órdenes desde Cancillería de un viraje en los planes ulteriores. Nicanor Costa Méndez había reemplazado a Oscar Camilión en el rol de ministro de Relaciones Exteriores y tenía pensado hacer una jugada fuerte en la reunión que ya estaba pactada de antemano con el Reino Unido para febrero de 1982. Seguía estando el horizonte del 3 de enero del 83, pero ahora los planes apuntaban a ser mucho más contundentes.

> "Anaya señaló la necesidad de tener un plan B que pudiera forzar la negociación y que rompiese con la inercia de los británicos ... Se trabajaba sobre la hipótesis de realizar una avanzada militar, por lo que era un plan conocido por muy pocas personas y que no se podía comentar con nadie."

Esta postura se desprendía muy posiblemente de una reunión que habían mantenido Costa Méndez y Camilión, en el que el excanciller repitió conceptos que están en una entrevista que dio a la revista *Somos* en junio de 1981, en la que aseguró que, luego de haberse reunido con su par británico, este le había confesado que la cuestión Malvinas prácticamente no estaba en la agenda del país del norte. Lo que supimos puertas adentro de la Casa Rosada fue que esa reunión sirvió de detonante para endurecer la posición argentina en torno a las islas. En diciembre se gestó, entonces, un plan diplomático duro de cara a la reunión bilateral de febrero, que debía dar resultados antes de octubre, cuando se iba a dar la siguiente Asamblea General de la ONU. Para esa fecha era necesario que la postura del Reino Unido con respecto a las islas cambiara, y ese era el plan A.

Más tarde nos enteramos de una reunión que se había dado en los últimos días de diciembre entre Galtieri y el almirante Jorge Anaya, en la que Anaya señaló la necesidad de tener un plan B que pudiera forzar un poco la negociación y que rompiese con la inercia de los británicos, que solo se dedicaban a dilatar cualquier tipo de diálogo que tuviera que ver con la soberanía de las islas. Este plan estaba inspirado en repetir una jugada estratégica exitosa que se había dado con Chile en 1978, que ante el riesgo de un conflicto armado, accedió a negociar. Se trabajaba sobre la hipótesis de realizar una avanzada militar, por lo que era un plan conocido por muy pocas personas y que no se podía comentar con nadie.

El general Galtieri delegó en Costa Méndez el manejo puramente diplomático (el plan A) y en Anaya el seguimiento de la Directiva Estratégica Militar (DEMIL) N° 1 (el plan B). El presidente había decidido volcarse a la construcción de una alternativa política que reemplazara al gobierno militar. Se sentía alentado por encuestas en las cuales una mayoría de la población rechazaba el caos que en algún momento signó a la política argentina y confiaba en que los intendentes, en su gran mayoría provenientes de la UCR y el PJ, podrían jugar un papel central en este proyecto. Estaba entusiasmado con la perspectiva de una gran reunión política que finalmente se realizó en Santa Rosa, La Pampa, en el mes de febrero.

"... nadie, ni siquiera remotamente, tenía en agenda el 150° aniversario de la ocupación británica o los planes del gobierno para realizar algún tipo de acción en lo inmediato. El hermetismo era total."

Todo lo que giraba en torno al "plan Malvinas" era conocido puertas adentro de la Casa Rosada, pero se trataba de una información sumamente secreta, y nadie ni siquiera remotamente tenía en agenda el 150° aniversario de la ocupación británica o de los planes del gobierno para realizar algún tipo de acción en lo inmediato. El hermetismo era total, y nadie que estuviera fuera de nuestra oficina o de presidencia estaba al tanto de lo que nosotros hacíamos allí. Por eso resultó tan sorprendente la nota que publicó el diario La Prensa en su tapa del 24 de enero. Firmada por el periodista Jesús Iglesias Rouco, daba detalles sobre un plan militar para invadir las Islas Malvinas, y contaba con una sorprendente cantidad de información que no pudo haber salido de otro lado que no fuese de quienes trabajábamos en el tema. Esa mañana, mientras tomábamos un café con el diario sobre la mesa, nos miramos los cuatro integrantes del equipo preguntándonos quién pudo haber filtrado esa información. Seguros de que no había sido ninguno de nosotros, con el correr de los días llegamos a la conclusión de que posiblemente fuera alguien que se oponía a la implementación del plan B, aunque al día de hoy aún no sé a ciencia cierta quién la filtró.

Esa publicación podría haber sido muy riesgosa, porque ponía al descubierto un plan secreto que ni siquiera estaba tan claramente definido como se presentaba en la nota, y aunque en el Reino Unido no le prestaron mayor atención, podría haber significado un serio problema en la negociación por la soberanía de las islas. Afortunadamente –y contra todo lo que nosotros imaginábamos–, la noticia casi no tuvo repercusión y fue rápidamente olvidada por toda la población, tal vez pensando que se trataba de "otra locura del gallego Iglesias Rouco". Nosotros, sin embargo, sabíamos que no era ninguna locura lo que había publicado y que sus fuentes eran buenas, porque era cierto que la DEMIL N° 1 ya había sido comunicada y que nosotros trabajábamos cada vez más intensamente en el estudio de la cuestión Malvinas y en el desarrollo de estrategias diplomáticas para recuperar las islas.

Para el mes de enero de 1982, un equipo militar había avanzado en la planificación de la alternativa B. Si bien nosotros teníamos un conocimiento fragmentado de lo que sucedía con el equipo militar, no hubo requerimientos específicos de apoyo de nuestro equipo ni del equipo de Cancillería, porque estábamos trabajando con ahínco en la reunión bilateral pactada para febrero con los británicos en Nueva York. El foco del gobierno estaba puesto en el plan A, es decir, en las relaciones diplomáticas, de las cuales, a la postre, dependería todo lo que sucedería luego. El plan B no era más que eso, un plan B, algo que se preparaba por si fuera necesario, pero sin creer mucho en él: la perspectiva de un conflicto armado estaba fuera del horizonte de los eventos.

Reunión bilateral y la fallida incursión diplomática

A medida que avanzaba enero, se iban definiendo las líneas de lo que iba a ser la reunión más enérgica que iba a tener nunca un cuerpo diplomático argentino con uno británico en torno al conflicto de las islas.

En la Argentina, la situación política no era fácil, pero en la Casa de Gobierno se vivía, dentro del área política interna –que no era la nuestra–, un microclima especial. Encuestas recientes mostraban que un 70% de la población seguía valorando la seguridad como principal elemento a considerar, y se interpretaba que eso era favorable al gobierno. Si bien *a posteriori* muchas opiniones sostuvieron que la recuperación de Malvinas fue un gesto desesperado de un gobierno que se derrumbaba, ese no era en absoluto el sentimiento dentro de la Casa de Gobierno.

La reunión bilateral que iba a mantener el embajador Enrique Ross en Nueva York con una delegación británica el 20 de febrero generaba muchas expectativas en la Casa Rosada: era un modo de acercarse al gran objetivo de dejar sentada una postura fuerte a nivel internacional con respecto a las islas a la vez que se esperaba obtener un éxito diplomático que pudiera mostrarse como un éxito político.

Costa Méndez dio claras instrucciones a Ross acerca de la estrategia planteada y del discurso vehemente que este tenía que dar frente a sus pares británicos, y de acuerdo con lo establecido, así fue como comenzó el almuerzo bilateral, con un firme planteo para discutir el tema de la soberanía de las islas. Pese a la firmeza inicial de Ross, los británicos plantearon otros temas, como la comunicación de las islas con el continente y prácticas del quehacer cotidiano de las islas, evadiendo en cierta forma la cuestión de fondo.

Las expectativas que se tenían no fueron, en opinión del gobierno argentino, cubiertas. Mantener una negociación dubitativa implicaba correr un riesgo: que al arribar el 150 aniversario de la toma, Gran Bretaña pusiera en marcha la doctrina Edén, pues esta era una alternativa posible, como lo reconoce el informe Franks.

Esa reunión fallida –que albergaba todas las esperanzas diplomáticas del país en su disputa por las Islas Malvinas– cayó como un balde de agua fría y se consideró el último intento de diálogo abierto entre ambas naciones. Entonces Argentina asumió una posición de mayor firmeza, tal como estuvo planteada desde un comienzo con el llamado plan B. El 16 de marzo de 1982 se redactó la Directiva Estratégica Militar Nº 2, que indicaba que a partir de julio del año en curso, en la medida en que no existiese ningún progreso, se debía hacer aunque sea un gesto simbólico en las islas, como ser un desembarco y una permanencia mínima de un gobernador argentino y de fuerzas policiales, con el fin de que el Reino Unido por fin se sentara realmente a negociar y que dejase de dilatar la conversación acerca de la descolonización encargada por la ONU en minucias del día a día de los isleños.

El motivo por el cual se planteaba que el gesto debía realizarse a partir de julio no era arbitrario, sino que respondía a múltiples causas, desde históricas y bélicas hasta climáticas. La primera es que se coqueteaba con el 9 de julio como fecha especialmente simbólica para desembarcar, haciendo referencia a una segunda independencia. Pero más relevancia

"El 16 de marzo de 1982 se redactó la Directiva Estratégica Militar N° 2, que indicaba que a partir de julio, en la medida en que no existiese ningún progreso, se debía hacer aunque sea un gesto simbólico en las islas, como ser un desembarco y una permanencia mínima de un gobernador argentino y de fuerzas policiales, con el fin de que el Reino Unido por fin se sentara realmente a negociar ... se coqueteaba con el 9 de julio como fecha especialmente simbólica para desembarcar."

tenía el factor estratégico: la Armada argentina había hecho una compra reciente a Francia de catorce aviones Super Étendard con veinte misiles antibuque Exocet que se entregaban en tandas de a cinco, y recién en mayo estaba pautada la entrega de las últimas cinco naves con sus misiles. Por otro lado, en la Casa Rosada nadie era ajeno a los conflictos internos que la primer ministro británica, Margaret Thatcher, estaba teniendo en su país, donde existía una presión muy fuerte de parte de la oposición laborista y de la opinión pública para que se diera de baja una parte de la Royal Navy, por lo que era inminente que el Reino Unido perdiese gran parte de su mítica flota marítima en el transcurso de ese año; es más, el conflicto interno de aquel país –causado en gran medida por la crisis económica– era tan grande que se especulaba con que para julio de 1982 Thatcher pudiera ser separada de su cargo, con lo cual el Reino Unido hubiese estado más descompensado aún para defender su territorio de ultramar a 12 mil kilómetros de distancia.

El plan de recuperación de las Islas Malvinas fue una misión elaborada y estudiada que tuvo diversas etapas. En todo momento, se consideró la negociación y la diplomacia como opciones primordiales, incluso cuando se planteó la posibilidad del desembarco, puesto que en ese momento la intención también era negociar por vía diplomática, aunque se hubiese hecho luego de un gesto de fuerza que no se había logrado en la reunión de febrero en Nueva York.

En el equipo trabajábamos intensamente en la recolección de datos y en la investigación, y dábamos asesoramiento técnico y de traducción a los altos mandos para que ellos pudieran tomar las decisiones pertinentes con buena información. El trabajo que hacíamos era lento pero constante, con miras a aquel 9 de julio, y estábamos atentos a todas las alternativas que pudiesen surgir, siempre siguiendo las órdenes y direcciones del general Iglesias, que era nuestro jefe y a quien respondíamos.

Con un plan tan claro, no entendimos qué fue lo que pasó en su momento. En marzo de ese año, toda nuestra planificación se fue por un barranco ante una contingencia menor, que desencadenó el fin de la diplomacia y que puso en bandos enfrentados por primera vez de forma real a la Argentina y al Reino Unido. Nuestro 9 de julio de 1982 quedaba lejos ya, y los acontecimientos iban a tener lugar mucho antes, fuera de cualquier planificación que pudiese hacerse. Nosotros pasamos de ser investigadores de largo plazo a ser testigos privilegiados de un conflicto que tenía virajes inesperados minuto a minuto, para el que no nos quedó mayor tarea que oficiar de traductores y ver cómo se tomaban al lado nuestro las decisiones que llevaban a nuestra nación a una guerra luego de más de cien años de paz.

El conflicto Davidoff

Hay un hecho que es harto conocido entre quienes seguimos de cerca el tema Malvinas, pero que muchos otros han olvidado ya, e incluso están quienes aún no han escuchado jamás una palabra sobre esto. Estoy hablando del conflicto en las islas Georgias del Sur, protagonizado por el chatarrero argentino Constantino Davidoff y la Armada británica, la chispa que encendió la mecha para que se iniciara la guerra.

Davidoff era un empresario del Gran Buenos Aires que se venía dedicando desde hacía algún tiempo al desmontado de viejas instalaciones en desuso, con experiencia suficiente para estar a cargo de la tarea de desenterrar el antiguo cableado submarino del telégrafo en el océano Atlántico, entre otras tareas.

Conocedor del continente y del potencial de venta que tiene la chatarra, Davidoff estaba al tanto de las instalaciones balleneras en desuso de las islas Georgias del Sur: antiguos esqueletos de hierro oxidado que quedaron como resabio del último impulso de la industria que tuvo su auge en el siglo XIX y que habían sido instalados allí en 1904 por una empresa argentina y abandonados luego de la Primera Guerra Mundial. Uno de ellos fue licitado en 1978 por una empresa escocesa para su desguace. Davidoff se presentó en la licitación y la ganó. Desde ese momento, pasó un año entero dándole forma a un contrato internacional que le permitiese no tener inconvenientes con Christian Salvensen, el oferente escocés en cuestión, y finalmente en 1979 tuvo todo en orden para dar inicio a su misión de desguace y remoción de chatarra en Grytviken, el lugar que alguna vez fuera un poblado de este archipiélago ubicado a 1.300 kilómetros al sudeste de las Islas Malvinas y que para esos años estaba, en principio, deshabitado.

> "En marzo de ese año, toda nuestra planificación se fue por un barranco ante una contingencia menor, que desencadenó el fin de la diplomacia [...] Nosotros pasamos de ser investigadores de largo plazo a ser testigos privilegiados de un conflicto que tenía virajes inesperados minuto a minuto."

En diciembre de 1981, Davidoff viajó a las Georgias para analizar el estado de situación del material. A su regreso, preparó la expedición. Davidoff, además, estaba al tanto de todos los requisitos que tenía que cumplir, y se encargó de tener todo en regla para el momento de la expedición. Varias veces llevó documentación a la embajada británica sin que le objetaran nada. A fines de febrero de 1982, contrató al buque ARA Buen Suceso para el traslado de los treinta y nueve operarios.

Así fue como los operarios de la empresa chatarrera desembarcaron en Puerto Leith, una ciudad cercana a Grytviken, dentro de la isla principal del archipiélago: la isla San Pedro. En clima de entusiasmo y alegría por haber arribado al inhóspito destino, según cuentan ellos mismos, los operadores descendieron del barco y disfrutaron del desolador paisaje. Como gesto patriótico, como humorada o vaya uno a saber por qué, tomaron una bandera argentina que traían en el barco, la ataron a un remo y lo clavaron en el suelo. Así, de modo rústico y un poco rudimentario, hicieron flamear la bandera argentina en supuesto suelo británico, ya que las Georgias, al igual que las Sandwich del Sur, eran reclamadas tanto por británicos como por argentinos.

Nada ocurrió con esa acción en lo inmediato, pero iba a resultar significativa en los sucesos posteriores. Todo lo que los argentinos hicieron allí fue observado por tres científicos británicos destinados a la Antártida que estaban en las Georgias de casualidad, en una parada de paso. Observaron la bandera argentina flameando y dieron la señal de alerta. No solo eso, sino que la distancia no les permitió discernir correctamente lo que estaban viendo, y su mensaje fue alarmista: "En las islas Georgias desembarcó un grupo de unos cuarenta argentinos que llegaron en un buque de la Armada argentina, colocaron su bandera en tierra y efectuaron disparos en la isla". Nada de eso era falso, pero la mirada estaba distorsionada: el buque de transporte de la Armada estaba cumpliendo una misión civil y había sido prestado con fines operativos; la bandera que flameaba había sido una simple ocurrencia de unos empleados y no una decisión estatal; y por último, los disparos que se oyeron no eran sino unas balas dirigidas a los únicos renos salvajes del mundo –implantados a principios de siglo XX por la Compañía de Pesca Argentina– para poder comer carne a las brasas, en reemplazo del alimento enlatado, las conservas y el pescado. El único armamento que llevaban era un rifle calibre .22.

No fue eso lo que entendieron los científicos británicos, que enseguida dieron aviso al gobernador de las Islas Malvinas, Rex Hunt, quien era para ellos la autoridad competente sobre las Georgias. Con este aviso se lanzó la primera alerta de conflicto real entre ambas naciones, puesto que Hunt comenzó a hacer presión sobre su gobierno para que desalojara a los argentinos de las Georgias o que los obligara a ir a las Malvinas a firmar la tarjeta blanca, como si se tratase de un control de fronteras.

Los hombres de Davidoff ya habían hecho ese trámite en la embajada británica en Buenos Aires, por lo que no correspondía que pasasen por Malvinas para tener el sellado. De hecho, en ese pedido nada inocente de Hunt se escondía un gesto de soberanía que indicaba que la Argentina necesitaba visa para acceder a las Georgias, cuando en realidad las islas eran parte del conflicto y la Argentina tenía hecho su reclamo de soberanía por el archipiélago. Si los hombres de Davidoff accedían al pedido e iban a las Malvinas para completar el visado, siguiendo las exigencias británicas, iba a quedar asentado en la historia que la Argentina había considerado a las Georgias "tierra ajena", y la postura argentina se debilitaría, en exacta oposición a lo que querían los hombres del gobierno.

En ese momento comenzó entonces un tira y afloje político, una negociación entre el embajador inglés y la cancillería argentina. El 17 de marzo, el representante de la Corona hizo el pedido que había elevado Hunt, el cual fue rápidamente desestimado por las autoridades argentinas, amparadas en que Davidoff ya había gestionado la carta blanca en la embajada. El embajador inglés, en una primera instancia, aceptó el argumento, pero al día siguiente se desdijo, basado en instrucciones que recibió desde

Londres, y anunció que sacarían a los hombres de Davidoff por la fuerza si estos no acudían a Malvinas de inmediato para hacerse sellar los papeles como extranjeros en las islas. Además, anunció que iban a proceder a enviar un pelotón de infantes de la Marina británicos en un buque que iba a salir desde Malvinas. Mientras tanto, el 25 de marzo los diarios británicos ofrecían titulares más que llamativos: anunciaban que la Argentina había desembarcado en las "Falkland", tomando militarmente territorio "británico".[6] Un hecho imprevisto surgido de un acontecimiento aislado en las Georgias entre un grupo de operarios que respondían a un emprendimiento privado y que contaban con un rifle calibre .22 (que sirve para disparar vizcachas y no mucho más) como todo armamento. A partir de la exigencia de Hunt y del repentino cambio de posición del embajador (posiblemente influenciado por los intereses de Hunt y de la Falkland Islands Company), la cuestión de Davidoff, que no había tenido trascendencia, comenzó a escalar de manera imprevista y terminó siendo el detonante de la recuperación y de la guerra.

Desde el momento en que el Reino Unido tomó una postura intransigente y se negó a aceptar lo planteado por la Cancillería argentina, el tema subió en la jerarquía y pasó a ser motivo de preocupación para la Junta Militar: largas deliberaciones en torno al tema Davidoff tuvieron Galtieri, Anaya y el brigadier general Basilio Lami Dozo. La conclusión a la que llegaron fue contundente: no se podía aceptar el pedido británico de que los hombres de Davidoff se presentasen ante el gobernador británico para validar su presencia en las Georgias, porque eso marcaría un antecedente que aceptaba que los argentinos estaban en territorio extranjero, lo que habilitaría un potencial argumento al Reino Unido para imponer autonomía a las Malvinas. Además, acceder al pedido del Reino Unido era ceder una vez más, justo en el año en el que se habían propuesto exhibir una posición mucho más firme y rotunda sobre la cuestión Malvinas.

Basados en estos argumentos, en lugar de solicitar a Davidoff que llevara a sus hombres a Malvinas, la Junta Militar decidió enviar un buque para proteger a los operarios argentinos que estaban trabajando en regla en las Georgias, con su tarjeta blanca firmada por la embajada británica y con su contrato de trabajo como documentación que avalaba allí su presencia.

---

6 N. Costa Méndez, *op. cit.*, p. 122 y ss.

Con la ofensiva argentina de enviar el buque para proteger a sus ciudadanos, llegó una contraofensiva directamente desde los diarios británicos: la prensa británica anunció que Margaret Thatcher había ordenado el envío de un submarino nuclear a la zona de conflicto.

Aquella noticia impactó fuertemente en el área en la que yo estaba trabajando, porque enseguida descubrimos que el plan –que primero se había pautado como una acción diplomática para antes del 3 de enero de 1983 y que luego pasó a ser un gesto militar/diplomático con un desembarco simbólico en las islas el 9 de julio de 1982– ahora involucraba a un submarino nuclear y a un adversario prevenido y alerta. Los planes cambiaban, se precipitaba la acción y se fijaba una nueva fecha de desembarco desde la Junta: el 2 de abril.

El sábado 27 de marzo de 1982 se dio inicio al Operativo Rosario y se embarcaron las tropas de infantería de Marina y del Ejército, que zarparon al día siguiente con dirección al sur, con el firme objetivo de pisar suelo malvinense y poner fin a los 149 años de usurpación británica ininterrumpida en tierra argentina. El plan era llegar el 2 de abril a Malvinas con la premisa de no causar daño ni a los soldados británicos ni a los isleños. No había ninguna previsión de lo que sucedería los días siguientes, y para los que veníamos trabajando durante tanto tiempo en la planificación, parecía increíble que un hecho tan inesperado como un cisne negro pudiera cambiar tan radical y definitivamente en tan pocas horas el cuadro de situación. Tiempo después, se argumentó que la Armada Argentina había utilizado el viaje de Davidoff para montar un operativo de desembarco armado en las Georgias. Esto no es verdad; existió un proyecto de operativo ALFA, que consistía en montar una base científica en las Georgias y que fue suspendido en enero de 1982, cuando se elaboró el plan de recuperación de Malvinas en enero de 1982, como puede ser verificado en el informe Rattenbach.[7]

Así fue como un conflicto menor entre un empresario argentino y el Estado británico, iniciado por una pequeña bandera atada a un remo, escaló de tal modo que dos países aliados –no olvidemos que en 1982 todavía estaba la Guerra Fría entre Occidente y el Bloque Comunista– quedaron enfrentados y al borde de una guerra. Nosotros no lo sabíamos aún, pero todo estaba por comenzar…

---

7 Informe Rattenbach, t. I, cap. IV, fojas 42/43.

COMISIÓN EVALUACIÓN CONFLICTO
ATLÁNTICO SUR

CAPÍTULO IV - LA DECISIÓN ESTRATÉGICA MILITAR

EL INCIDENTE DE LAS ISLAS GEORGIAS DEL SUR

174. El incidente de las Islas Georgias del Sur, que aparentemente fue el elemento desencadenante del conflicto, estuvo ligado estrechamente con una operación comercial privada gestada por un comerciante argentino llamado Constantino Davidoff, consistente en el desguace de los puestos balleneros pertenecientes a una empresa británica ubicados en la Isla San Pedro.

175. El señor Davidoff firmó contrato con la empresa "Salvensen Limited" de Edimburgo, el cual quedó protocolizado ante el escribano Ian Roger Frame el 19-SET-79 con vigencia hasta el 31-MAR-83. En octubre de 1979, el comerciante argentino se puso en contacto con las autoridades de Puerto Stanley (1), a fin de ponerlas en conocimiento de la existencia del mencionado contrato y sondear la posibilidad de alquilar una embarcación para transportar la chatarra obtenida del desguace de las factorías, a lo cual las autoridades locales se negaron.

176. El próximo paso del señor Davidoff consistió en formalizar una empresa para la entidad "Islas Georgias del Sur Sociedad Anónima" (en formación) con dos socios más. Posteriormente, procuró contratar un transportador que le permitiera observar "in situ" la magnitud y herramientas necesarias para el trabajo a desarrollar en las factorías balleneras.

177. Informado nuestro Ministerio de Relaciones Exteriores de las actividades del señor Davidoff, el Director de Antártida y Malvinas de dicha Cartera de Estado, Embajador Blanco, elevó un memorándum con fecha 10-AGO-81 al Subsecretario de Relaciones Exteriores, por el cual se recomendaba la aprobación de las actividades de la empresa privada argentina en las Islas Georgias del Sur y se aconsejaba a la Armada darle su apoyo (Anexo IV/1).

178. Acordado el traslado de Davidoff y un grupo reducido de gente para evaluar los trabajos a realizar, el 15-DIC-81 zarpó de Buenos Aires el A.R.A. "Almirante Irízar". Arribó a Bahía Stromness el día 18-DIC-81.

179. El Grupo Davidoff permaneció en Puerto Leith durante varias horas siendo luego transportado a Ushuaia, desde donde se trasladó a Buenos Aires por vía aérea.

----

(1) Luego Puerto Argentino.

Informe Rattenbach, Informe Final, tomo I, foja 42. El incidente de las islas Georgias del Sur. Este documento describe la cadena de sucesos que llevó a que el conflicto se precipitara.

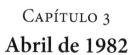

Capítulo 3
Abril de 1982

La primacía de la emoción

José Enrique García Enciso

El 1º de abril de 1982 se estrenaba en Buenos Aires una película llamada *El pequeño lord*. Transcurría en el Reino Unido del siglo XIX y contaba la historia de un niño que resulta ser el hijo de un noble fallecido y termina trayendo alegría a toda la familia. Competía con otro film británico, ganador de varios premios Oscar, llamado *Carrozas de fuego*, que rememoraba la actuación del equipo olímpico británico en 1924.

Quienes salían del cine esa noche, emocionados con cualquiera de ellas –ambas excelentes, con bucólicos paisajes y atractivos personajes–, no imaginaban que, en ese momento, nuestros soldados se preparaban para desembarcar y enfrentar a soldados británicos.

El envío de las tropas argentinas a Malvinas tiene su hito el 2 de abril de 1982, cuando los buques tocaron tierra malvinense y la bandera celeste y blanca volvió a flamear en las islas. Desde la Casa Rosada había salido una orden explícita de que el desembarco fuese prolijo y sin derramamiento de sangre ni maltrato hacia los isleños ni a los soldados británicos. Al momento del desembarco, de hecho, se mantenía la idea original de que se trataba de una acción contundente pero pacífica, un gesto rotundo que obligaría al Reino Unido a aceptar negociar luego de 17 años de postergaciones y de 149 años de usurpación ilegítima.

El desembarco se dio según las instrucciones, en calma y sin mayores revueltas, tarea muy difícil que se cumplió a costa de una cuota importante de sangre argentina. Allí murió el capitán Giachino y fueron heridos varios integrantes de la fuerza argentina. Hubo un combate de tres horas en el que el segundo de Giachino también fue herido. Los disparos los efectuaron desde la casa del gobernador los infantes británicos antes de rendirse.

Una pequeña cámara, sin embargo, tomó unas fotos que hicieron pensar en un desembarco violento. Estas imágenes de soldados británicos tirados en el suelo, con las manos en la cabeza y los codos extendidos a los costados, mientras soldados argentinos les apuntan con sus armas largas tuvieron un impacto simbólico muy fuerte que sin dudas agitó aún más el conflicto y las emociones que este involucraba. Esas imágenes valieron para el Reino Unido más que mil palabras. Nada se dijo del esfuerzo realizado para no causar ni siquiera una herida leve al personal británico. Todo se centró en el salvajismo –aparente– de la imagen. Las emociones que desataron en el Reino Unido, el sentimiento de humillación que provocaron, el impacto simbólico en el pueblo británico, generaron una ola de furia que se convirtió, en muchos caos, simplemente en odio.

Entiendo que esto pueda parecer algo lateral o un detalle menor, pero habiendo vivido todo como lo viví, al lado del despacho en donde se tomaban las decisiones más importantes que definían el rumbo de un país y de su historia, puedo decir a ciencia cierta que lo emotivo jugaba un rol muy relevante, y podría decir, incluso, un rol preponderante, tanto de un bando como del otro. En la Argentina la emoción primó por sobre la racionalidad: hubo un paroxismo de lo emotivo, un instante clave que sirvió para marcar el futuro del país para siempre, y esto comenzó a suceder el viernes 2 de abril.

A nivel interno, ese era un período en el que estaban sucediendo muchas cosas. El martes 30 de marzo, la Confederación General del Trabajo (CGT) con sede en la calle Brasil y liderada por Saúl Ubaldini salió a la calle en reclamo de más trabajo y fue duramente reprimida, con un saldo de por lo menos cuatro muertos.

Luego de ese episodio, cualquier concentración hubiese sido impensada. Sin embargo, en la misma semana en que el gobierno militar enfrentó uno de los primeros cuestionamientos masivos y populares, se dio otro evento masivo y popular, pero esta vez de forma completamente espontánea. El viernes 2 de abril, a primera hora de la mañana, en la radio y la televisión se emitía el comunicado de la Junta Militar en el que se informaba sobre la recuperación de las Islas Malvinas. No pasaron ni diez minutos de la reproducción del mensaje que se comenzaron a escuchar los bocinazos de los autos y se empezaron a advertir los primeros argentinos orgullosos que aplaudían y vitoreaban frente a la Casa de Gobierno. En poco tiempo, los taxis y los autos particulares inundaron las inmediaciones de Plaza de Mayo y la policía se vio obligada a cortar los accesos y hacer de la zona un área peatonal. El mismo lugar que tres días atrás había sido el escenario de protestas, reclamos y muertes lucía ahora colmado de banderitas de tela y de plástico, todas con el color celeste y blanco, en una congregación espontánea como pocas veces se ha visto en la historia argentina.

Si el viernes 2 de abril la plaza se colmó de gente, el sábado 3, ante el comunicado que informaba la toma de posesión también de las islas Georgias, la plaza explotó, y ya nadie tenía dudas de que se estaba transitando la senda "correcta", el camino que nadie se había atrevido antes a recorrer para recuperar las islas.

Dentro de la Casa Rosada se vivía un microclima. Primero, con una sensación de asombro y estupefacción en todos nosotros, porque nadie sabía realmente que se iba a dar ese clima de enfervorizado entusiasmo y de repentina unidad nacional. Pero enseguida esa sorpresa mutó en confianza, una confianza ciega en que la suerte estaba de nuestro lado, como la puede tener un apostador que siempre apostó al mismo número y que un buen día ese número saca el premio mayor de la lotería. El microclima que reinaba alrededor de Galtieri ya no era el de la negociación permanente, sino el de que se estaba haciendo historia, de que era necesario jugarlo todo, bajo el lema intransigente que enarbolaban algunos: "No hay que perder en la mesa de negociaciones lo que se consiguió con la sangre". Nadie le advirtió a Galtieri que el apoyo era a una causa y no a su persona.

A esto hay que agregar el apoyo espontáneo y público de una gran mayoría de las dirigencias política y sindical, que dejaron sentada su posición respecto de que Argentina no debía retirarse de las islas ni negociar la soberanía.

Lo que se perdía de vista en ese clima emocional de espontaneo entusiasmo era que se estaba pisando fuerte sin una base firme, pues no había ningún plan detrás, y desde el momento en que zarparon las naves con proa hacia el sur todo estaba librado al azar, al minuto a minuto y a la toma de decisiones improvisadas, sin un sustento de estudio e investigación que las fundamentara. Al haberse precipitado todo este proyecto, no había un plan, no había una estrategia previamente armada, estudiada, contrastada, analizada: se había tomado la decisión y en realidad no se sabía qué venía después.

En nuestro equipo comenzamos a trabajar al revés de cómo se nos había planteado la misión en un primer momento: en lugar de investigar en el pasado para planificar a futuro, debíamos dar soporte en el día a día, estudiando sucesos acontecidos a la mañana para pensar qué se podía hacer a la tarde. Cuando nos pedían un trabajo, nosotros tratábamos de mantener las opciones abiertas para negociar siempre, pero a medida que avanzaba la hipótesis militar, nuestra tarea fue circunscribiéndose más y más a las meras traducciones e interpretaciones del inglés.

"No podíamos enfrentar a la vez al Reino Unido, la OTAN y los Estados Unidos. Pero casi nadie lo decía en voz alta. Y el plan original se convirtió en una apuesta. O en una expresión de deseos. Nos tenía que ir bien porque teníamos razón."

Para negociar debía tenerse en cuenta la situación tal como era. No podíamos enfrentar a la vez al Reino Unido, la OTAN y los Estados Unidos. Pero casi nadie lo decía en voz alta. Y el plan original se convirtió en una apuesta. O en una expresión de deseos. Nos tenía que ir bien porque teníamos razón. Al no existir planificación para el día después de la recuperación de las Malvinas, perdimos de vista lo esencial en toda negociación: debíamos saber en qué ceder. Luego se formó un equipo de más alta jerarquía, que era el que se iba a reunir en la Sala de Situación, que estaba cruzando un pasillo. Nosotros producíamos documentos para asistir a ese grupo, pero no sabíamos ya cuánto de esa información era usada para la negociación.

En este marco se inició una nueva etapa en la negociación, ya con las Malvinas en poder de la Argentina, algo que no sucedía desde que Vernet y sus hombres habían sido desalojados de las islas, el 3 de enero de 1833. Las novedades no eran solo nuestras: el mismo 3 de abril que encontraba a los argentinos celebrando en Plaza de Mayo, desde el Reino

> "Lo que se perdía de vista en ese clima emocional de espontaneo entusiasmo era que se estaba pisando fuerte sin una base firme, pues no había ningún plan detrás, y desde el momento en que zarparon las naves con proa hacia el sur todo estaba librado al azar, al minuto a minuto y a la toma de decisiones improvisadas, sin un sustento de estudio e investigación que las fundamentara."

Unido Thatcher ordenaba el envío inmediato de una flota con dirección al Atlántico Sur. Visto desde hoy, resulta sorprendente que en la Casa Rosada esa acción del gobierno británico no haya suscitado mayor preocupación en la Junta, pero esto hay que entenderlo una vez más desde el plano emocional: envuelto en la euforia de la recuperación de las islas, el gobierno argentino no interpretó la movida británica como una acción temible, sino apenas como un "gesto" más para tener mayor poder de negociación. Lo que sí se hizo en este punto fue aceptar la mediación norteamericana que había ofrecido un par de días atrás el presidente Reagan.

Aquí aparece un nuevo personaje en la historia argentina, que hoy es bien conocido por todos nosotros pero que en ese momento llegaba al país como un ignoto para la mayor parte de la población. Se trata del secretario de Estado norteamericano, el general retirado Alexander Haig, quien había sido jefe de Gabinete durante el escándalo del Watergate (1974), que obligó al presidente Richard Nixon a presentar su dimisión. Haig asumió el cargo –equivalente al de canciller o ministro de Relaciones Exteriores– en 1981, con la ambición de cumplir una tarea similar a la que había llevado adelante el secretario de Estado de los presidentes Nixon y Gerald Ford, Henry Kissinger, quien se caracterizó por sus continuos viajes y por su fortísima influencia e incidencia en las políticas de distintos países a lo largo y ancho del globo, defendiendo siempre los intereses de Occidente y, sobre todo, de los Estados Unidos.

El conflicto de Malvinas era su primera gran prueba, y tenía una gran responsabilidad, ya que Reagan le había dicho a Galtieri que hablase con Haig como si estuviese hablando con él mismo. De hecho, la mediación en un primer momento iba a estar a cargo del vicepresidente norteamericano de aquel entonces, George H. W. Bush, pero a último momento Haig tomó el mando, tal vez envalentonado con que una rápida resolución del conflicto lo iba a poner a la altura de Kissinger.

El 3 de abril comenzaron las negociaciones bilaterales que tuvieron a Haig como mediador y emisario. Su idea era hacerlo en forma personal, por lo que primero emprendió un viaje a Londres, y desde allí otro vuelo con destino a Buenos Aires. Durante toda esa semana se realizaron contactos entre los equipos de Haig y Galtieri, pero las expectativas apuntaban a la reunión prevista para el sábado 10 de abril en la Casa Rosada.

Un oficial de alto rango se acercó a Galtieri el miércoles 7 de abril y le sugirió que era importante mostrarle a Haig y al mundo que el gobierno argentino contaba con gran apoyo popular en la toma de las islas. Con el impulso que le habían dado las manifestaciones espontáneas del viernes 2 y del sábado 3, Galtieri dio el "ok" al oficial que le había acercado la propuesta para que se organizaran nuevas marchas que le demostraran al mundo que los argentinos apoyaban a este nuevo gobierno.

El relator deportivo José María Muñoz convocó desde su programa de radio Rivadavia a una movilización histórica "para demostrar al señor Alexander Haig y al mundo entero la unidad nacional de los argentinos", según recuerdo. Era el programa más escuchado de la ciudad, y no hacía demasiada falta para entusiasmar a las multitudes, que por fin parecían unidas por algo más fuerte que una causa política o social.

La convocatoria comenzó el jueves, se prolongó durante el viernes y el sábado a la mañana no estaba cubierta solo la Plaza de Mayo: también estaban llenas Diagonal Norte, Diagonal Sur y la Avenida de Mayo. Mi recuerdo desde adentro de la Casa Rosada era el de algo gigantesco, y las fotos que vi después me demostraron que no fue solo una sensación: según los cálculos del Gobierno, allí había unas 320 mil personas orgullosas y entusiasmadas por haber recuperado lo que les pertenecía.

Nuevamente una improvisación aparentemente conveniente provoca efectos contrarios a los deseados. La convocatoria fue gigantesca, pero no impresionó a Haig. Al contrario, lo disgustó. Lo comparó con lo sucedido en Irán bajo el régimen de los Ayatolas. Lo vio como una presión indebida. Y, además, Galtieri volvió a realizar un discurso de barricada, como había hecho la semana anterior, exaltando aún más las emociones populares.

Luego del encuentro que mantuvieron Galtieri y Haig,[1] el primero se asomó al balcón presidencial de la Casa Rosada para saludar a los

---

1 Esta conversación está documentada y puede accederse en el Informe Rattenbach, t. I, Informe final, cap. II, Antecedentes diplomáticos, fojas 7/15.

ciudadanos que se habían acercado, según su propia percepción, para apoyarlo. Cuando se entra en la vorágine de la multitud, fácilmente se pierde el sentido de la realidad y así, nuestro futuro fue moldeado por emociones cada vez más fuertes. Al salir al balcón, Galtieri desestimó los consejos de sus asesores y, sin ninguna guía para dar su discurso, ofreció más una arenga que un mensaje sensato de negociación. Su célebre frase: "Si quieren venir que vengan: les presentaremos batalla", fue el resultado de una emoción y no del raciocinio, y luego de ese pronunciamiento desafortunado fue prácticamente imposible desdecirse, pues eso hubiese tenido un costo político demasiado alto.

> "Al salir al balcón, Galtieri desestimó los consejos de sus asesores y, sin ninguna guía para dar su discurso, ofreció más una arenga que un mensaje sensato de negociación. Su célebre frase: "Si quieren venir que vengan: les presentaremos batalla", fue el resultado de una emoción y no del raciocinio ... fue prácticamente imposible desdecirse, pues eso hubiese tenido un costo político demasiado alto."

Mientras Galtieri hablaba, nuestro equipo colaboraba en la negociación con el equipo de Haig, pero lo hacíamos sin tener del todo claro nuestro objetivo. Luego de la manifestación en la plaza, se había perdido flexibilidad. Margaret Thatcher, en cambio, lo tenía claro. No negociar nada que no fuera la retirada incondicional, y si eso no sucedía, sacar a los argentinos por la fuerza y reponer a "las legítimas autoridades". Como dijo Haig posteriormente, todas las propuestas chocaron contra un muro, que era la Sra. Thatcher.

El error más grave de Galtieri fue dejarse influir por las manifestaciones populares y cambiar el plan original, quizás pensando que podía sacar algún rédito político de la situación. El presidente venía de días muy tensos, tanto por la marcha de la CGT como por haberse convertido de la noche a la mañana en el protagonista de un conflicto internacional que cada día era más grande y que mantenía a Occidente en vilo; sin ir más lejos, en los días previos al desembarco, Galtieri le había hecho un desplante al mismísimo presidente de los Estados Unidos, Ronald Reagan, quien le había pedido que detuviera todo tipo de acción militar, ofreciéndose como mediador en el conflicto. Galtieri dijo que no podía detener la marcha de su flota, y aceptó la mediación solo una vez que estuviese la bandera argentina flameando en las islas, con la idea de que desde esa posición de fuerza podría negociar con ventaja. El segundo error más grave de Galtieri fue no haber considerado con quién estaba negociando.

La preparación en el mar

Benito Rotolo

Llegué al portaviones cuando ya había zarpado y varios días después de que la bandera argentina flameara en las islas, el 18 de abril de 1982. Una semana antes estaba en Francia en un curso de instrucción de vuelo, aunque no puedo decir que mi regreso haya sido inesperado, porque venía siguiendo las noticias muy de cerca y, de acuerdo a cómo venían las negociaciones y a los pocos resultados que se estaban obteniendo, iba a ser necesario el despliegue de las fuerzas armadas en la zona de Malvinas para equilibrar la situación crítica a la que se estaba arribando. En mi fuero interno, siempre pensé que la cuestión no terminaría bien.

Estando en la base aeronaval de Landivisiau, en Brest, la recuperación de Malvinas nos causó una gran sorpresa. Entre los pilotos franceses había cierta euforia y alegría por lo que había hecho la Argentina al desafiar a la gran potencia británica, mientras nosotros no podíamos salir del asombro, tratando de imaginar las consecuencias de semejante acción.

Con el teniente de navío José Arca, que estaba conmigo, nos comunicamos inmediatamente con el agregado naval, quien nos contestó con mucha calma que aquel era "un hecho político" para agilizar las negociaciones y que de ninguna manera había que preocuparse de que pudiera haber utilización de fuerzas militares. Esto contrastaba mucho con lo que vimos nosotros el 5 de abril en las resonantes noticias de toda la Bretaña francesa: que la flota británica había zarpado con todo su poderío hacia el Atlántico Sur. Tratamos de asimilar la sugerencia y continuamos con nuestro trabajo, pero era imposible detener nuestro pensamiento respecto a las consecuencias que pudiera haber.

Durante Semana Santa, el personal de la base naval tenía una semana de licencia. El 11 de abril, domingo de Pascua, cerca de las 20:00, me llamó el capitán Julio Lavezzo, que estaba en la comisión naval, para comunicarme que era conveniente que yo regresara para colaborar en una navegación del portaviones. Me dijo que no me preocupara, que dejara a mi familia, porque era una salida con la flota de mar para adiestramiento y demostración de fuerzas pero no para realizar ninguna operación militar, y que posiblemente en dos semanas iba a estar de regreso.

> "El 11 de abril, domingo de Pascua, cerca de las 20:00, me llamó el capitán Julio Lavezzo para comunicarme que era conveniente que yo regresara para colaborar en una navegación del portaviones. Me dijo que no me preocupara, que dejara a mi familia, porque era una salida con la flota de mar para adiestramiento y demostración de fuerzas pero no para realizar ninguna operación militar, y que posiblemente en dos semanas iba a estar de regreso."

Conversé el tema con mi esposa y ella fue muy clara:

—Prefiero que regresemos juntos, porque ustedes van a terminar en una guerra.

El lunes por la madrugada me subí al auto y con las pertenencias mínimas nos trasladamos con mi mujer y mi hija de apenas tres meses a París. Recuerdo que le dejé la llave del departamento con todas las pertenencias al encargado, que era un suboficial retirado de la Marina francesa, cuyo abrazo de despedida y buenos augurios fueron tan elocuentes como si el hombre hubiese sido mi padre: él también estaba convencido de que yo me iba a una guerra.

La noche del 13 de abril volamos a Buenos Aires habiendo dejado en Francia hasta el cepillo de dientes. Nos instalamos en casa de mis suegros, hice mis trámites de regreso y unos días después volé a Bahía Blanca. Desde la base aeronaval Espora, embarcado en un avión Tracker de la Armada, me trasladé hasta el portaviones ARA 25 de Mayo, que se encontraba navegando en el Mar Argentino. Aterrizamos cerca de las 20:00.

Una vez a bordo, me recibió el capitán Rodolfo Castro Fox, y juntos fuimos a ver al comandante del buque, el capitán de navío José Sarcona, con quien ya habíamos trabajado juntos en el año 81. Me dio la bienvenida y entre saludos de tantos camaradas conocidos, oficiales y suboficiales, fui caminando por los largos pasillos del buque. Cuando entré a la sala de prevuelo y me reencontré con todos los pilotos del grupo aeronaval, no pude evitar sentir que lentamente volvía a una dimensión de un tiempo anterior, como si nunca me hubiese ido de allí.

Se vivía un clima entre eufórico e incierto en la sala de pilotos; lo emocional jugaba un papel relevante y se empezaba a comprender que algo importante podía llegar a sucedernos. Me dirigí al camarote que me habían asignado junto al teniente Carlos Oliveira, compañero y amigo, y comencé a escuchar los catapultajes, los ruidos de las turbinas, las comunicaciones de a bordo, todos los recuerdos de esos años estaban ahí... Listo para la cena, pasé por el bar y no faltó una copa para brindar por los desafíos que podían llegar a venir y el deseo de resolverlos bien.

Además de la gente, el portaviones mismo me traía muchos recuerdos: sentí la satisfacción, por el momento que vivíamos, de lo bien que habíamos trabajado durante casi diez años para que las operaciones fueran confiables... En los últimos años, incluyendo el conflicto con Chile, el adiestramiento había sido intenso. En los años 79 y 80 hubo que preparar a los pilotos que formarían la escuadrilla de aviones Super Étendard y calificar a pilotos nuevos: tanto los aviones como el buque acusaban el esfuerzo técnico y de mantenimiento. Todo esto era un orgullo para nosotros, porque con el 25 de Mayo, un portaviones de tamaño pequeño (20 mil toneladas, uno de los más chicos del mundo en ese momento) y de la Segunda Guerra Mundial, pudimos operar con reactores (el A4Q), los aviones Tracker antisubmarinos y de exploración, más los helicópteros Sea King y Alouette, conformando un grupo aeronaval embarcado interesante y muy operativo, que le dio una tremenda capacidad a la flota. Años atrás se había considerado seriamente su recambio buscando uno de más tonelaje, principalmente porque su tamaño era muy pequeño para los nuevos aviones que el mercado ofrecía, y la línea de aviones A4 estaba ya muy discontinuada. Afortunadamente apareció el Super Étendard francés, más moderno, con un sistema de navegación autónomo, misilístico y diseñado especialmente para la guerra en el mar, totalmente adaptable al 25 de Mayo.

Mi estadía en Francia respondía exactamente a esa novedad. La Argentina había hecho en 1980 la compra de catorce Super Étendard; en 1981, un grupo de nueve pilotos viajó a Francia para recibir una instrucción básica y hacer los vuelos de aceptación. En enero de 1982, el teniente Arca y yo fuimos los últimos en recibir este curso de vuelo. Hasta aquel momento, solo habían arribado al país cinco aeronaves, con sus

Arriba: Portaviones 25 de Mayo, con su grupo aeronaval embarcado: aviones A4Q, Tracker S2, y helicópteros Sea King. Abajo: Avión A4Q, próximo al enganche.

Arriba: Los doce pilotos que integraron la "Tercera Escuadrilla Aeronaval de Caza y Ataque" durante todo el conflicto de Malvinas. De pie: TN Sylvester, TN Lecour, TN Oliveira, CC Zubizarreta, TN Arca, CC Castrofox, TN Rotolo, TN Benítez. Agachados: Abajo: TF Medici, TF Márquez, TN Olmedo, CC Philippi. Abajo: Señaleros recuperando aviones: TN Sylvester, TN Rotolo, TF Medici.

repuestos, su logística y su armamento; el resto, separados en dos tandas, se completarían para junio. Estas cinco aeronaves, como aún no habían hecho las evaluaciones a bordo del 25 de Mayo, fueron desplegadas para operar desde tierra, en la base aeronaval Río Grande. Mientras tanto, en la Armada, de los dieciséis A4Q iniciales adquiridos en 1971, solo quedaban recuperables de ocho a diez aviones. Aprovechando la incorporación de aviones nuevos, se armó un plan para hacerles una reparación general y utilizarlos para adiestramiento de nuevos pilotos. Ante la inminencia de la Operación Rosario, pudieron recuperarse tres y, pensando en lo que se venía, la escuadrilla, junto con el taller aeronaval central, pudo poner en servicio cinco aviones más, sin hacer las reparaciones de fondo que se habían pensado. Finalmente logramos subir ocho Douglas A4Q Skyhawks al portaviones, que se complementaron con otros cuatro aviones antisubmarinos-exploración Grumman S-2E Tracker, tres helicópteros antisubmarinos Sikorsky SH-3 Sea King y dos helicópteros utilitarios Alouette. En total, contábamos en aquel momento con diecisiete aeronaves, y la capacidad máxima del portaviones era de veinte.

A la mañana siguiente, los pilotos tuvimos una reunión con el comandante de la tercera de ataque, capitán de corbeta Rodolfo Castro Fox. Analizamos detalladamente cómo manejar los temas logísticos que aún faltaba revisar y cómo seguir recuperando pilotos para terminar de completar la dotación. La falta de pilotos se debía a que, para 1982, y por las reparaciones, la escuadrilla solo iba a tener cuatro o cinco pilotos, porque la gran mayoría se había trasladado a la segunda escuadrilla aeronaval de caza y ataque, creada para albergar a los Super Étendard. En esa reunión supimos que regresaría el teniente Arca. Ya se habían incorporado el capitán de corbeta Alberto Philippi, que era subjefe de la base aeronaval Río Grande, y los tenientes de navío Carlos Oliveira, que estaba en la fragata Libertad, y Carlos Lecour, que era ayudante del comandante de la fuerza aeronaval N° 2. Como reserva, y aún en instrucción, estaba el teniente de corbeta Diego Goñi.

De esa manera, la escuadrilla para tripular los ocho aviones de ataque quedó conformada por doce pilotos, de la siguiente manera: su comandante, el capitán de corbeta Rodolfo Castro Fox; segundo comandante, capitán de corbeta Carlos Zubizarreta; los tenientes de navío Benito Rotolo, Carlos Oliveira, Marco Benítez, Roberto Sylvester, César Arca, Carlos Lecour y Alejandro Olmedo; los tenientes de fragata

Marcelo Márquez y Félix Medici; el capitán de corbeta Alberto Philippi (quien había sido comandante el año anterior) y el teniente de corbeta técnico Jorge Vite.

"Se coordinaron con la fuerza aérea prácticas de ataque sobre nuestra flota, y nosotros tratábamos de interceptarlos desde el portaviones. Nuestro mayor aporte fue la recomendación para que los ataques fueran a muy baja altura, porque así se evitaba la detección radar..."

En ese momento todos nos sentíamos como en una etapa normal de navegación y adiestramiento, como tantas veces habíamos hecho antes de la guerra. Normalmente teníamos navegaciones de veinte días entre seis y ocho veces al año. En esas navegaciones los pilotos se califican en enganches y catapultajes y deben mantener una frecuencia de trabajo no inferior a dos meses para no perder sus habilitaciones. Dada la exigencia que tiene este tipo de trabajo, se necesitan prácticas continuas para acortar demoras que implican el trabajo a bordo.

El buque es un gran equipo en el que la gente de operaciones, cubierta de vuelo, maquinaria de frenado y catapulta deben trabajar coordinadamente para minimizar riesgos y agilizar las maniobras de manera tal que el lanzamiento y la recuperación de las aeronaves tenga un flujo continuo de acuerdo con los requerimientos operativos que se estén llevando a cabo. Todo ese proceso se ensaya en los ejercicios tácticos, donde se juegan situaciones planificadas. Una novedad que se dio en aquellos días de preparación en el mar fue que se coordinaron con la fuerza aérea prácticas de ataque sobre nuestra flota, y nosotros tratábamos de interceptarlos desde el portaviones. Fue muy útil para los pilotos que atacaban desde tierra, porque practicaban vuelo sobre el mar, algo a lo que ellos no estaban acostumbrados. Nuestro mayor aporte terminó siendo la recomendación para que los ataques fueran a muy baja altura, porque así se evitaba la detección radar y se aumentaba la probabilidad de llegar por sorpresa sobre el buque enemigo para lanzar el armamento.

Reconozco con sinceridad el esfuerzo y la dedicación de los pilotos de la fuerza aérea, que tuvieron que asimilar todo lo que implica el vuelo sobre el mar en muy poco tiempo. La mayoría no estaban habituados a volar sobre el mar porque no era la misión específica de la fuerza; sin embargo, a pesar de la poca preparación, demostraron una gran habilidad y heroísmo en la batalla aeronaval.

Por mi parte, yo aproveché esos días de "entrenamiento" para recalificarme en los A4, porque la última vez que me había subido a uno había sido antes de partir hacia Francia, hacía casi seis meses. La norma indicaba que para recalificarse era necesario comenzar trabajando en tierra durante una semana y recién luego de ese entrenamiento previo se permitía pasar a las prácticas embarcado. En mi caso, si bien no había hecho las prácticas en tierra, la situación obviamente era otra: me autorizaron, y al día siguiente me subí al avión, después de un repaso teórico; llegué a la catapulta, y ahí estaba nuevamente, listo para despegar. Todo sucedió como antes. Me sentí muy cómodo, hice un vuelo de quince minutos, regresé al circuito de aterrizaje y luego de unos "toque y siga" bajé el gancho y realicé los cuatro enganches de recalificación. Feliz con la tarea cumplida, nuevamente estaba en vuelo.

> "Sabíamos que los cartuchos de los asientos eyectables comenzaban a vencerse a partir del 30 de diciembre de 1981 y, de hecho, volamos con varios vencidos, pero decidimos no preguntar en qué aviones estaban."

Estábamos todos muy comprometidos con nuestro trabajo y eso se notaba en cada aspecto. Por ejemplo, habíamos asumido entre los pilotos no preguntar detalles al encargado de mantenimiento sobre las condiciones de los equipos y las unidades. Los procedimientos y las normas de seguridad de las autopartes de un avión son muy complejas, y no había tiempo para revisar y reparar todo, entonces aceptábamos el avión en servicio sabiendo que existían cosas vencidas. En la mayoría de los casos, las piezas se cambian no por mal funcionamiento, sino por estadística, para prevenir una eventual falla que es más probable que suceda a partir de determinado tiempo de uso, pero no había tiempo ni repuestos para cambiar esas piezas, así que optamos por aceptar esa situación y poder mantener el máximo de unidades en servicio. Por suerte no había muchas fallas, pero un caso particular se dio con los cartuchos de los asientos eyectables. Sabíamos que a partir del 30 de diciembre del año 1981, comenzaban a vencerse y, de hecho, durante el conflicto volamos con varios de ellos vencidos, pero decidimos no preguntar en qué aviones estaban. Tal era nuestra determinación de mantenernos en vuelo, de participar.

En total, desde mi llegada transcurrieron seis días de intenso entrenamiento en el mar, extensivo a todo el equipo del 25 de Mayo: éramos casi 1.300 personas a bordo (y eso que se trataba de un portaviones pequeño; los hay con hasta 5.000 tripulantes). Cada uno tenía una función, un rol que cumplir, y sabía que esa tarea era complementaria con el resto, que algo que uno no hiciera bien afectaba a todo el sistema. Por lo tanto, el espíritu de equipo era fundamental. Sabíamos que lo que no teníamos en tecnología de última generación debíamos contrarrestarlo con nuestras destrezas personales y con un manejo eficiente e inteligente de nuestros recursos. Por caso, tener 30 metros para el enganche y 50 para la catapulta nos obligaba a ser tremendamente precisos en esos procedimientos. Las aeronaves también tenían sus ventajas comparativas: los A4Q, por ejemplo, tenían un radio de acción de 350 millas náuticas, con máxima carga de combustible y armamento (seis bombas de 500 libras), mientras que los aviones Harrier británicos, solo podían recorrer 140 millas con menos de la mitad del mismo cargamento; esto implicaba que nuestro portaviones, con solo colocarse a más de 160 millas náuticas de distancia, podía lanzar los A4Q y estar fuera de alcance de la flota enemiga.

Además del 25 de Mayo, nuestra flota se completaba con tres destructores (dos nuevos clase 42, de la clase Sheffield, ARA Hércules y ARA Santísima Trinidad, y el tercero clase Gearing de 1945, ARA Comodoro Py), un buque tanque, que es un buque logístico y de aprovisionamiento de repuestos y combustible, el ARA Campo Durán, y las tres corbetas francesas clase A69, ARA Drummond, ARA Granville y ARA Guerrico, que estaban destinadas a ser las pioneras en un eventual ataque misilístico, porque eran de baja estructura y muy difícil de detectar por los buques británicos, dado que ellos no tenían exploración en el mar y los radares de más altura estaban en los portaviones HMS Hermes y HMS Invincible.

Las ocho embarcaciones conformábamos el grupo naval del sector norte, y era por todos conocido que resultábamos una amenaza de cuidado para la flota británica, porque con una o dos bombas que impactaran en un portaviones, se lo podía dejar fuera de servicio. Esa sí era una ventaja a nuestro favor si se libraba una batalla, como narraré luego. Era necesario, entonces, ser precavidos. Los Tracker, en conjunto con los helicópteros, conformaban lo que se llama una cortina antisubmarina, porque poseían la capacidad de búsqueda radar y sembrado de sonoboyas para hacer escucha y detección. Los helicópteros –principalmente los Sea King– pueden calar un sonar arriable en el agua sobre un punto dato y eventualmente lanzar bombas de profundidad y torpedos buscadores.

> "Para nosotros no había ambigüedad: nos alistábamos para un conflicto, porque teníamos una herramienta de guerra y no podíamos estar cruzados de brazos, así que antes de volver a zarpar ya estábamos seguros de que el probable enfrentamiento con la flota británica iba a ser nuestro destino."

Luego de los intensos adiestramientos en el mar, en los que todos nos pusimos a punto en las tareas que le correspondían a cada uno, el portaviones entró a la base de Puerto Belgrano el 25 de abril y nosotros volamos a la Base Aeronaval Comandante Espora, que es el asiento del grupo aeronaval de la flota, con todos los aviones. Fue un pequeño descanso que nos vino bien para seguir alistando equipos, reparando fallas y recuperando sistemas. Era domingo, bajamos un poco la tensión, aunque, por las noticias que recibíamos, no se avizoraba el final del conflicto como se había previsto, sino más bien el comienzo, y esa parada estaba teñida con la sensación de que iba a ser la última antes de partir definitivamente con dirección a Malvinas. La cantidad de armamento, municiones, combustible y víveres que se cargaron en la flota así lo hacía pensar: estábamos preparados para salir hacia una campaña mucho más seria que una simple etapa de adiestramiento. Para nosotros no había ambigüedad: nos alistábamos para un conflicto, porque teníamos una herramienta de guerra y no podíamos estar cruzados de brazos, así que antes de volver a zarpar ya estábamos seguros de que el probable enfrentamiento con la flota británica iba a ser nuestro destino.

Alistamiento de aviones Aviones A4Q y Tracker S2E en cubierta de vuelo para catapultarlos.

La última semana de abril

Benito Rotolo

"Cuando una flota sale al mar, ya está combatiendo.
Luego lo hará contra el enemigo"

Luego del reaprovisionamiento, volvimos al mar el 28 de abril. Como decía, el clima en el buque ya era otro: observábamos que las negociaciones no estaban yendo bien y no cabía duda de que íbamos a tener un encuentro con la flota británica si la situación no se resolvía. Los británicos, por otra parte, seguían aproximándose a las islas. No teníamos ninguna duda, dada la historia de Malvinas, de que si el Reino Unido pretendía una recuperación utilizando la fuerza, nuestra intervención iba a ser inevitable y lo mejor que podíamos hacer era prepararnos en nuestras tareas específicas y también anímicamente, con la actitud que se necesita para estos casos. Después de todo, tanto la tripulación del portaviones como el grupo aeronaval embarcado integrábamos un equipo que llevaba años trabajando juntos, y habíamos alcanzado niveles de adiestramiento muy respetables. Era un gran desafío poner esa capacidad a prueba.

Se priorizó mucho la discreción en el mar; la idea era ocultar al máximo la posición de la flota, por lo que se trabajaba diariamente repasando procedimientos y prácticas de adiestramiento y minimizando al máximo las comunicaciones radioeléctricas. Por esa razón no pudimos continuar las ejercitaciones con la Fuerza Aérea. El tiempo mostraría que realizar esta práctica sigilosa fue una excelente decisión. El énfasis en este período de navegación estaba puesto en no ser detectados, en la protección defensiva aérea y antisubmarina, y en recibir toda la información posible de los vuelos de reconocimiento.

Para ello nos ubicábamos dentro del Mar Argentino, a 100 millas de la costa, siempre cuidando de tener una profundidad que obstaculizara la operación de un submarino nuclear. Esa fue nuestra posición durante esos días, hasta que el 30 de abril por la mañana recibimos el aviso de que era inminente un ataque británico sobre Puerto Argentino, con un posible desembarco el 1º de mayo.

Ante esas novedades, esa misma mañana la flota pasó a un mayor estado de alerta: se formó la cortina para custodiar al ARA 25 de Mayo con los dos destructores tipo 42 ARA Hércules y ARA Santísima Trinidad, que eran nuevos y proveían la defensa aérea, y con el destructor ARA Py –de la Segunda Guerra– en proa, que proveía la principal protección contra la amenaza submarina. Este último buque, a pesar de sus años, tenía un excelente equipo sonar, probado en notables detecciones durante los ejercicios de la flota de mar. El portaviones y los tres destructores conformaban el Grupo de Tareas 79.1. Las tres corbetas ARA Drummond, ARA Granville y ARA Guerrico formaban el GT 79.4 y también avanzaban con el portaviones, aunque un poco más distanciadas. Por otro lado, nos enteramos de que el grupo naval del sector sur, GT 79.3, conformado por el crucero ARA General Belgrano con los destructores ARA Bouchard y ARA Piedrabuena, cerca de Isla de los Estados, también habían sido puestos en alerta.

La amenaza de los submarinos británicos era nuestro mayor problema; nuestra vulnerabilidad era el límite de velocidad del portaviones, que solo podía alcanzar 20 nudos, mientras que los submarinos nucleares duplicaban largamente ese valor. Por otro lado, nuestra fortaleza era el grupo antisubmarino con aeronaves y helicópteros que constituyen la peor amenaza para todo tipo de submarino.

Esta ofensiva se llevaba a cabo con una constante búsqueda antisubmarina de protección para la fuerza; confiábamos mucho en la capacidad de las aeronaves S2E Tracker y sus tripulaciones, por varios motivos. Para empezar, tenían un excelente adiestramiento en guerra antisubmarina, pero además eran expertos y habilidosos en el manejo de los equipos de medidas de apoyo electrónico (MAE), con los que detectaban las emisiones de los radares de los buques enemigos sin ser ellos detectados, ya que no necesitaban utilizar su radar excepto para alguna confirmación necesaria. Además, conociendo el equipamiento británico, se podía también identificar los blancos y así facilitar el guiado de los aviones de ataque hacia objetivos determinados. Esa capacidad era fundamental para barrer el camino de los atacantes y traerlos nuevamente al portaviones. Esa notable tarea de exploración y guiado, practicada periódicamente en las etapas de mar, se había vuelto muy confiable y eficiente, y era la única manera de realizar un ataque en mar abierto con los A4Q. Para más seguridad, y considerando la posibilidad de que un explorador fuera abatido por el

Arriba: Catapultaje de un A4Q. Abajo: Reaprovisionamiento de combustible al regreso de un operativo.

Arriba: Avión Tracker, enganchando en el 25 de Mayo. 1982. Abajo: Analizador Tektronic 7LK3, armado en los talleres de la Armada e instalado en los aviones Tracker S2E. Permitía conocer si eran o no detectados por los por los radares de búsqueda británicos. Así evitaron 17 interceptaciones de aviones Harrier durante toda la campaña, según lo afirmado por el Comandate del portaviones Invencible. La distancia más cercana a un destructor británico fue de 38 millas náuticas, en la media noche del 1 al 2 de mayo (Gentileza CN Membrana.)

enemigo, de acuerdo al riesgo, se utilizarían dos aeronaves. Con lógica expectativa, estábamos cerca de probarlo en combate real.

Respecto del ataque, suponíamos que si teníamos la sorpresa, los Harrier no estarían en vuelo; la única manera de abatirnos hubiese sido si tenían preaviso para despegar, y solo nos podían ver en el momento del ataque, ya que era imposible interceptarnos por guiado radar si nos manteníamos todo el tiempo rasante. Del mismo modo, esta táctica de vuelo no solo evitaba la detección de nuestros aviones, sino que también complicaba la defensa con misiles que poseían los buques, contando con una buena probabilidad de llegar sobre ellos y lanzar el armamento. Este procedimiento lo habíamos ejercitado infinidad de veces con las unidades de nuestra flota con óptimos resultados.

También evaluábamos nuestra salida del portaviones. Al tener una sola catapulta, debía ser ágil y rápida en el lanzado de aviones, para tener seis aviones en el aire en un tiempo inferior a seis minutos. Obviamente, no debía fallar. Allí estaba el teniente Poblet y su gente sacándole lustre a la catapulta y revisando todo el tiempo los mecanismos, la carga de vapor y la válvula de lanzamiento. Todo funcionaba muy bien. Lo mismo puedo decir de la gente de maquinaria de frenado y cubierta de vuelo, con un celo permanente de que nada podía fallar. Otra dependencia vital la teníamos con los controladores aéreos: eran nuestros ojos en el mar. Todos estos hombres estaban muy confiados y tenían una gran motivación para rendir el examen que se aproximaba, algo extensivo a toda la tripulación del buque. Sabíamos que cualquier falla o error lo pagaríamos caro. Ni hablar de nuestros mecánicos aeronáuticos, cabos y suboficiales a quienes debíamos confiar el alistamiento final de todas las aeronaves y dependíamos absolutamente de ellos.

Fue admirable ver trabajar a aquel enorme equipo; lo podía comprobar cuando hacía un vuelo, ya que ponía todo el sistema a prueba, incluso los buques escolta y, créase o no, el funcionamiento integral de la flota en ese momento era óptimo. Llegué a sentir una gran confianza.

Pasado el mediodía del 30 de abril, recibimos a bordo a los tenientes de navío Oliveira y Sylvester, que permanecían en tierra para que a sus aviones, de matrícula 3A 301 y 3A 306, se les instalara un equipo VLF-Omega para posicionamiento en el mar (lamentablemente, solo dos aeronaves contaron con ese equipo durante todo el conflicto). Para esa hora, ya navegábamos cubriendo puestos de combate; las guardias de aviones listos en cubierta de la escuadrilla eran de cuatro bomberos, dos interceptores y un tanquero para reaprovisionamiento en vuelo, e íbamos rotando cada dos horas.

La información que tenía el almirante Walter Allara, comandante de la flota a bordo del portaviones 25 de Mayo, que provenía directamente del comandante del teatro de operaciones del Atlántico Sur (TOAS), almirante Juan José Lombardo, daba cuenta de que era inminente que una parte de la flota británica, con uno o dos portaviones, harían una operación de desembarco el 1º de mayo, en las inmediaciones de Puerto Argentino. El panorama táctico-naval pintaba así muy favorable para una incursión de nuestra flota, dado que el enemigo estaría presentando dos vulnerabilidades que podíamos aprovechar: una, estar aferrado a un desembarco, donde la tarea de protección lo limitaba de otras operaciones; la otra, que podíamos sorprenderlos con la flota dividida, ya que no estarían allí reunidas todas las fuerzas navales británicas, pero sí al menos un portaviones.

Esto dio lugar a que se ordenara una aproximación sobre la fuerza naval británica con el siguiente plan de batalla: el portaviones debía aproximarse desde el sector norte, con los destructores y las tres corbetas, y el Belgrano debía desplegarse en el sector sur, con los otros dos destructores. Cuando conocimos esta maniobra en la sala de prevuelo nos causó una sensación positiva, porque realmente, como suele pasar en las batallas navales, estábamos teniendo situaciones favorables que compensaban nuestras debilidades. El ejemplo de ello es que el portaviones se aproximaba por el norte a una distancia para lanzar las aeronaves de ataque, a su vez que en otra dirección no coincidente se aproximaban las corbetas para lanzar sus doce misiles Exocet (cuatro cada una) y por el sur, el viejo crucero Belgrano con sus dos laderos igualmente antiguos (todos de la Segunda Guerra Mundial), ponían rumbo sudeste, fuera de la zona de exclusión, manteniendo una presencia amenazante sin un objetivo material concreto pero listo a batir blancos de oportunidad si aparecían en su camino. Esta maniobra nos resultaba apta y confiable; debíamos mantener la sorpresa y evitar ser detectados o alcanzados por algún submarino nuclear que seguramente patrullaba la zona.

Para cuando terminaba el día, la flota se encontraba ordenada y preparada para el combate, sin soslayar nuestra inevitable inferioridad numérica y tecnológica, rogando que nuestro material no fallara en el momento clave.

Thatcher, Haig y la dilación de abril

José Enrique García Enciso

Hasta aquí he centrado el relato especialmente en lo que sucedía en Argentina dado el lugar en que me encontraba al momento del conflicto. Es necesario ahora relatar una parte de lo que sucedía al otro lado del Atlántico; me guío por datos conocidos *a posteriori*. Mantuve un estrecho vínculo con personas influyentes tanto del Reino Unido como de los Estados Unidos, lo que me dio acceso a información privilegiada y clasificada que se irá mencionando a lo largo de estas páginas.

El trasfondo de lo que venía sucediendo a nivel interno en el Reino Unido ya fue contado: crisis económica, crecimiento del desempleo, descontento general e impopularidad de Margaret Thatcher como primer ministro. Los británicos aseguraban que la situación era insostenible y veían complicado su futuro más allá de la mitad de 1982. De hecho, su popularidad era aún menor que la de Galtieri según marcaban encuestas publicadas en el Reino Unido. Dentro del partido Conservador ya se había desatado una fuerte lucha interna con el propósito de reemplazar a Thatcher. En ese marco, primero Davidoff y luego Galtieri le permitieron a Thatcher desviar la atención hacia el plano internacional.

Apenas se inició el conflicto en Georgias, el Reino Unido anunció el envío de dos submarinos nucleares, y luego, cuando la Argentina finalmente retomó la posesión de las Islas Malvinas, Thatcher dio la orden de que una flota británica de más de cuarenta buques de guerra partiera rumbo a la región. Luego partirían otros cien buques. Entre el viaje y la preparación, nuestros cálculos indicaban que los británicos debían estar en posición de ataque recién cuarenta días después de la orden de envío de la flota, es decir, alrededor del 15 de mayo. Sin embargo, la flota británica, en lo que aparece como un verdadero milagro logístico –salvo que ya hubieran estado preparados con anticipación–, atacó las islas Georgias el 23 de abril, mientras Haig negociaba con la Argentina.

Más allá de que el tiempo fue escaso, los veintiún días que tardaron los británicos en llegar a posición de ataque fueron un espacio de negociación. Al menos eso creíamos nosotros, pero el resultado estaba definido de antemano. Como dice Margaret Thatcher en sus memorias: "¿Cuál era la opción? ¿Que un vulgar dictador gobernara a los súbditos de la Reina y se impusiera mediante el engaño y la violencia? Esto no sucedería mientras yo fuera primera ministra. [...] Aquella mañana en el parlamento logré mantener el apoyo de ambos grupos gracias a la orden de zarpar y a la estipulación de nuestro objetivo: que las islas queden libres de ocupación y sean devueltas a la administración británica lo antes posible."[2] La expresión anterior demuestra que ella nunca tuvo el propósito de negociar: se ceñía a que la Argentina debía retirarse y recién ahí hablarían. Me consta que no existió ninguna voluntad dialoguista de parte de Margaret Thatcher y del núcleo duro que la rodeaba, incluyendo a los altos mandos de la Marina. Y justamente todo esto que estoy afirmando es lo que pretendo demostrar en esta parte del relato, gracias a mi condición de testigo privilegiado dentro de la Casa Rosada.

Ya fue largamente comentado por los historiadores de la guerra de Malvinas y también por la opinión pública el grueso error de cálculos que cometió el gobierno argentino al pensar que su colaboración estratégica con los Estados Unidos en las guerras civiles de América Central iba a significar que el país del norte resultase un aliado en la disputa contra el Reino Unido por las islas. Si bien los Estados Unidos tenían una responsabilidad muy grande en América por el Tratado Interamericano de Asistencia Recíproca (TIAR) que indicaba la defensa mutua entre todos los firmantes ante un ataque en tierras americanas –incluyendo 200 millas a partir de sus costas–, su historia ligada al Reino Unido y sus compromisos con esa nación en la Organización del Tratado del Atlántico Norte (OTAN) lo hacía un mediador hecho a la medida del Reino Unido. Era ingenuo pensar que los Estados Unidos tomarían partido por la Argentina contra el Reino Unido.

Lo primero que propuso Haig fue la necesidad de crear una autoridad interina que estuviera compuesta por los Estados Unidos, el Reino Unido y la Argentina, las tres banderas; en segundo lugar, que las fuerzas se retiraran a 900 kilómetros de distancia de las islas. Después, planteó que debían volver las autoridades de las islas y seguir desempeñando su rol, pero esta vez ampliándose con dos representantes argentinos. También agregó la importancia de discutir el tema de la soberanía, viendo la forma de sacar a las Malvinas de la lista de territorios no autónomos antes del 3 de abril de 1983. Por supuesto, esta sugerencia planteaba el riesgo de que los Estados Unidos y el Reino Unido se aliaran y que la autoridad interina resolviera, por dos votos contra uno, que se hiciera una votación para

---

2 Thatcher, M., *Los años de Downing Street*, pp. 180-182.

MALVINAS: CINCO DÍAS DECISIVOS

considerar los deseos de los isleños, cuando todos sabemos que los isleños son en su mayoría británicos implantados en el sur. Esto se desprendió de la propuesta de Haig de realizar una encuesta de opinión entre los isleños sobre la forma de tomar en cuenta sus deseos e intereses.

> "¿Cuál era la opción? ¿Que un vulgar dictador gobernara a los súbditos de la Reina y se impusiera mediante el engaño y la violencia? Esto no sucedería mientras yo fuera primera ministra." (M. Thatcher)

Con esta primera propuesta planteada, la Argentina flexibilizó bastante su posición en distintos puntos clave, pero cuando el acuerdo ya estaba cerca de cerrarse y Haig se preparaba para ir al Reino Unido con la nueva propuesta, surgió la exigencia de incorporar una nueva cláusula que indicara que la soberanía necesariamente debía revertir a la Argentina el 3 de enero del 83, o bien debía proseguir un gobernador argentino hasta esa fecha. Esa cláusula complicaba la negociación, aunque se justificaba por la desconfianza que podía significar el condicionamiento de la encuesta a los isleños. Haig se fue con esa propuesta al Reino Unido para escuchar la posición del gobierno británico.

Cuando volvió a Londres con una propuesta concreta, Haig descubrió que en realidad no existía tal cosa como una "voluntad negociadora" en Thatcher. Esto no es una apreciación mía, sino que se puede leer tanto en las memorias de Haig como en las de Thatcher: ella siempre tuvo en claro lo que quería, y lo que quería, según su propio testimonio, era "sacar a los invasores que habían usado la fuerza ilegalmente en las islas y volver a las autoridades legítimamente constituidas"[3]. En otras palabras, su intención era sacar a los argentinos por medios diplomáticos o por la fuerza, y recién ahí analizar una posible negociación. Su ministro de Relaciones Exteriores, Francis Pym –con quien Thatcher no tenía una buena relación– creía que lo mejor era recurrir a la ONU para encontrar una salida consensuada al conflicto, pero la dama de hierro no se había ganado ese apodo en vano, y no cedió un ápice frente a su exigencia de negociar recién una vez que los argentinos abandonasen la isla.

Hubo inflexibilidad de ambas partes: Galtieri tenía enorme temor de ceder y hacer retroceder lo ya logrado por la Argentina. Thatcher se

---

3 *Ibid.*, p. 183.

negaba a negociar hasta que no quedase ni un argentino en las Malvinas y hubiera regresado el gobernador Hunt de Londres, donde se encontraba desde el 4 de abril. Haig iba y venía entre ambas capitales, pero su cara de cansancio y preocupación era cada vez mayor. Como dice Thatcher en sus memorias, la propuesta de Haig era desde un principio "inaceptable", porque para ella era premiar la agresión. La hubiera rechazado, pero pidió a su amigo Alexander que la presentara primero a los argentinos con la esperanza de que no la aceptaran.

En paralelo a la labor formal de Haig trabajaba otro norteamericano, el general retirado Vernon Walters, que hacía inteligencia por los pasillos de la Casa Rosada y asesoraba a militares vinculados a Viola, a Frondizi, a Liendo y a Alsogaray, con claras intenciones de presionar para que la Argentina aceptase las propuestas de Haig. Con esto no quiero decir que trabajaban en conjunto, porque de hecho no lo hacían, puesto que Walters se movía en el mayor de los silencios y nadie sabía ni cuándo llegaba ni cuándo se iba y pocos lo conocían realmente. Pero en la Casa Rosada la euforia vivida unos días atrás, contagiada del clamor popular se iba disipando, y con la visión más clara, lo que se descubría era que se estaba al borde de una guerra, sin un plan claro, sin unas fuerzas armadas debidamente preparadas para enfrentar a una potencia mundial en un campo de batalla y sin tener ningún tipo de experiencia en negociaciones internacionales, más allá del conflicto con Chile del año 78.

Pese a la firme posición en torno a la soberanía, la Argentina estaba negociando, y Haig se retiró del país luego de su segunda reunión, el sábado 17 de abril, con cierto fastidio pero con una nueva propuesta.[4] Al día siguiente –y como se ve, en plena negociación– llegó la noticia de que el Reino Unido no estaba enviando su flota como "un gesto", sino para acometer contra las tropas argentinas. El domingo 25 de abril, las fuerzas británicas atacaron al submarino ARA Santa Fe con un misil que lo perforó, cargas de profundidad y fuego de ametralladoras, y logró retomar el control de las islas Georgias, dejando por saldo bajas entre las tropas argentinas, con un marino muerto y otro herido.

Haig regresó a Washington y decidió dar por terminada la negociación.[5] El martes 27 de abril envió a Buenos Aires su propuesta de

---

4 Conversaciones Haig-Galtieri. Informe Rattenbach, t. I, Informe final, cap. II, Antecedentes diplomáticos, fojas 7/15.
5 Informe Mallea Gil sobre opinión del senador Helms.

GRL. MALLEA GIL EL 142130 ABR·82

1. Hoy por la tarde los dos auxiliares más importantes del Senador Helms fueron a la Agregaduría Militar Argentina en Washington a entrevistar al Grl. Mallea Gil y, al no encontrarlo, hablaron con el Coronel Jordana, manifestándole que "el momento era crítico". El senador Helms no pudo concurrir en razón de que debía viajar a Buenos Aires según la expresión de sus auxiliares.

2. En la Embajada Argentina, nuestro Embajador, Ing. Esteban Tackacs, también tiene información referente a que "se llega a un momento muy crítico".
Pareciera se que el "punto de no retorno" sería la salida de la flota inglesa desde la Isla Ascensión.
Hasta que esta no llegue y/o permanezca en dicha isla, Gran Bretaña estaría dispuesta a negociar, pero a partir de que la flota salga hacia la zona de las Islas Malvinas la negociación se tornaría imposible y la único que cabería es el enfrentamiento.

3. Agrega, relacionado con lo que dijera anteriormente, que en la conversación mantenida con el Embajador Tackacs no se mencionó el viaje del Senador Helms a la Argentina.

4. El Grl. Mallea Gil aprecia que el Tte. Grl Galtieri, hoy, debería hablar al Presidente Reagan para agradecer todos los esfuerzos de U.S.A. en la negociación, y aprovechar para manifestarle:

a. La postura argentina.

b. Una mayor apertura a la negociación.

c. La necesidad de parar la fuerza (flota británica)

d. Además, tendría como objetivo refirmar la misión del Grl. Alexander Haig.

Ellos, los norteamericanos, dicen que algunos de los auxiliares de Haig, en esta tarea, son "demasaidos amigos" de la Sra Thatcher.

Informe telefónico del General Mallea Gil desde Washington donde informa que los auxiliares más importantes del senador Jesse Helms, presidente de la Comisión de Relaciones Exteriores del senado americano, informaron que algunos auxiliares de Haig son "demasiado amigos" de la señora Thatcher.

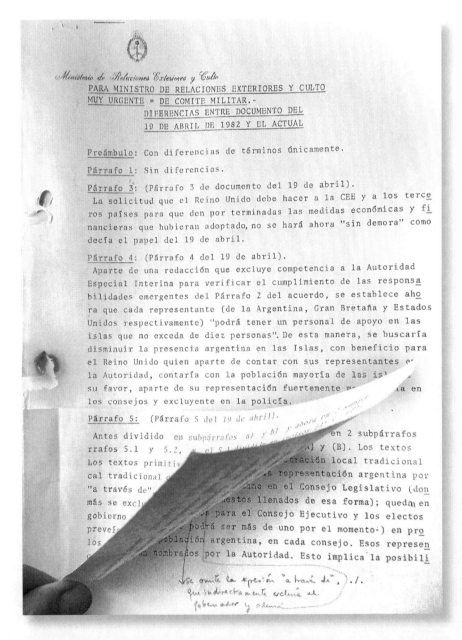

Ministerio de Relaciones Exteriores y Culto

PARA MINISTRO DE RELACIONES EXTERIORES Y CULTO
MUY URGENTE = DE COMITE MILITAR.-
         DIFERENCIAS ENTRE DOCUMENTO DEL
         19 DE ABRIL DE 1982 Y EL ACTUAL

Preámbulo: Con diferencias de términos únicamente.

Párrafo 1: Sin diferencias.

Párrafo 3: (Párrafo 3 de documento del 19 de abril).
   La solicitud que el Reino Unido debe hacer a la CEE y a los terce
ros países para que den por terminadas las medidas económicas y fi
nancieras que hubieran adoptado, no se hará ahora "sin demora" como
decía el papel del 19 de abril.

Párrafo 4: (Párrafo 4 del 19 de abril).
   Aparte de una redacción que excluye competencia a la Autoridad
Especial Interina para verificar el cumplimiento de las responsa
bilidades emergentes del Párrafo 2 del acuerdo, se establece aho
ra que cada representante (de la Argentina, Gran Bretaña y Estados
Unidos respectivamente) "podrá tener un personal de apoyo en las
islas que no exceda de diez personas". De esta manera, se buscaría
disminuir la presencia argentina en las Islas, con beneficio para
el Reino Unido quien aparte de contar con sus representantes e
la Autoridad, contaría con la población mayoría de las is
su favor, aparte de su representación fuertemente m_____ a en
los consejos y excluyente en la policía.

Párrafo 5: (Párrafo 5 del 19 de abril).
   Antes dividido en subpárrafos a) y b) _____ en 2 subpárrafos
rrafos 5.1 y 5.2, _____) y (B). Los textos
Los textos primitiv_____ración local tradicional
cal tradicional _____ representación argentina por
"a través de" _____no en el Consejo Legislativo (don
más se excl_____estos llenados de esa forma); queda en
gobierno _____ para el Consejo Ejecutivo y los electos
preve_____ podrá ser más de uno por el momento-) en pro
los _____oblación argentina, en cada consejo. Esos represen
_____ nombrados por la Autoridad. Esto implica la posibili

*se omite la expresión "a través de",)./.
que indirectamente excluiría al
gobernador y además*

Diferencias entre la propuesta argentina del 19 de abril y el documento final de Haigh del 28 de abril. Se puede observar allí la introducción de nuevas cláusulas no consensuadas en Buenos Aires durante su visita, que significaban una clara ventaja a favor de Gran Bretaña. Este documento, inédito, fue realizado en forma urgente apenas llegó la propuesta. Como consencuencia no se rechazó la misma, pero sí se pidió más tiempo para intentar renegociar las cláusulas desfavorables. Más adelante, Haig declararía que Argentina nunca presentó una propuesta.

mediación, cuyo contenido claramente desfavorable a la Argentina se explica más adelante. Al mismo tiempo exigió una respuesta inmediata. El miércoles 28 de abril se sentó frente a la comisión de relaciones ex-

> "Pero en la Casa Rosada la euforia se iba disipando, y lo que se descubría era que se estaba al borde de una guerra, sin un plan claro, sin unas fuerzas armadas debidamente preparadas para enfrentar a una potencia mundial y sin tener ningún tipo de experiencia en negociaciones internacionales, más allá del conflicto con Chile del año 78."

teriores de la Cámara de Senadores de su país e informó que la Argentina no quería negociar y que rechazaba la mediación norteamericana, por lo que sugirió enfáticamente que los Estados Unidos abandonaran la neutralidad y se inclinaran en la disputa a favor del Reino Unido. Ese día, la flota británica estaba, por fin, en condiciones de ataque: el proceso de mediación le había dado el tiempo que necesitaba.

Como se esperaba, todos los senadores norteamericanos votaron de acuerdo a lo sugerido por Haig, a excepción del republicano Jesse Helms, un ferviente defensor del continente americano, que iba a jugar un papel sumamente relevante al final de la guerra, y que no se iba a olvidar de Haig ni de su posición probritánica.

Con el apoyo de los Estados Unidos y con la flota ya dispuesta y preparada para atacar en el Atlántico Sur, el Reino Unido puso fin a la pantalla de la negociación y se dispuso a dar inicio formal a las hostilidades. Mientras la Argentina seguía negociando –ahora con la intermediación del presidente del Perú, como se contará en el próximo capítulo–, los británicos preparaban un ataque que comenzaría en las primeras horas del sábado 1º de mayo. La mediación de Haig les había resultado sumamente funcional: les dio tiempo y les brindó el apoyo final que necesitaban de su histórico aliado hasta el día antes del ataque, asegurándose de que mientras durase su mediación, las Naciones Unidas no intervendrían más allá de la Resolución 502 y por tanto no habría condena internacional.

visita a la RACH   O/16/ntl.

PERU. Propuesta de paz en el Atlántico Sur:

1.- Cesación inmediata de las hostilidades

2.- Retiro simultáneo *mutuo* de las fuerzas

3.- Presencia de representantes *ajenos* a las dos partes involucradas en el conflicto para gobernar las Islas, temporalmente.

4.- Los dos gobiernos reconocen la existencia de posiciones discrepantes sobre la situación de las Islas. *(mismas)*

5.- Los dos Gobiernos reconocen que los puntos de vista y los intereses de los habitantes locales tienen que ser tomados en cuenta en la solución definitiva del problema.

6.- El grupo de contacto que intervendría de inmediato en las negociaciones para implementar este acuerdo estaría compuesto por Brasil Perú, República Federal de Alemania y los Estados Unidos de América y.

7.- Antes del 30 de Abril de mil novecionto ochenta y tres se habrá llegado a un acuerdo definitivo bajo la responsabilidad del grupo de países antes mencionados.

     Este es el texto que ha salido de una conversación en la que el propio Secretario de Estado se mostró muy deseoso de poder llev algo concreto mañana a su diálogo con el señor PYM y naturalmente le hemos orientado cada uno de los puntos y se ha procurado ponerlo en un lenguaje que los Ingleses puedan aceptar. Naturalmente el doc mento no tiene ningún valor a menos que sea aceptado por su gobiern y es en ese sentido que yo se lo planteo. Ahora el General HAIG sugir que el Grupo llamado de contacto o sea los paises amigos, que provis nalmente son ese, no, no creo que esta sea una condición indispensa bla, no, provisionalmente se esos........

Conversación telefónica de Belaúnde Terry y Galtieri, a media noche del 1º de mayo, donde el presidente peruano expresa su propuesta de paz y Galtieri manifiesta con entusiasmo su interés, prometiendo analizar y responder rápidamente en el curso del día siguiente. Belaúnde Terry plantea la necesidad de detener las hostilidades mientras se negocia. Poco después se transmitió la orden de repliegue a la flota.

9 Mayo
Las 0030 hs el Gob de Venezuela hace una declaración pública sobre la actitud de
EEUU en el conflicto; dicha declaración es retransmitida a ... justamente cuan-
to los británicos atacaban Puerto Argentino.
reducido el ataque británico, comenzó a materializarse la reacción internacional
Brasil, Perú, Ecuador, Cuba, Guatemala, Panamá i Alemania Federal que advirtió a
GB que.."la solidaridad alemana no debe interpretarse como un cheque en blanco.."
El gobierno español emitió un comunicado referente al ataque británico de advertencia, denunciando el origen colonial del conflicto e instando a los contendores
a negociar a través de EU.
La decisión de EEUU de aplicar sanciones económicas a la Argentina, mereció el re-
pudio público de la gran mayoría de los gobiernos latinoamericanos.
En horas de la noche el Min de Relac Exter del Perú(Arias Stella) llamó por telf
al Canciller arg(Dr Costa Mendez), con la finalidad de"sondear" sobre futuras ac-
titudes arg después del proceder estadounid.

1 de Mayo
A las 0130 hs arg , llamó por tel el Arq Belaunde Terry al Grl Galtieri y ofrece
la intervención del Gob Peruano como mediador o buenos oficios para encontrar fin
al conflicto.
Formula una propuesta de paz de 7 puntos. Estos puntos básicos habían sido x dados
por Haig al Pres del Perú, quien deseaba que tuvieran aprobación argentina antes
de la reunión que él(Haig) iba a tener con Pym en Washington a las 1200 hs arg.
El Arq Belaunde Terry solicitaba que no hubiera acciones militares mientras se hallan estas negociaciones.
Ese día el Gob Arg emitió una nota de protesta al Sec Haig por la actitud de su
gobierno en el conflicto.
A la Mañana(más o menos 10hs)el Pres B Terry se comunicó telef con el Dr Costa Me.
La finalidad fué hacer llegar unas correcciones a la propuesta inicial debido a
pedido del gobierno de EEUU que se le había llegado por intermedio del Emb de ese
país.Aquí vuelve a aparecer el asunto de los DESEOS de los isleños (en el original
se decía"puntos de vista e intereses")
Sobre esta diferencia se conversa y se elabora una solución para seguir negociando;
por supuesto ad referendum de la aprobación del Pres y JM.
La otra sugerencia del Gob de EEUU era que ellos querían formar parte del Grupo de
Contacto.
Después el Dr C M tuvo dos conversaciones más con el Pres Peruano (durante la mañana) donde fijó la pos Arg con la salvedad que faltaba la aprobación final de las
máximas autoridades.
Durante la mañana, el Canciller argentino se comunicó también con el Primer Ministro Peruano Manuel Ulloa, la conversación giró en torno a la inaceptabilidad del
término DESEOS(NU había sido el foro donde ya se había discutido el asunto, siendo
aprobado por mayoría absoluta el término intereses. GB se abstuvo en esa ocasión)
A mediodía se habían aproximado las posiciones y se estaba cerca de la posibilidad
de obtenerxx un acuerdo.
1450 hs, el Pres peruano llamó otra vez al Pres argentino. En este caso la conversación motivada por Belaunde Terry, sin dudas, tenía la finalidad de ratificar lo
conversado con el Canciller argentino y urgir la decisión final por las más altas autoridades argentinas.
El Pres argentino se comprometió en dar una respuesta definitiva a las 2200 hs arg
(2000 hs de Perú) de ese mismo día 2 de mayo.
Es de hacer notar que a las 1900hs se reunía el Comité Militar para tratar y deci-
dir la propuesta peruana.
En la conversación telefónica de las 1450 hs, el Pres Belaunde Terry una vez más le
pidió al Grl Galtieri que no hubiera hechos bélicos que dificultaran las negociaciones, pedido que también había efectuado al Grl Haig.
A la mañana del 2 de mayo, los medios de comunicación social se referían con énfasis, a la reunión que se estaba realizando en Washington entre Pym y Haig, como
así también al viaje del Almirante John Lehman(Sec de marina deEEUU) a Londres. Otro
tema era la reunión de la Sra Thatcher con el Gab de Guerra y probablemente con políticos ingleses.
Las 1845 hs arg se recibe el informe oficial sobre el ataque al Belgrano, fuera de
la zona de exclusión y navegando desde las 0700hs del 2 de mayo hacia la Isla de lo
Estados.
Las 1900 hs se ejecutó la reunión de Comité Militar prevista y,en ese acto,se en-
teran el Grl Galtieri y el Brig Lami Dozo por boca del Alt Anaya del ataque al Bel-
. Comité Militar resuelve que el Pres Galtieri le conteste al Pres Belaunde, diciendo que si bien a la propuesta era digna de ser considerada el ataque al crucero
Belgrano, fuera de la zona de exclusión,hacía que el Gob argentino no estuviera dis-
a negociar bajo presión militar.
Si simultáneamente con el conocimiento del ataque al Belgrano, en Bs As se di-
fundían cables de AP y UPI de Lima, en los que EEUU daba por asegurado la firma
un cese de hostilidades.

Este informe, hasta hoy inédito, sobre los sucesos del 1º y 2 de Mayo vinculados a la negociación del Perú, fue preparado por el General Iglesias a pedido de José García Enrique
Enciso, para ser enviado a Tam Dalyell para su utilización en la moción de censura a Margaret Thatcher.

Capítulo 4
Los primeros cinco días de mayo de 1982

La noche del Banzai

Benito Rotolo

Al amanecer del 1º de mayo, nosotros empezamos a aumentar la velocidad de aproximación; el viejo coloso alcanzó los 20 nudos y no pudo superarlos porque ya venía con algunas limitaciones en sus antiguas calderas de vapor. Desde ese momento se empezaron a destacar vuelos de aviones Tracker para ir en busca de las posiciones del enemigo que, se suponía, acechaban las costas de las islas con el objetivo de hacer un desembarco. Durante la mañana, también nos llegó la información de los primeros ataques británicos sobre Puerto Argentino. La información que recibíamos no era muy precisa, pero teníamos conocimiento de los distintos ataques en Malvinas y que nuestra fuerza aérea estaba teniendo su bautismo de fuego, atacando buques en las cercanías de Puerto Argentino, que daba parte de haber averiado seriamente a dos destructores y posiblemente alcanzado el portaviones Hermes, como así también algunos derribos de aviones propios.

Nosotros, desde el portaviones, ya navegábamos en formación antiaérea y antisubmarina, con el clásico zigzagueo, y teníamos listos en cubierta todos los A4Q, cuatro aviones bomberos y dos secciones, preparados para funcionar como interceptores. En esta configuración el avión va muy liviano, armado solo con los misiles Sidewinder aire-aire, antiguo modelo B de acción infrarroja, no comparable con el modelo

L que poseían los aviones Harrier, y los cañones de 20 mm. Estábamos listos para cumplir operaciones de interceptación sobre blancos que pudiesen representar amenazas a la flota, guiados por los radares de los destructores tipo 42. A raíz de que los aviones de la fuerza aérea pasaban muy cerca de nuestra posición y nosotros no teníamos la información, varias veces en el día estuvimos a punto de despegar. Dos veces despegaron aviones A4 pensando en una interceptación real, hasta que nos dimos cuenta de que eran las misiones que nuestros camaradas de la Fuerza Aérea estaban cumpliendo ese día. Esto nos permitió funcionar con gran rapidez y un elevado estado de alerta, porque si bien estábamos fuera del alcance de los Sea Harrier, para los controladores aéreos estos blancos eran reales. Cuando nos dimos cuenta de que eran ellos, tuvimos una gran alegría, pero contenida, porque no podíamos romper el silencio electrónico para desearles suerte.

Por otro lado, por la rapidez con que se precipitaban los hechos, iba a ser muy difícil coordinar un ataque conjunto entre la Armada y la Fuerza Aérea sobre la flota británica. Cuando se decidió enfrentar a las fuerzas británicas y no retirarnos de las islas, pasamos a una etapa que no se planificó y, por ende, no existía ninguna coordinación entre las fuerzas. El tiempo que tuvimos para ensayar alguna operación juntos, y sobre todo para pasarnos los conocimientos que teníamos en esta etapa que yo llamo de "improvisación", fue apenas de veinte días. Eso sí lo pensábamos esa mañana del 1º de mayo, porque si la flota realmente concretaba su ataque, bueno hubiese sido que instantes después la Fuerza Aérea también atacara los mismos objetivos. Pero esto no era más que un deseo, ya que no había posibilidad de coordinar una operación semejante.

Todo el 1º de mayo fue así: avance en zigzagueo, lanzamiento de aviones Tracker para búsqueda, lanzamiento de A4 ante cada eco que arrojasen los radares y recuperación de los aviones que volvían, para repetir la secuencia una vez más. Ese día hubo bastante movimiento de aviones desde el portaviones, y todo salía perfecto. Despegues y enganches resultaban impecables, se aterrizaba siempre en el primer intento, los aviones volvían sin fallas, la catapulta funcionaba a la perfección, las interceptaciones se hacían prácticamente sin hablar, todo andaba maravillosamente bien; la flota, para mí, funcionaba como un reloj.

Por mi parte, además de piloto, yo era señalero, por lo que ese día me quedé en cubierta cumpliendo esa tarea en cada enganche de A4. El

señalero en un portaviones tiene una función muy especial debido a que
la distancia de aterrizaje es muy pequeña (la zona de cables tiene apenas
30 metros), lo que implica para el piloto un aterrizaje de precisión en
ese espacio muy pequeño. En esta aproximación (20 segundos) el piloto
sigue un haz luminoso generado por un espejo que le indica si está arriba o debajo de la pendiente; si el piloto observa que está alto o bajo, ya es
tarde para corregir. Por eso necesita de la ayuda del oficial señalero, que
es un piloto con experiencia, especialmente preparado para esa función.
Opera en la plataforma de señaleros bien a popa de la cubierta de vuelo
y lo guía, anticipándole las correcciones en esos 20 segundos finales de
la aproximación. En el caso del 25 de Mayo, todo era más estrecho: para
el avión A4 en particular había muy poco margen de aterrizaje fuera del
centro de la pista, como así también poco margen para tocar en la zona
de cables y poder ser frenado por alguno de estos. En la cubierta había
seis cables de frenado en un espacio de 30 metros.

Ese 1º de mayo cumplí varias guardias de piloto listo en cubierta, y
el tiempo restante traté de participar de todas las reuniones que había,
en las que se procesaba la información que recibíamos de cómo venían
los ataques británicos y la defensa argentina. Pero no solo eso. También
me permitió recibir en cubierta junto al señalero de Tracker al capitán de corbeta Dabini y al teniente de corbeta Bazán, piloto y copiloto
del Tracker 2AS-23. Eran las 17:05 y ellos traían la noticia que habíamos estado esperando durante todo el día sin éxito: habían encontrado
una parte de la flota británica. El contacto indicaba que había un buque
grande y seis medianos, 100 millas al norte de la isla Soledad.

La posición estaba a una distancia aproximada de 240 millas náuticas de nuestra flota; con la velocidad y el rumbo que llevábamos, esperábamos tener un acercamiento de 160 millas aproximadamente a las
23:00. Debíamos mantenernos fuera del radio de acción de los Harrier,
que estaba calculado en 140 millas. Conocida la posición enemiga y sin
que nosotros fuéramos detectados, manteníamos una importante ventaja táctica; sin embargo, debido a que los aviones de ataque no operaban de noche y como aún no se había dispuesto la formación de batalla,
no se realizaron acciones ofensivas en aquel momento.

A partir de las 18:00, toda la flota entró en crucero de combate y
continuamos la aproximación hacia la posición que nos había traído el
Tracker. De más está decir que la situación que se empezó a vivir nos

llevó a un estado de concentración muy especial, debido a que se estaba tomando la decisión de producir el enfrentamiento. Ahora ya teníamos el objetivo designado, y solo faltaban horas para iniciar las acciones contra la flota británica. Todo el mundo se dedicó a sus tareas específicas y el estado de alerta provocado por la adrenalina empezó a contagiarse entre todos los tripulantes del buque. En los pasillos se escuchaba alguna pregunta acerca de dónde estarían los submarinos británicos. Mientras estábamos en la sala de pilotos, abrió la puerta el comandante del buque, capitán Sarcona, siempre aplomado pero de muy buen humor, y le hicimos esa pregunta. Y él, con mucha calma, nos contestó:

—*Por ahora, navegamos sin novedad. Si están, no nos han visto o no nos han alcanzado. Mientras sigamos navegando, nosotros nos seguimos preparando.*

Continuamos la reunión en la sala de pilotos e hicimos un gran repaso respecto de la selección de armamento para el ataque y la revisión de procedimientos de guiado con los aviones Tracker, que si bien era algo de rutina, había que prever que pudieran derribar al avión guiador, y por lo tanto, tenía que haber un relevo. La única manera que teníamos de alcanzar un blanco en mar abierto era mediante la detección y el guiado de los aviones Tracker. Ni nuestros aviones A4 ni los aviones de la fuerza aérea tenían autonomía propia para un ataque en mar abierto. Curiosamente, los aviones que tenían esa capacidad eran los nuevos Super Étendard recién adquiridos. Esos aviones contaban con un navegador inercial para ubicarse en cualquier lugar del mar y un radar propio antisuperficie para detectar y adquirir el blanco.

Volvimos a repasar los perfiles de ataque aunque estos ya estaban establecidos como procedimiento y concebidos para adaptarlos a distintos radares de búsqueda y control tiro. Esa situación ya la teníamos resuelta, porque los perfiles de vuelo se ejercitaron intensamente con el destructor Hércules, que tenía las mismas características de los destructores británicos.

El último tema que tratamos en la reunión era la lista de vuelo para la primera misión de la mañana, en la que iban a salir seis aviones con seis pilotos. No recuerdo bien si hicimos un sorteo, pero sí recuerdo que todos querían volar la primera misión. Finalmente quedaron seleccionados el capitán de corbeta Castro Fox, el teniente de fragata Márquez y los tenientes de navío Benítez, Oliveira, Lecour y Sylvester. También

Arriba: Preparación del armamento para el ataque previsto en la madrugada del 2 de mayo (3A 305). Abajo: 1º de mayo. Puesta en marcha y verificación final para ir a catapulta, en configuración interceptor, con cañones y misil Sidewinder B.

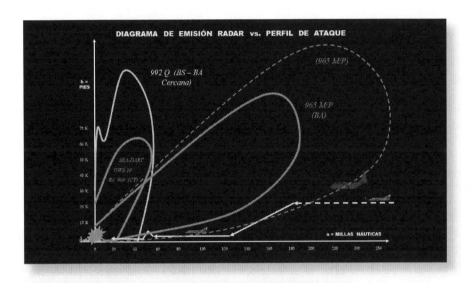

Arriba: Perfil de vuelo para los aviones de ataque, para evitar la detección del radar (Gentileza CN Curilovic). Abajo: 1º de mayo 1982, el rack de seis bombas de 500 lb cola frenada, preparado para montarlo en el avión. En la foto CC Castrofox, Suboficial Urbano, CC Philippi, TF Márquez, TN Benítez, TF Medici, TN Lecour, TN Iriart, encargado de cubierta de vuelo.

quedaba un avión de guardia como interceptor y otro de tanquero para reaprovisionar aviones que regresaran con bajo combustible. El capitán de corbeta Zubizarreta y yo quedamos dentro del segundo grupo y ejercíamos a su vez la tarea de señaleros de aterrizajes. Con el resto volaríamos la segunda misión, con los aviones que regresaran más los dos que quedaban de reserva a bordo. El intenso deseo de volar la primera misión era porque si no volvían suficientes aviones, por derribos probables, quizás no hubiera habido aviones para que volaran los otros seis.

Terminada la reunión, nos fuimos a cenar. El comedor albergaba a casi cien oficiales, contando a los pilotos del grupo aéreo, y era pintoresco escuchar las conversaciones durante la cena. El optimismo y el pesimismo jugaban como una pelota de ping-pong, siempre con un buen ánimo sobresaliente y un humor sarcástico, lógico por la incertidumbre que reinaba por lo que podía suceder.

Luego de la cena, por el estado del crucero de guerra en que estaba el buque, se restringió caminar libremente por muchas zonas, y quizás los únicos que teníamos libertad para movernos éramos los pilotos, que podíamos ir de nuestros camarotes a la sala de pilotos listos, y de allí a la cubierta de vuelo.

Era muy difícil irse a dormir: todos estábamos esperando el regreso de un avión Tracker al mando del capitán de corbeta Goitia que había despegado a las 21:00 para explorar y obtener la última posición y el despliegue de la flota británica.

Aproximadamente a la 01.15 de la madrugada del 2 de mayo, el buque continuaba en crucero de combate. Los pilotos hacían espera en sus camarotes y otro grupo dormitaba en la sala de pilotos listos. De pronto, comenzó a sonar la sirena de ataque aéreo. Ensordecedora, alarmante, hizo que toda la tripulación corriera hacia su posición de combate previamente asignada. Fue un momento de mucho frenesí. Se escuchaban muchas voces, órdenes que se daban y gente que, con la respiración agitada, trataba de llegar lo antes posible a su posición. La alarma sonó durante varios minutos y fue extensiva a todos los buques de la flota que venían navegando en esa formación. Por un momento, no podíamos entender cómo podíamos tener un ataque aéreo si estábamos fuera del radio de acción de los aviones Harrier. Pasados diez minutos, se pudo saber que un avión Harrier se había aproximado a la flota, había sido detectado por los radares del Hércules y del Santísima Trinidad y, cuando fue iluminado por los radares de control tiro para poder lanzar los misiles antiaéreos Sea Dart, se alejó inmediatamente. A todo esto, no sabíamos qué pasaba con el Tracker 2AS26 del capitán de corbeta Goitia y el teniente de fragata Marinsalta. Cuando este aterrizó, aproximadamente a la 1:30, tuvimos la sorpresa de que había traído la disposición de toda la fuerza británica y que ya estábamos a 160 millas de distancia. Aparentemente, el Harrier había salido a buscar al avión explorador y, como era habitual al irse en vuelo rasante, lo había perdido de su radar; se siguió aproximando en esa dirección y descubrió la posición de nuestra flota. A partir de allí, tácticamente habíamos perdido el factor sorpresa y solo había que cruzar los dedos y esperar el amanecer cuanto antes para el lanzamiento de los seis aviones de ataque.

La sensación de descubrir que ya estábamos tan cerca de la flota británica fue indescriptible, tanto por la alegría como también por el temor; nuestro ánimo se iba cargando de una notable expectativa, que no se podía evitar incluso respecto de cómo se nos iban a dar las cosas. Nos sorprendió que los Harrier hubieran podido perseguir al Tracker y que se hubiera arriesgado a acercarse a casi 50 millas de nuestra flota, pero no cabían dudas de que eso pudo haber sucedido por una cuestión meteorológica muy extraña del Atlántico Sur: reinaba una noche calma, con luz de luna y casi un mar de aceite, poco viento y sin oleaje. Obviamente, además, sabíamos que los Harrier tenían cierta capacidad nocturna. Lo cierto es que ambas fuerzas, a las 02:00, conocían las posiciones de sus respectivos enemigos.

Aquel 2 de mayo se nos presentaba de una manera muy favorable: teníamos una flota completa y funcionando de forma óptima; conocíamos la posición del enemigo y hasta habíamos identificado a uno de sus portaviones; contábamos con destructores y corbetas armadas con Exocet, con aviones Tracker preparados para marcar el rumbo y guiar el ataque aéreo y con aviones A4 con mayor radio de acción que los Harrier enemigos. Por otro lado, ellos acababan de tener un día completo de ataques, habían tenido su bautismo de fuego, y nosotros estábamos concentrados en la aproximación y en explotar el factor sorpresa. Todo parecía estar a nuestro favor, porque si bien ya habíamos sido detectados, manteníamos la iniciativa y nosotros regulábamos la distancia de ataque para permanecer fuera del radio de acción de los Harrier. El gran riesgo para nosotros era la posibilidad de ser atacados por los submarinos nucleares.

"Aquel 2 de mayo se nos presentaba de una manera muy favorable: teníamos una flota completa y funcionando de forma óptima; conocíamos la posición del enemigo y habíamos identificado a uno de sus portaviones; contábamos con destructores y corbetas armadas con Exocet, con aviones Tracker preparados para marcar el rumbo y guiar el ataque aéreo y con aviones A4 con mayor radio de acción que los Harrier. Por otro lado, ellos acababan de tener un día completo de ataques, y nosotros estábamos concentrados en la aproximación y en explotar el factor sorpresa."

El plan de ataque ya había sido diagramado y toda la flota estaba coordinada. Tres corbetas, que estaban destinadas a ser un arma fundamental en todo el ataque, porque contaban con una gran ventaja comparativa, que consistía en que iban a poder lanzar sus cuatro misiles antisuperficie Exocet MM38 antes de ser detectadas, debido a su baja superestructura y fundamentalmente porque la flota británica no contaba con aviones de exploración. El lanzamiento debía ocurrir momentos antes del ataque de los aviones, de manera que la llegada de los doce misiles sobre los buques británicos generara daño y confusión para el ataque aeronaval. Aclaro que este misil es de la familia de los Exocet, utilizado para la lucha entre buques con un alance cercano a los 30 kilómetros.

Los seis A4Q iban a seguir el camino de los Tracker, que con sus equipos de exploración estaban capacitados para distinguir e identificar blancos pequeños, blancos medianos y blancos grandes. Ellos eran nuestros ojos para el ataque, que se iba a hacer tal como lo habíamos practicado en infinidad de ejercicios con la flota de mar. El objetivo era que los Tracker pudiesen identificar rápidamente el blanco más grande, para que cada A4 pudiese lanzar sus seis bombas sobre el portaviones enemigo. Una estrategia de defensa es colocar piquetes –en este caso, destructores– que se interpongan entre la línea de ataque y la de defensa, para que uno se vea obligado a arrojar las bombas con ese primer contacto y no llegar así al núcleo. Oh sorpresa, eso no iba a ocurrir, porque el guiado de los aviones Tracker consistía en darnos vectores de aproximación para esquivar posibles piquetes y poder llegar al núcleo principal.

De los dos aviones restantes, uno se lo preparaba como avión tanquero para proveer combustible sobre el portaviones a aquellos que llegaran con averías, y el otro, en configuración de interceptor, para protección de los que regresaban. En aquel momento, recordé que en el despliegue de 1978 habíamos tenido doce aviones A4 en cubierta, lo que nos daba una mayor versatilidad, y también lamenté que si esa acción hubiese ocurrido unos meses más tarde, podríamos haber tenido los Super Étendard a bordo, lo que hubiese sido letal para la flota británica.

Después de las 2 de la mañana se trató de que los pilotos que despegaban al amanecer pudieran descansar un poco más. Los que no volábamos en la primera misión nos abocamos a ultimar preparativos y a analizar esta situación de mar calmo y poco viento, porque si el buque no encontraba un sector con viento real mayor a 15 nudos, la configuración óptima de los aviones –que era máxima carga de combustible y seis bombas de 500 libras– se iba a ver comprometida. Al viento real de 15 a 20 nudos se debía sumar a los 20 nudos de velocidad del portaviones, para tener un catapultaje cómodo con los aviones a máxima carga. Los que estábamos analizando esta situación sufríamos una tensión muy particular: por un lado, habíamos alcanzado la oportunidad de tener una batalla naval decisiva convencional en el Atlántico Sur, casi recordando –obviamente, en otra dimensión– la famosa batalla de Midway en el Pacífico; y por otro lado, el destino nos estaba haciendo una jugada impensable: el Atlántico Sur, siempre tan generoso en vientos, se había transformado en un mar casi sin olas: la intensidad de los vientos fue bajando hasta una leve brisa. Casi una burla del destino.

—De no creer –nos repetíamos–, las veces que hemos navegado estas aguas y jamás hemos vivido una situación igual.

—Tengamos fe –decían otros–, el viento tiene que aparecer.

A las 3 de la madrugada, las condiciones meteorológicas no mejoraban y el pronóstico para la hora del despegue daba viento real menor a 4 nudos. Los cálculos de la configuración de los aviones, con el viento que contábamos, daban valores inaceptables, como el de despegar con menos combustible y solo dos bombas; de esa manera no se podían esperar resultados favorables y se arriesgaban inútilmente aviones y pilotos.

Impávidos ante esta situación, se conoció la decisión de posponer el ataque hasta encontrar condiciones más favorables. Esta orden la dio el comandante de la flota de mar, Walter Allara. La medida era razonable, porque aún manteníamos la iniciativa. La flota británica podía alejarse, pero nosotros, buscando mejores condiciones de viento, también podíamos

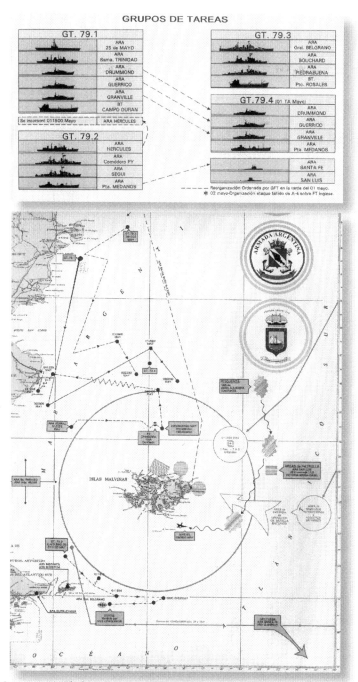

Arriba: Composición de la Fuerza Naval Argentina. Abajo: Esquema de la disposición de las fuerzas el 1º y 2 de mayo de 1982, en el Atlántico Sur (Carta náutica del Servicio de Hidrografía Naval).

Arriba: Destructor ARA Santísima Trinidad. Con su gemelo el ARA Hércules brindaron cobertura misilística antiaérea, antisuperficie y apoyo antisubmarino a la Flota de Mar. Abajo: Helicóptero H3, Sea King. Formaba parte del grupo aeronaval embarcado. Su misión era antisubmarina, búsqueda y rescate y transporte de tropas.

mantener la distancia. Por supuesto, se extendía el tiempo para la oportunidad de los submarinos.

"El destino nos estaba haciendo una jugada impensable: el Atlántico Sur, siempre tan generoso en vientos, se había transformado en un mar casi sin olas: la intensidad de los vientos fue bajando hasta una leve brisa. Casi una burla del destino."

De todos modos, la decepción y la frustración fueron generalizadas. Tuvimos que aflojar la tensión y frenar una marcha que a nosotros nos hacía imparables, en la que ya no se evaluaban las consecuencias, sino que se llenaba de expectativa el resultado que estábamos buscando. También nos enteramos de que se había abortado el ataque de las corbetas y que se las había hecho regresar a posiciones más distantes, y mientras pasábamos a esa espera, se trataba de mantener el contacto con la flota británica. A las 5:30 despegó el Tracker 2A-S23 tripulado por el teniente de navío Cal y el teniente de fragata Sanguinetti, para explorar la zona y confirmar nuevamente la posición de los buques enemigos.

A las 9 de la mañana despegaron dos interceptores, Philipi y Márquez, para investigación de contactos, que no presentaron novedades.

Pasado el mediodía tampoco se había alcanzado el viento necesario, o al menos eso creíamos, porque la orden de ataque no llegaba. A nuestro nivel tampoco tuvimos conocimiento de que existiera una orden de repliegue o algo similar. Todos los pilotos seguíamos en la sala de prevuelo, listos para recibir órdenes de efectuar el ataque. La última información que teníamos de los buques británicos era que se estaban alejando de nosotros, y el teniente Cal, cuando regresó de su búsqueda, confirmó que no habían tenido contacto.

Una sensación de desazón se fue apoderando de nosotros, porque no sentíamos que el buque estuviese navegando en busca de mejores vientos, y comenzábamos a pensar que el ataque podía llegar a posponerse indefinidamente. A mí no me quedó claro que el buque se estuviese replegando; no lo quería creer, porque si bien era razonable permanecer a unas 220 millas para efectuar la espera, no le encontraba sentido a no poner un rumbo definido en búsqueda de viento y para acercarnos a la flota británica. En realidad, yo sentía que estábamos envueltos en un mar de dudas que nadie nos aclaraba, pero al mismo tiempo seguíamos absurdamente expuestos a la amenaza submarina, con una actitud pasiva inexplicable.

"Durante la tarde del 2 mayo recuerdo bien que tuvimos más viento, por lo menos 18 nudos; para nosotros, hasta tres horas antes del atardecer, era factible hacer el ataque. La incertidumbre crecía, hasta que llegó la noticia de que el crucero Belgrano había sido atacado con torpedos lanzados por un submarino nuclear. [...] Era fácil preguntarse qué diablos estábamos haciendo allí. A partir de ese momento, empezamos a suponer que algo más debía haber que justificara nuestra inactividad."

Durante la tarde del 2 mayo recuerdo bien que tuvimos más viento, por lo menos 18 nudos; para nosotros, hasta tres horas antes del atardecer, era factible hacer el ataque. En esas idas y vueltas, la incertidumbre crecía, hasta que llegó la noticia de que el crucero Belgrano había sido atacado con torpedos lanzados por un submarino nuclear. La información que tuvimos fue que el buque se había quedado sin máquinas, a la deriva y con su flotabilidad muy comprometida.

La noticia tuvo un impacto tremendo en todos nosotros. Por un instante, nos quedamos paralizados, pero al poco tiempo también la reacción fue generalizada:

—Estamos en una guerra, debemos continuar, debemos atacar antes de que también nos hundan a nosotros –se escuchaba en el grueso de la tripulación. Pero no hubo ninguna directiva para reiniciar el ataque.

Fue muy difícil mantener la racionalidad durante aquella espera que nos angustiaba. Habíamos abandonado la actitud agresiva y ahora estábamos en un impase absurdo cuando la amenaza submarina se había concretado. Era fácil preguntarse qué diablos estábamos haciendo allí. A partir de ese momento, empezamos a suponer que algo más debía haber que justificara nuestra inactividad. Esa noche, durante la cena, tuvimos la confirmación de que el Belgrano se había hundido y poco se sabía de la suerte corrida por la tripulación. En las conversaciones se había comenzado a murmurar, sin que nadie lo asumiera oficialmente, que lo que estaba ocurriendo era un "cese de hostilidades", y estábamos cumpliendo una orden de repliegue, dado que se estaba analizando una propuesta de paz muy conveniente que podía detener el conflicto...

Una propuesta aceptada
y un torpedo que arruinó la paz

José Enrique García Enciso

Luego de casi cuarenta años de finalizada la guerra, y con tantas páginas ya escritas al respecto en los años inmediatamente posteriores, es mucha la gente que olvidó elementos en su momento muy difundidos del conflicto, e incluso muchos nunca los supieron, en especial los jóvenes, porque solo los mayores de cincuenta pudimos vivir con plena consciencia lo que fue Malvinas. Por eso se vuelve necesario refrescar algunas cuestiones, como por ejemplo, la participación del Perú en el conflicto. Es posible que todos estén al tanto –con mayor o menor información– de cómo Chile resultó funcional a los intereses del Reino Unido, lo mismo que los Estados Unidos. El Perú, en cambio, tuvo una intensa participación en la resolución del conflicto a través de gestiones diplomáticas de parte de dos destacados dirigentes: el secretario general de la ONU de aquel entonces, Javier Pérez de Cuéllar, y el presidente del Perú, Fernando Belaúnde Terry. Las acciones del primero, con sede en Nueva York, no prosperaron como seguramente él lo había imaginado; las de Belaúnde Terry, en cambio, pudieron haber sellado la paz en forma definitiva, pero el hundimiento del Belgrano lo impidió.

Cuando empezó el enfrentamiento bélico a gran escala, el sábado 1º de mayo Belaúnde Terry se puso en contacto con Haig, enormemente preocupado por las consecuencias del enfrentamiento. Haig, quien también estaba preocupado por lo que estaba sucediendo, impulsó a Belaúnde Terry a buscar un acuerdo pacífico.

Luego de los sorpresivos ataques británicos a las islas y ante la presunción de un desembarco, las fuerzas argentinas en Malvinas y en el continente responden a la agresión y comienza un despliegue naval y aéreo. Las noticias comenzaron a llegar a la Casa de Gobierno recién a las 4:30, a través de una radio uruguaya que se alcanzaba a sintonizar, y a las 5:30 ya estábamos todos en la Casa Rosada esperando las novedades. Alrededor de las 6:30 empezaron a llegar noticias del ataque de un bombardero; 8:30 supimos del ataque a la pista…

La información comenzaba a llegar ya no a través de las radios uruguayas, sino de un sistema de comunicaciones directo entre la Casa de

Gobierno y Malvinas, que enviaba mensajes cifrados y que, según supimos luego, eran inmediatamente interceptados y descifrados por los británicos, que contaban con la ayuda de la inteligencia norteamericana a través de la CIA, que había diseñado el sistema de encriptado de nuestra radio.

Hasta el mediodía reinó la incertidumbre, porque a cada rato llegaba la información de un nuevo ataque enemigo, y la tensión que había en el ambiente era palpable. La cúpula militar estaba permanentemente reunida, y todos los equipos también estaban reunidos, a la espera de órdenes o noticias. Todo lo que llegaba resultaba confuso, en especial teniendo en cuenta que, si bien el conflicto había comenzado hacía casi un mes, las hostilidades se habían limitado al combate de las islas Georgias. Nadie estaba acostumbrado a oír de un ataque detrás del otro, en distintos puntos del teatro de operaciones del Atlántico Sur (TOAS). Las informaciones hablaban de un intento de desembarco británico en las islas, de que se habían derribado cuatro aviones argentinos, de que luego aviones de la fuerza aérea y de la Armada argentina habían divisado y averiado algunos buques enemigos.

Todo era desconcierto y preocupación, hasta que llegó una buena noticia, más contundente que las anteriores, y que hizo cambiar los ánimos de la desazón a la euforia: a eso de las seis de la tarde, todos los informes de Fuerza Aérea y del Estado Mayor conjunto de Malvinas coincidían en que durante el día se habían producido tres intentos de desembarco en las islas, y que los tres habían sido rechazados. Primero se combatió contra tres barcos, luego se resistió la embestida de un ataque de aviones Harrier en vuelo bajo, con dos derribos, y luego se dio un tercer rechazo por la tarde. Toda esa información era fehaciente, llegaba directamente desde Malvinas firmada por un almirante, un general y un brigadier, y ya no se trataba de rumores o cosas oídas en la radio de un país vecino.

La sensación de descubrirnos capaces de rechazar los embates de la gran potencia mundial nos llenó de confianza en la Casa Rosada y cambió el panorama negativo de la mañana por un semblante más relajado por la tarde. Al final del día, los informes hablaban de cuatro intentos de desembarco rechazados, dos aviones británicos derribados y varios buques británicos atacados. El alivio fue grande, porque si bien se había dispuesto un operativo militar, creo que en el fondo nunca se pensó seriamente en la posibilidad de un triunfo, y esta férrea defensa le demostró a la cúpula de la Rosada que no era tan sencillo como ellos pensaban desembarcar en Puerto Argentino.

"Belaúnde Terry le comentó a Galtieri que, minutos antes, se había comunicado con Alexander Haig, quien le había referido expresiones del canciller británico, Francis Pym: «Los ataques de hoy fueron para que la Argentina reaccione y se dé cuenta de que estamos hablando en serio, así se sienten a negociar»."

Para ponernos al tanto de la situación, el mayor Martín Toro nos convocó a su despacho y junto a un teniente coronel de Comunicaciones nos trasmitió su convicción de que al día siguiente se producirían fuertes combates. Pero casi simultáneamente nos informaron de que el canciller del Perú, Javier Arias Stella, se había comunicado con el Dr. Costa Méndez para proponer una solución negociada.

Al finalizar la extensísima jornada, llegó la comunicación de Belaúnde Terry y la posibilidad de un nuevo acuerdo de paz.[1] El llamado entró a las 23:30 del sábado 1º de mayo, hora de Lima, 01:30 del 2 de mayo, hora argentina, momento en el que coincidían en los pasillos de la Casa de Gobierno una mezcla de alivio y preocupación por lo sucedido durante el día. Durante la conversación, Belaúnde Terry le comentó a Galtieri que, minutos antes, se había comunicado con Alexander Haig, quien le había referido expresiones del canciller británico, Francis Pym: "Los ataques de hoy fueron para que la Argentina reaccione y se dé cuenta de que estamos hablando en serio, así se sienten a negociar". En esa conversación que Belaúnde Terry había sostenido con Haig, ambos coincidieron en un plan, que Haig presentaría en el Reino Unido mientras el presidente peruano haría lo propio en la Argentina. La primera cláusula del tratado decía que se debía producir un cese inmediato de las hostilidades mientras el pacto era evaluado por ambas partes; el resto del texto indicaba el retiro de fuerzas, la permanencia de cuatro naciones en las islas (la Argentina, el Reino Unido, el Perú y los Estados Unidos) y una resolución del conflicto con la intervención de la ONU.

---

1 Informe Rattenbach, t. V, Anexo V/76, fojas 886/900.

El plan para la Argentina era perfecto,[2] porque por un lado le permitía salir airosa de una guerra en la que *a priori* tenía muy pocas chances de triunfar, y por otro, por fin le brindaba la oportunidad de discutir seriamente la soberanía de las Islas Malvinas en un marco adecuado y con el Reino Unido obligado a participar activamente. Tanto Belaúnde Terry como Galtieri eran conscientes de que el plan era el ideal, dadas las circunstancias, y se adecuaba a las necesidades y exigencias del país. Por eso Belaúnde Terry le pidió a Galtieri que actuara con premura:

—General –le dijo–, es muy importante que conteste rápido porque yo lo noto muy angustiado a Haig, muy apurado por que digan que sí.

Galtieri también entendía que el plan era conveniente, pero no podía firmar un tratado de paz sin evaluarlo y leerlo en detalle, en especial después del intenso día que había enfrentado y del horario en el que le llegaba la oferta. Su respuesta fue largamente comentada cuando esta conversación salió a la luz.

—Presidente, comprendo su ansiedad, pero no le puedo dar una respuesta ya mismo. Yo también tengo mi Senado. Hablemos mañana, pero el plan lo veo muy bien.

Más allá de esta "ironía" de un Senado en un gobierno de facto, la respuesta era lógica: no se podía tomar una decisión de tal trascendencia durante una conversación telefónica y, como mínimo, la cuestión debía ser analizada por los otros dos miembros de la Junta, tal como lo mandaba el estatuto de gobierno de las Juntas Militares.

Antes de finalizar la conversación, Belaúnde Terry le reiteró que, más allá de los detalles del plan, era esencial que se diera el cese de hostilidades mientras se discutía la paz, y con ese mensaje, Galtieri se fue a descansar un rato, para comenzar temprano el domingo con el análisis de la propuesta, que iba a llegar formalmente por fax recién a las 2 de la mañana.

A las 2:45 del domingo 2 de mayo se dio la primera orden de repliegue a toda la flota argentina situada en el TOAS, y a las 9 se reiteró la orden, en consonancia con la solicitud de cese inmediato de las hostilidades que había hecho Belaúnde Terry la noche anterior. Esta orden que se emitió desde Buenos Aires, tal como está documentado, es esencial para nuestro relato, porque es la explicación de por qué el 25 de

---

2 Conversación telefónica Costa Méndez-Belaúnde. Informe Rattenbach, t. V, fojas 886/900.

CONVERSACION MANTENIDA ENTRE EL SEÑOR PRESIDENTE DE LA REPUBLICA DEL PERU
Y EL SEÑOR MINISTRO DE RELACIONES EXTERIORES DE LA REPUBLICA ARGENTINA
EL DIA 02-MAY-82

CANCILLER: Señor Presidente.

PRESIDENTE: Bueno, Ministro. Entonces respecto a los países, estábamos
              hablando la posibilidad del Canadá.

CANCILLER: Sí. En principio, me gustaría consultarlo con el señor Presi-
              dente.

PRESIDENTE: A ver que otra posibilidad habría?.

CANCILLER: Bueno, su pongo que Italia, que es muy aceptable para noso-
              tros, podría no serlo para ellos, yo voy a consultar Canadá
              y yo le contestaría enseguida.
              Pero hay otra cosa señor ...

PRESIDENTE: Hacemos una pausa?

CANCILLER: Perdón?

PRESIDENTE: Si usted quiere, hacemos una pausa.

CANCILLER: Y yo lo vuelvo a llamar?

PRESIDENTE: Lo aguardo en el teléfono?

CANCILLER: Preferiría volverlo a llamar, porque el Presidente no está
              en la casa. Así que yo tengo que comunicarme con él afuera.

PRESIDENTE: Bueno, muy bien. Entonces, vea usted. En relación al texto
              en general, no?.,
              Entonces, lo importante son los puntos de vista concernientes
              a los intereses.

CANCILLER: Correcto.

PRESIDENTE: Entonces, se va a negar lo que ellos están pidiendo. Ese es
              el punto de vista...

CANCILLER: Sin duda es un tema del cual no podemos apartarnos, señor
              Presidente.

PRESIDENTE: En cuanto a los países, simplemente la eliminación de Esta-
              dos Unidos es lo fundamental.

CANCILLER: Eso es lo fundamental.

PRESIDENTE: Sí.

CANCILLER: Señor Presidente, si me permite, volviendo a los puntos que
              usted le hizo conocer al señor Presidente Argentino anoche,
              hay un punto tercero que dice: Introducción de Terceras Par
              tes para Gobernar las Islas. Yo quisiera que quedara bien a

Conversación telefónica de Belaúnde Terry y Costa Méndez en la cual se analizan los detalles finales del acuerdo de paz que fue anunciado por Belaúnde esa misma tarde. Este documento prueba que al medio día del 2 de mayo Argentina había aceptado la propuesta de paz de Belaúnde. Tres horas después, Thatcher da la orden de hundir al Belgrano.

///-2-

clarado, que en ese sentido, las terceras partes tendrían
que reemplazar, por entero, a todo lo que fuera administración británica.

PRESIDENTE: Bueno, desde luego, eso es lo que se quiere. Pero usted
sabe, que en este tipo de acuerdos, apremiantes, el ser
demasiado explícito puede llevarnos al fracaso, no?.

CANCILLER: Sí, pero también ...

PRESIDENTE: Eso yo creo que se desprende claramente, no?.

CANCILLER: Sí, pero yo querría dejárselo formulado como una posición
argentina, de la cual, La Argentina, no podrá retirarse.
Y desde luego en el grupo·administrador, no deberá estar
Estados Unidos.

PRESIDENTE: Sí, bueno. Si se le elimina, pues, ya no hay problema.

CANCILLER: Perfecto

PRESIDENTE: Porque dice: presencia de representantes ajenos a las partes para gobernar, temporalmente, las islas.

CANCILLER: Correcto.

PRESIDENTE: Eso implica, que hasta hace poco los que han gobernado, no
van a gobernar. Está clarísimo, no?.

CANCILLER: Está claro eso?.

PRESIDENTE: Está muy claro. Vea usted, dice: presencia de representantes ajenos a las partes involucradas en el conflicto, para
gobernar temporalmente las islas.

CANCILLER: Acá yo no tenía la palabra temporal, pero va de suyo.

PRESIDENTE: Sí. Sí. Temporalmente se ha puesto. Para gobernar temporalmente las islas. De manera que eso queda claro.

CANCILLER: Sí. Y que entonces queda claro, Presidente, porque para nosotros esta es una posición fundamental que el Gobierno anterior local queda superado.

PRESIDENTE: Así es. Bueno, ese es el entendimiento, no?.

CANCILLER: Bueno. Señor Presidente, yo lo llamo tan pronto me comuni-
que con el señor Presidente.

PRESIDENTE: Sí. Yo estoy acá en el teléfono 27....

CANCILLER: Perdón?

PRESIDENTE: Estoy en el 27-5051

CANCILLER: 5051

///-3-

PRESIDENTE: 27-5051. Ahora, vea usted Ministro. En la mañana de hoy, han ocurrido hechos beligerantes?.

CANCILLER: No. Anoche se han retirado los barcos ingleses, que creo que han sufrido daños de consideración; sobre todo una fragata, la considero prácticamente destruída y, las otras dos, severamente dañadas. Y hoy no ha habido...

PRESIDENTE: Señor Ministro, voy a transmitir textualmente lo que al respecto me ha dicho el Secretario de Estado. Yo le hice la pregunta, me dijo: nosotros, según nuestras fuentes, sabemos que no se han perdido los cuatro Harrier. Y lo que sabemos es que ha habido una avería menor a un avión que ha regresado a su base y averías menores a un buque de superficie. Ahora él me ha agregado, que él piensa que la operación que emprendieron ayer, de acuerdo al punto de vista inglés, había tenido éxito y estaba profundamente alarmado, y anticipaba cuestiones peores. De manera que por eso, yo, que no haya ocurrido nada esta mañana me parece que es un excelente síntoma.

CANCILLER: Asi es...

PRESIDENTE: ... hay tiempo para el día de hoy?

CANCILLER: Así lo pienso Presidente, y si usted me disculpa...

PRESIDENTE: Esperamos que no ocurra nada más...

CANCILLER: Yo éstas...

PRESIDENTE: Nosotros estamos angustiados, no?...

CANCILLER: Así lo deseo y créame usted que soy un ferviente soldado de la paz en esto; como lo he demostrado trabajando en éstos últimos quince días, exhaustivamente por ello.

PRESIDENTE: Entonces, vea usted. Yo voy a hacer una llamada, diciendo que todavía estamos discutiendo la cuestió de los países.

CANCILLER: Convenido Presidente.

PRESIDENTE: Pero que habría la posibilidad... voy a plantear de frente la eliminación de Estados Unidos.

CANCILLER: Convenido Presidente. Señor Presidente, si usted lo permite, si la información que le ha dado el Departamento de Estado, la que usted me ha transmitido, yo me voy a permitir dirigirme al Departamento de Estado para decirle que en la isla están cuatro Harrier destrozados y un helicóptero también, y que me parecería que las informaciones que el satélite le brinda al Departamento de Estado, no son demasiado correctas.

PRESIDENTE: Muy bien. Muy bien.

Mayo no realizó el ataque, independientemente de la situación del viento en el Atlántico Sur. A las 10 de la mañana, Costa Méndez habló con Belaúnde Terry y le informó que la propuesta seguía siendo debatida, pero que existía gran aceptación general, y que había grandes posibilidades de que se apruebe.

"A las 2:45 del domingo 2 de mayo se dio la primera orden de repliegue a toda la flota argentina situada en el TOAS, y a las 9 se reiteró la orden, en consonancia con la solicitud de cese inmediato de las hostilidades que había hecho Belaúnde Terry la noche anterior. Esta orden que se emitió desde Buenos Aires, resulta esencial para nuestro relato, porque es la explicación de por qué el 25 de Mayo no realizó el ataque, independientemente de la situación del viento en el Atlántico Sur.

En nuestro equipo de trabajo seguíamos en detalle todas las nuevas informaciones y contribuíamos en lo que podíamos, tanto con traducciones como en la evaluación de las propuestas que iban circulando y todo lo que se necesitase. Ese fin de semana estuvimos instalados desde la mañana hasta la noche en la Casa Rosada, y además de otras tareas menores, nos tocó hacer el proyecto de conversación que iban a tener Galtieri y Belaúnde Terry el domingo a la tarde. Puede verse en la página siguiente, corregido de puño y letra por Galtieri, quien agregó en lápiz un "en principio" delante de lo que nosotros habíamos escrito: "Acepto su propuesta".

Había una mínima salvedad que él quería hacer, pero más allá de eso, la propuesta estaba aceptada, y así se lo comunicó a Belaúnde Terry el domingo a las 15:00. A partir de ese momento, comenzaron a hacerse los distintos arreglos formales para la aceptación de la paz. A las 17:30, Costa Méndez propuso un brindis por la paz en Cancillería, y nosotros brindamos por nuestra cuenta en la Casa Rosada. Yo me retiré luego del estresante fin de semana. Apenas entré a casa, alrededor de las 18, prendí la televisión y el periodista Juan Carlos Pérez Loizeau anunciaba que la firma por la paz en Malvinas era inminente. Cuando estaba por salir de vuelta hacia la Casa de Gobierno, a las 18.45, recibí un llamado de uno de mis colegas que me informa que estaban comenzando los rumores de que algo había pasado con el crucero ARA General Belgrano. Regresé de inmediato a la Casa Rosada, y a las 19:45 vi entrar al general

PROPUESTA DE CONVERSACION CON EL PRESIDENTE BELAUNDE TERRY

SEÑOR PRESIDENTE, EN CONTESTACION A SU PROPUESTA :

1. Deseo agradecerle su gestión y el permanente apoyo y preocupación del Gobierno y Pueblo Peruanos para aportar eficaz-
mente a la solución pacífica del conflicto.

2. El Gobierno Argentino está dispuesto a aceptar *EN PRINCIPIO* la propuesta de Vuestra Excelencia.

3. No obstante, deseo hacerle algunas consideraciones que serán
ampliadas por nuestro Canciller Dr. COSTA MENDEZ a su Canci
ller Dr. ~~ULOA~~ *ARIAS STELLA* que creo está en Nueva York.

a. Deseo aclarar que el Gobierno Argentino considera más
conveniente que la Administración del Gobierno de las
Islas sea realizada por las NACIONES UNIDAS (y no por
el Grupo de Contacto formado por varios países).

. Respecto del punto 3 de su propuesta y consecuente con
nuestra última propuesta sugiero que "el Secretario
General de las Naciones Unidas sea asistido en las negociaciones por un Grupo de Contacto formado por represen-

///

Documento inédito que presenta la propuesta de conversación entre Galtieri y Belaúnde Terry, preparada por el equipo de Secretaría General de Presidencia, corregido de puño y letra por Galtieri. Cuando el documento establece que "El gobierno argentino está dispuesto a aceptar la propuesta [de paz] de Vuestra Excelencia", Galtieri añade con lápiz "en principio", pues primero debía reunirse la Junta Militar para dar la aprobación formal. Esta documento rebate la tesis de Thatcher de que Argentina nunca aceptó la propuesta de paz de Belaúnde Terry. Finalmente, gracias a las acusaciones documentadas de Tam Dalyell, Thatcher tuvo que reconocer que la negociación existió. Se refirió a ella como "papeles sin importancia".

1.- PROPUESTA DEL PERU y POSICION ARGENTINA

PROPUESTA DEL PERU		POSICION ARGENTINA	
Nros.	ASPECTOS	Nros.	ASPECTOS
1.	Cesación inmediata de los hostilidades	Introd. 1	Sobre la base de la Resolución 502 del Consejo Con efecto a partir de la firma del presente A tuará un cese inmediato de hostilidades.
2	Retiro simultáneo y mutuo de las fuerzas	2	Este artículo trata detalladamente sobre el re neo mutuo y gradual de las fuerzas.
3	Presencia de representantes ajenos a las dos partes involucradas en el conflicto para gober- nar las Islas, temporalmente.	4	La autoridad especial interina verificará el c del presente Acuerdo y la integran Argentina, y Estados Unidos de Norteamérica.
6	El Grupo de Contacto que intervendría de inmedia- to en las negociaciones estaría compuesto por Bra sil, Perú, Rep. Federal Alemana y Estados Unidos de Norteamérica.		
4	Los dos Gobiernos reconocen la existencia de posi- ciones discrepantes sobre la situación de las Is- las.	--	--
5	Los dos Gobiernos reconocen que los puntos de vistas y los intereses de los habitantes locales tienen que ser tomados en cuenta en la solución definitiva del problema.	6(A)	Hasta tanto se alcance un arreglo definitivo, transporte, el movimiento de personas... será y facilitados sobre la base de igualdad.
			La autoridad especial interina propondrá la ado das... compensación para isleños que no dese
		6(B)	Derechos y garantías de los habitantes de las Isl petados sobre la base de la igualdad en particul gión, expresión... y lazos culturales con los gen.
7	Antes del 30 de abril de 1983, se habrá llegado a un acuerdo definitivo, bajo la responsabilidad del gru- po de países antes mencionado	7(A)	El 31 Dic.92 terminará período de transición, signataric negociaciones sobre las modalidades para la elin las Islas de la lista de Territorios No Autónom y sobre condiciones mutuamente acordadas para su nitivo incluyendo la debida consideración de los los habitantes y del principio de la integridad aplicable a esta disputa.
		7(B)	El Gobierno de los EE.UU. ha indicado que a pe dos Gobiernos, estaría preparado para ayudarlos var sus negociaciones a un arreglo mutuamente sa para el 31 Dic 82.
		8	A partir del 1° de enero de 1983 y hasta tanto e gencia el acuerdo sobre el status definitivo de la Jefatura del Gobierno y la Administración ser por un funcionario designado por el gobierno arg
		3	Levantamiento de medidas económicas y financier: de los dos gobiernos. Pedido a terceros países lo hagan.
		5	La autoridad especial interina supervisará las c adopte la administración local. La administración tradicional local subsiste a t Consejos Ejecutivo y Legislativo Incorpora tres representantes en cada Consejo.

Documentos de análisis previo a la aceptación de la propuesta de paz de Belaúnde Terry. Allí se puede observar el análisis inicial de la misma, realizada en la madrugada del 2 de mayo. Fue el primer paso hacia una respuesta afirmativa.

Iglesias con cara muy adusta. Enseguida nos informó sobre el hundimiento del Belgrano y nos dijo que se había producido una hora antes de que Belaúnde Terry anunciara que se firmaría la paz, según el cable que reprodujimos en las páginas iniciales de este libro. Galtieri estaba en ese momento en el Estado Mayor Conjunto y volvió poco después para proseguir la reunión con la Junta Militar en la sala de situación de Presidencia. Luego de la reunión se comunicó con el presidente peruano para informarle esta infausta novedad. Belaúnde Terry le dijo que le sorprendía ese hecho lamentable porque había una tregua implícita para facilitar la propuesta.[3] Y también agregó: "Yo estaba muy alentado de que en la mañana de hoy no se hubiera producido ningún acto hostil; pero para mí ha sido una ingratísima sorpresa y me ha causado la mayor indignación que se haya producido este ataque." Por otro lado, en 1983, el Primer Ministro del Perú, Manuel Ulloa, declaró al periódico británico *Daily Mirror* que existía una tregua de 48 horas.

Un ex ministro peruano reveló detalles previos al ataque al "General Belgrano"

Gran Bretaña violó una tregua tácita de 48 horas

LONDRES.– Perú realizó gestiones l "más alto nivel diplomático" para vitar cualquier acción de Gran Bretaña ue pusiera en peligro el plan de paz ue propuso para acabar con la guerra : las Malvinas.

El ex primer ministro de Perú, Manuel Ulloa, pidió personalmente al entonces secretario de Estado norteamericno. Alexander Haig, que hiciera lo)sible para evitar cualquier acción militar.

El ex primer ministro peruano hizo tas declaraciones en una entrevista e ayer publicó el periódico londinense "Daily Mirror", en las que señala e su petición a Haig fue cursada antes l hundimiento del crucero argentino General Belgrano.

Ulloa recordó que el domingo 2 de mayho de 1982 el presidente peruano, Fernando Belaúnde...y él hablaron por teléfono con Haig y el entonces presidente argentino, general Leopoldo Galtieri.

Según la información publicada por el "Daily Mirror", basada en la entrevista con Ulloa, el ex ministro de Asuntos Exteriores británico, Francis Pym, estaba en la misma habitación que Alexander Haig, y por tanto, conocía los detalles de la conversación.

Ulloa recuerda: "Le dije personalmente a Alexander Haig que la Junta argentina se reuniría más tarde y realizaría difíciles consultas con cada una de las tres armas".

"Anticipamos que ello podría durar entre 24 y 48 horas –agregó Ulloa– y le dije a Haig que nada debía suceder durante ese período y que no debía haber ninguna acción militar como respuesta positiva de Buenos Aires."

"El respondió –añadió Ulloa– que estaba completamente al corriente y que entendía perfectamente lo que yo pretendía. De todas formas dijo que él no podía ser responsable de los hechos ya que su influencia era limitada."

Ulloa respondió a Haig que éste debía hacer entender a los británicos las consecuencias que tendría para la decisión argentina la ruptura del armisticio.

Haig dijo que así lo haría. Pero horas más tarde. el gabinete de guerra británico dio la orden de hundir el crucero.

Declaraciones del ex primer ministro peruano Manuel Ulloa sobre la tregua del 2 de mayo. Estas declaraciones fueran realizados al *Daily Mirror* en función de un pedido de Tam Dalyell sobre la base de los documentos enviados. "Le dije a Haig que nada debía suceder durante ese período y que no debía haber ninguna acción militar". Según sus declaraciones, el ex ministro de Asuntos Exteriores británico, Francis Pyme, estaba escuchando en la misma habitación..

---

3 Comunicación telefónica Belaúnde-Galtieri. Informe Rattenbach, t. V, Anexo V/76, fojas 886/900.

El testimonio más importante sobre esa reunión clave de la Junta Militar es el que dio en el año 2001 al diario *La Nación*, el brigadier Lami Dozo. Allí cuenta la conmoción de Anaya, cuenta cómo se pidió a todos que abandonaran la Sala de situación para que la Junta Militar siguiera dialogando y cuenta que, pese al hundimiento del Belgrano, se aceptó la propuesta de paz. Los miembros de la Junta se retiraron a las 12 de la noche, habiendo aceptado la propuesta y con el compromiso de enviar al otro día, lunes 3 de mayo, al almirante Moya, al brigadier Miret y al general Iglesias al Perú para comunicar nuestra aceptación.

Entrevista con el brigadier general (R) Basilio Lami Dozo (II y final). La vigilia de la noche en que la guerra ya había terminado

En la reunión de la Junta del 2 de mayo se había aceptado una propuesta de paz

30 de abril de 2001

Daniel Gallo
LA NACION

E l 2 de mayo de 1982 fue un día terrible para la Argentina. El submarino nuclear Conqueror hundía al crucero General Belgrano y más de trescientos marinos argentinos eran inmolados en el altar de la guerra. Esa noche pudo finalizar el enfrentamiento. Es más, minutos antes de la medianoche había terminado para el brigadier general Basilio Lami Dozo.

Un día después del bautismo de fuego de la Fuerza Aérea Argentina, su comandante en jefe estaba convencido de aceptar la propuesta del presidente del Perú, Fernando Belaúnde Terry. Los comandantes Leopoldo Fortunato Galtieri y Jorge Anaya también. Eso relata Lami Dozo durante la entrevista que concedió a *La Nación*, la primera desde el ´82, en el Edificio Cóndor. Pero hubo una después. Lo cuenta.

"Hubo momentos en los que creímos que se llegaba a un acuerdo. Estuvo muy próximo. Fue cuando Belaúnde Terry hace su propuesta, el 2 de mayo. En realidad, no era una obra exclusiva del presidente Terry, sino que había sido consensuada con los Estados Unidos y concedida por Gran Bretaña, por su ministro de Relaciones Exteriores de ese momento (lord Carrington). Esa propuesta la tratamos en una reunión a solas los tres comandantes en jefe.

"Ahí es cuando el comandante en jefe de la Armada (Anaya) nos informa, nos ratifica en realidad, el hundimiento del Belgrano y la cantidad aproximada de las bajas. A pesar de eso, la reunión siguió hasta la medianoche, solos, porque los hicimos retirar al canciller y al jefe del Estado Mayor Conjunto, que eran los que informaban de la situación política y de la militar.

-¿Qué decidieron?

-Nos quedamos los tres solos para analizar la propuesta de Terry. Y la aceptamos. A pesar de que el almirante Anaya tenía esa situación emocional por el hundimiento del Belgrano dijo "Esta es una buena propuesta y vamos a mandar a un grupo de representantes para dar el último análisis a los borradores". Yo volví al comando en jefe y me estaba esperando el hombre que había designado para hacer el seguimiento cercano político, el brigadier mayor Miret, que era secretario de Planeamiento. Me esperaba en el despacho y le dije: "Mirá, vas a ir a Lima. Tratá de modificar un par de cosas -que no eran de fondo- y si no se puede que siga así".

Entrevitado por Daniel Gallo para *La Nación*, Lami Dozo refleja la decisión de la Junta de aceptar la propuesta de paz, la creencia de que con esto Argentina había logrado el objetivo de destrabar las negociaciones sobre la soberanía, y el terrible shock que significa la llegada de la noticia del hundimiento del Belgrano, mientras se estaba festejando el acuerdo. (https://www.lanacion.com.ar/politica/la-vigilia-de-la-noche-en-que-la-guerra-ya-habia-terminado-nid301711/)

Según el relato de Lami Dozo, a las 3 de la mañana lo llamó Galtieri para decirle que Anaya pedía tiempo para la aceptación, y que Galtieri creía que había que dárselo. Lami Dozo contestó que eso no era lo acordado, que más allá de los posibles mil muertos del Belgrano la propuesta llenaba todas las aspiraciones argentinas y que él no estaba de acuerdo con rechazarla. Por lo tanto, el brigadier Miret no viajaría a Lima si no era exclusivamente para aceptar la propuesta de paz.

Otro testimonio coincidente con los hechos de aquellos días, es el del canciller Costa Méndez, tal como él lo relata en su libro sobre Malvinas.[4] Según lo que allí se puede leer, a las 22:00 del sábado 1° de mayo, el ministro de Relaciones Exteriores del Perú, Javier Arias Stella, llamó al canciller Costa Méndez a efectos de sondear la posibilidad de que la Argentina aceptara la mediación peruana. Costa Méndez respondió favorablemente.

Inmediatamente después, llamó el primer ministro, Manuel Ulloa, amigo personal de Costa Méndez. Este le comunicó que Argentina aceptaba la mediación y que era conveniente que el presidente del Perú llamara al general Galtieri.

A las 23:40 aproximadamente, el presidente Belaúnde Terry habló con Galtieri y le trasmitió la propuesta de paz con los puntos del acuerdo.

A las 2 de la mañana del domingo 2 de mayo, el almirante Benito Moya llamó a Costa Méndez y lo puso en comunicación con Galtieri. Este le comunicó que aceptaba la mediación y le leyó la propuesta a Costa Méndez.

A las 8 de la mañana, Costa Méndez llegó a la Casa de Gobierno y leyó la versión taquigráfica de la conversación telefónica. El único problema era la palabra "deseos" de los isleños.

A las 10 de la mañana, Costa Méndez habló nuevamente con Belaúnde Terry y le trasmitió la predisposición argentina a aceptar. Costa Méndez sostuvo que esa predisposición había sido trasmitida a Londres por Haig. Lo mismo dijo el presidente peruano.

A las 14:50, Galtieri habló con Belaúnde Terry y le dijo que en principio aceptaba la propuesta, y que a las 19 reuniría a la Junta Militar para dar la respuesta definitiva.

---

4 Costa Méndez, N., *op. cit.*, pp. 242 y ss.

A las 19 de la Argentina (17 de Lima) Belaúnde Terry anunció en conferencia de prensa que Argentina y el Reino Unido habían llegado a un acuerdo y la primera medida que se tomaba era el cese inmediato de hostilidades. Aclaró, además, que estaba en contacto con Haig, quien había pasado el día con el canciller británico Francis Pym en el departamento de Estado, en Washington.

A las 19:15 llegó a Buenos Aires la primera noticia de la desaparición del Belgrano –que había sido atacado tres horas antes–, mientras se llevaba a cabo en el Estado Mayor Conjunto la reunión de la Junta para anunciar la aceptación de la propuesta. A raíz de este acontecimiento, se suspendió la reunión y la Junta Militar pasó a deliberar a Casa de Gobierno sin asesores.

Haig afirmó que comunicó el plan de Belaúnde Terry al ministro de Relaciones Exteriores británico mucho antes del hundimiento del Belgrano. El ministro de Relaciones Exteriores del Perú afirmó que hizo conocer el plan al embajador británico en ese país, Charles Wallace, el sábado 1° por la tarde y lo mantuvo informado permanentemente. La televisión británica, en un programa emitido el 16 de abril de 1984, probó que Pym se encontraba con Haig en Washington en el momento en que se reunió el gabinete en Chequers. Haig declaró ante el mismo medio que se encontraba en contacto telefónico permanente con el gabinete británico analizando los términos del acuerdo[5]. El 2 de mayo a la mañana Pym había declarado públicamente: "Quizás no haya más enfrentamientos, si los argentinos se abstienen de penetrar en la zona de exclusión"[6]. Este es otro hecho que demuestra que la decisión de hundir al Belgrano la toma exclusivamente la primer ministro tal como lo informa el periodista Paul Foot, en un artículo del *Daily Mirror* el 23 de junio de 1983. Esto fue confirmado por Tam Dalyell, en sus contactos con fuentes absolutamente confiables del Departamento de Defensa de los EE.UU.[7]

Otro elemento importante es que el submarino Conqueror había detectado al Belgrano en la madrugada del 1° de mayo, tal como lo declara el comandante Christopher Wreford-Brown. Llevaba 24 horas siguiéndolo, pero no lo había atacado, pues nunca había penetrado la zona de exclusión. Resulta ilógico que no lo hayan hundido el 1° de mayo, cuando la

---

5 Programa "Panorama BBC", 16-04-1984.
6 A. Gavshon y D. Rice. *El hundimiento del Belgrano*, pág 109.
7 T. Dalyell, *One Man's Falklands*, pp. 82-83.

flota británica se veía amenazada por el despliegue de la flota argentina, y en cambio haber elegido hundirlo cuando se estaba alejando hacia la Isla de los Estados y durante la retirada, en un día en el cual no se habían registrado hechos bélicos. Sucedió mientras estaba en marcha la mediación peruana, y este hecho fue conocido por el Gobierno británico, como así también la orden de repliegue de la flota argentina.

Página 9 □ TIEMPO Argentino
Martes 8 de enero de 1985

El capitán del "Conqueror" se resistió a hundir el "Belgrano"

El diario londinense "The Observer" asegura que Gran Bretaña sabía que el buque navegaba fuera de la zona de exclusión

El crucero argentino "General Belgrano" no significaba ningún peligro para la flota británica que operaba, en 1982, en el Atlántico Sur cuando fue hundido por el submarino inglés "Conqueror" durante la guerra por las Malvinas, deja traslucir en su edición de ayer el diario londinense "The Observer".

El periódico, en el que aparecen publicados los radiogramas cruzados por el mando militar argentino al capitán del «Belgrano», indica que los mensajes fueron interceptados y descifrados por el Centro de Comunicaciones de Cheltenham entre el 29 de abril y el 1º de mayo de 1982, varios días antes de que Londres ordenara al "Conqueror" el torpedeo del buque de Buenos Aires, operativo en el que murieron 368 tripulantes.

De acuerdo con los radiogramas, el capitán del crucero argentino recibió de sus superiores la orden de patrullar regiones no comprendidas en la "zona de exclusión" de 200 millas decretada unilateralmente por Londres alrededor de las islas.

"Los textos de los mensajes interceptados —destaca el diario británico— fueron inmediatamente transmitidos al Estado Mayor de las Fuerzas Navales, ubicado en Northwood, y a la residencia de la primera ministra Margaret Thatcher situada en Chequers, en las afueras de la capital."

"Pese al contenido de los radiogramas —comenta el periódico— pronto se impartió desde Chequers la orden de hundir el «General Belgrano», lo que ocasionó la muerte de 368 marinos argentinos."

"La orden de torpedear el buque de Buenos Aires fue tan aturdidora para el capitán del «Conqueror» —continuó «The Observer»— que Londres se vio obligada a repetirla tres veces. El comandante del submarino nuclear inglés respondió entonces a sus superiores que el «General Belgrano» no representaba amenaza alguna para la flota de Su Majestad, tras lo cual afirmó que guardaba serias dudas acerca de la conveniencia de atacarlo."

"Sólo cuando el mando militar británico repitió por tercera vez la orden —finaliza el periódico— el capitán del «Conqueror» decidió cumplirla.

La agencia de noticias soviéticas TASS señala, por su parte, al reproducir la información, que "esto demuestra una vez más que en el momento en el que se dio la orden de atacar el crucero argentino, el gobierno conservador de Margaret Thatcher

sabía muy bien que el «General Belgrano» se encontraba fuera de la zona de guerra, razón por la cual no acarreaba peligros para la flota de Londres".

Desde que comenzaron a filtrarse en el Reino Unido, los trascendidos castrenses respecto del controvertido episodio del "Belgrano", tanto la oposición laborista como la socialdemócrata y aun el ala menos conservadora del oficialismo, lanzaron una andanada de cargos contra la primera ministra, acusándola de haberse propuesto con el hundimiento del buque, el fracaso del plan de paz ideado en la época del conflicto armado por el presidente peruano Belaúnde Terry.

La orden de torpedear el crucero argentino no sólo parece haber sido resistida, según "The Observer", por el capitán del "Conqueror" encargado de ejecutarla, sino también por otros altos oficiales de la Marina inglesa, como el comandante Rob Green, quien fue el que impartió las directivas al submarino nuclear británico desde Northwood, tras lo cual presentó su dimisión.

Versiones que comenzaron a circular recientemente aseguran que el comandante Green llevó consigo, al retirarse de la fuerza, importante documentación relacionada con el caso "Belgrano", que entregó en custodia a una tía, curiosamente asesinada meses atrás.

"El gobierno debe romper relaciones con Londres"

El grupo de Ex Combatientes por las Islas Malvinas solicitará al Poder Ejecutivo Nacional que el 2 de abril, día en el que las tropas argentinas desembarcaron en el archipiélago, sea declarado fecha patria, al tiempo que exigió al gobierno "la ruptura de relaciones con Gran Bretaña".

En una declaración difundida ayer, al finalizar el Cuarto Congreso Nacional de Ex Combatientes, que sesionó en Buenos Aires durante el último fin de semana, los jóvenes que pelearon en Malvinas reclamaron a las autoridades que "la Argentina decida no pagar a la banca inglesa el importe correspondiente a la deuda externa", tras lo cual indicaron que requerirán la expropiación de los bienes de origen británico radicados en territorio nacional, exigencia que plantean desde hace tiempo.

Los ex combatientes, que se encuentran divididos en varios grupos, se han venido reuniendo con el objetivo de elevar sus reivindicaciones ante el presidente, entre las que figura el otorgamiento de una pensión a los soldados que lucharon en el archipiélago y a los familiares de los caídos en combate.

Artículo del periódico inglés *The Observer* donde el capitán del submarino Conqueror da a entender su desconcierto al recibir la orden del hundir el Belgrano.

Para dar la orden de ataque, Thatcher, en una reunión muy rápida en Chequers después del mediodía de Londres, autorizó a hundir cualquier buque argentino, lo cual constituye una declaración de guerra clandestina que viola lo manifestado hasta ese momento por el Reino Unido de que se atendría estrictamente al artículo 51 de la Carta de Naciones Unidas, que autoriza el derecho a la autodefensa dentro de límites estrictos. Cabe recordar que Thatcher autorizó el hundimiento del portaviones 25 de Mayo el día 30 de abril, en función de la amenaza que constituían el alcance de sus aviones. El día anterior había sido informada de que la Argentina solicitó más tiempo para responder a la propuesta de Haig. El mismo Pym y el procurador general del Reino Unido, Michael Havers, advirtieron a la primer ministro que eso podía ser un acto ilegal, pues traspasaba los límites de la autodefensa, tal cual quedó registrado en el acta correspondiente.[8]

Otro argumento de Thatcher respecto del Belgrano es que da la orden de hundirlo "porque era un peligro inminente" para *sus muchachos*: esto no era así dado que para que el buque representara un "peligro inminente" debía acercarse a las unidades británicas por lo menos a distancia del alcance de sus armas, que eran 20 kilómetros, y esto no ocurrió siquiera la noche anterior. El 2 de mayo a las 16:00 el Belgrano estuvo más distante de las unidades británicas que nunca, y me remito a lo expresado sobre este punto por el comandante capitán de navío Héctor Bonzo, quien ante esta pregunta en el libro *El hundimiento del Belgrano* responde que eso es una "insensatez absoluta, el barco británico más próximo se encontraba a doscientas cincuenta millas náuticas al este de Malvinas. Hubiese requerido catorce horas al Belgrano alcanzarlo, desarrollando para ello su velocidad máxima de dieciocho nudos y dando por supuesto que la nave británica tendría la cortesía de mantenerse inmóvil y esperarlo".[9] Del mismo modo, el jefe de la defensa británica, almirante Terence Lewin, reconoció que el Belgrano no era una amenaza inminente, pero hubiera podido serlo si no lo hundían.

Cuando Belaúnde Terry habló con Haig al inicio de la mediación, le dijo que las conversaciones suponían la suspensión de las hostilidades. Así lo entendió Haig, según afirmaciones de Belaúnde Terry, y del mismo modo Belaúnde Terry se lo transmitió a Galtieri esa misma noche.

---

8 Reunión de Gabinete del 30 de abril de 1982.
9 A. Gavshon y D. Rice. *op. cit.*, p. 147.

Las conversaciones suponían "una tregua implícita"; así lo había comprendido el Gobierno argentino. Esto puede verificarse en el comunicado del Estado Mayor Conjunto del 2 de mayo, donde se informa que en el día de la fecha no se ha registrado actividad bélica en Malvinas.[10] Esto comprueba que Freedman, en la historia oficial británica, no se ajusta a la verdad al afirmar que el 2 de mayo hubo una misión de aviones Super Étendard para atacar a la flota.[11] Está comprobado fehacientemente que esa unidad no cumplió ninguna misión ese día. De allí la orden de repliegue a sus posiciones iniciales de la flota argentina a las 02:40 de la madrugada del 2 de mayo.

> "Insensatez absoluta, el barco británico más próximo se encontraba a doscientas cincuenta millas náuticas al este de Malvinas. Hubiese requerido catorce horas al Belgrano alcanzarlo, desarrollando para ello su velocidad máxima de dieciocho nudos y dando por supuesto que la nave británica tendría la cortesía de mantenerse inmóvil y esperar." (Hector Bonzo, Comandante del Belgrano).

Todo indica que esta situación era conocida también por el Comandante Militar Conjunto del Teatro de Operaciones del Atlántico Sur, vicealmirante Lombardo, ya que en un escrito que él llama su testimonio sobre la experiencia de Malvinas, en el capítulo 37 titulado "La odisea del Belgrano", repasa los hechos del 2 de mayo recordando que la orden de hundir al Belgrano no fue tomada a nivel operacional ni militar, sino al nivel político. Al respecto, dice: "Se había presentado la propuesta de mediación del señor Presidente del Perú, Belaúnde Terry, que había reflotado la fracasada gestión del General Haig. Esta propuesta había sido aceptada en principio por nuestro canciller con el visto bueno del General Galtieri aunque había quedado a ratificar por la Junta Militar. Era entonces el Reino Unido el que debía dar el sí. En tales circunstancias fue cuando se adoptó la decisión política de torpedear al Belgrano, lejos de los buques británicos, navegando lentamente y en alejamiento. Evidentemente no era una amenaza para las acciones militares, pero sí

---

10 Comunicado del Estado Mayor Conjunto, diario *Convicción*, edición extraordinaria, 3 de mayo de 1982. También se puede comprobar en el Informe Rattenbach.
11 Freedman, S. L., *The Official History of the Falklands Campaign. Volume II: War and Diplomacy*, p. 291.

la oportunidad de dar un golpe político".[12] En otro párrafo, siguiendo
con el mismo tema, expresa: "El hecho concreto es que los torpedos del
Conqueror no solo hundieron al buque y sus tripulantes sino que también sepultaron la posibilidad casi a la mano de arribar a una solución
pacífica. ¿Fue ese el efecto buscado por la dama de hierro? Creo que sí".[13]

La orden de hundir al Belgrano y cualquier buque argentino fuera de la zona de exclusión constituía una declaración de guerra clandestina que violaba absolutamente la manifestación británica de que se
mantendría en los términos del artículo 51 de autodefensa de Naciones
Unidas. Para justificar el ataque también se cambiaron las reglas de empeñamiento, pero esto es comunicado a la Argentina a través de la embajada Suiza, cuatro días después. Esto se produjo en momentos en que
el buque que había estado en la mira del submarino más de 24 horas se
estaba replegando y no representaba en ese momento ninguna amenaza. No existe una explicación clara desde el punto de vista militar para esta decisión. Solo cabe una explicación política: la Sra. Thatcher no
quería aceptar la paz.

El hundimiento del Belgrano

José Enrique García Enciso

La incertidumbre cuando conocimos la noticia de que habían impactado al crucero General Belgrano fue alarmante. Se produjo una gran
confusión, y no se encontraban respuestas a lo sucedido. Sobre todo, nadie entendía por qué el Reino Unido había atacado, cuando se suponía
que existía una tregua implícita en las acciones militares mientras durara
la negociación, de acuerdo a lo que había solicitado Belaúnde Terry. Conforme lo dicho en el capítulo anterior, no hay dudas de que el país se
disponía a firmar la paz, y que se había demorado apenas algunas horas
para evaluar la propuesta en profundidad. Nunca se comprendió el ataque, sabiendo que estaba en marcha la negociación de Belaúnde Terry
y que el Belgrano se estaba retirando de la zona de conflicto. La única

---

12 Lombardo, J. J., *Malvinas: errores anécdotas y reflexiones*, capítulo 20.
13 *Ibid.*

explicación es que, una vez más, no estaba dentro de los propósitos del gabinete británico aceptar ningún tipo de propuesta de paz antes de expulsar a los argentinos.

> "Sobre todo, nadie entendía por qué el Reino Unido había atacado, cuando se suponía que existía una tregua implícita en las acciones militares mientras durara la negociación, de acuerdo a lo que había solicitado Belaúnde Terry."

Para comprender esto, debemos volver a trasladarnos en el mapa y mirar hacia el norte: en el Reino Unido, el laborismo seguía cuestionando tanto la política exterior como el manejo económico del gobierno conservador, y la popularidad de Margaret Thatcher si bien iba en aumento luego del 2 de abril por estas razones, tenía sus altibajos. A los británicos la causa Malvinas no les afectaba del mismo modo que a los argentinos. Todos sabemos en nuestro caso cómo influyó en la sociedad la recuperación de las islas: con gran emoción y fuerte sentimiento de unidad. En el Reino Unido, en cambio, importantes grupos de ambas cámaras no compartían la decisión de Thatcher de utilizar solo la respuesta militar. De hecho, desde el laborismo –e incluso entre los conservadores–, había voces muy fuertes que se pronunciaban abiertamente a favor de la negociación.

Más allá de los múltiples errores que se pudieron haber cometido durante la guerra y en los días previos, creo que el principal –o, al menos, en el que podríamos haber contribuido nosotros como equipo asesor– fue no estudiar a nuestro adversario, pero no en su armamento o en su historia, sino a las personas que manejaban los destinos de ese Estado. Si nos hubiésemos detenido un momento en la figura de Thatcher, enseguida podríamos haber esbozado un perfil psicológico, y no nos hubiésemos equivocado en concluir que nunca iba a ceder un ápice en su posición, y que desde el primer momento siempre tuvo intenciones de ir hasta las últimas consecuencias. Como ya hemos citado, en sus memorias dice sin ningún pudor que la propuesta que traía Haig ella no la hubiese aceptado nunca, pero que cedió en una primera instancia confiada en que, "como latinos pasionales", los argentinos tampoco la iban a aceptar.[14]

---

14 Thatcher, M., *op. cit.*, pp. 180 y ss.

En ese libro se puede ver claramente que Thatcher nunca tuvo voluntad de negociar, pero que dejó extender las idas y vueltas de Haig a través del océano Atlántico a sabiendas de que no se iba a llegar a buen puerto en el diálogo, pero que su flota sí iba a arribar a la zona de conflicto. Una vez que tuvo el apoyo expreso de los Estados Unidos, no dudó en lanzar el primer ataque. Como se decía, a Thatcher le servía una guerra si quería salir victoriosa frente a los suyos; si firmaba un tratado de paz, a los dos días estaba juntando sus cosas en el número 10 de Downing Street mientras veía cómo la reemplazaban en el cargo. Sin dudas, nuestra falla estuvo justamente ahí, en no poder ver eso que era tan evidente para el pueblo británico: una salida negociada entre el Reino Unido y la Argentina hubiese sido el golpe de gracia para la primer ministro, y Margaret Thatcher no era una persona dispuesta a resignar el lugar que tanto esfuerzo le había costado conseguir. Esta actitud de la Sra. Thatcher es trasmitida por Haig a Galtieri para convencerlo de flexibilizar la posición argentina sobre la soberanía.

Todo esto, que ya se dijo, sirve para comprender por qué se dio el hundimiento del Belgrano, pese a estar fuera de la zona de exclusión que el propio Gobierno británico había propuesto y con proa hacia suelo argentino. Sirve también para comprender por qué el capitán del submarino británico que torpedeó al Belgrano pidió tres veces que le repitieran la orden de ataque.[15] Sirve para entender por qué misteriosamente la bitácora de viaje del submarino se perdió,[16] algo nunca visto en un buque de guerra que vuelve sano y salvo a su puerto. Y por último, sirve para entender por qué todos los archivos británicos referentes a la negociación con el Perú aún no están desclasificados, hecho que también resulta inaudito si se lo compara con cualquier otro conflicto a nivel mundial.

Margaret Thatcher necesitaba la guerra para mantenerse en el poder, y lo estaba consiguiendo. Las acciones del sábado 1º de mayo así lo confirman. Pese a que no tuvo éxito en la aproximación en Puerto Argentino, sabía que a la larga iba a lograr imponerse gracias a la experiencia, a la tecnología y a la excelencia de la Royal Navy. Y si no, era mejor resignar el cargo luego de perder una guerra que tras la firma de un acuerdo de paz con un país pequeño, que era un modo de irse por la puerta de atrás, mostrando debilidad, algo a lo que la dama de hierro nunca estaría dispuesta.

---

15 Nota del diario *The Observer*, 1985 (ver p. 107 de este libro).
16 Nota de Raúl Fain Binda, diario *La Razón*, 7 de noviembre de 1984.

Con el último ofrecimiento que llegaba desde el Perú –vía Nueva York, a través del teléfono de Haig– podía ver minada la posibilidad de proseguir con la guerra hasta obtener el triunfo militar. No era el contenido de la propuesta lo que la asustaba, sino el hecho de que, ya iniciadas las hostilidades, se siguiera hablando de negociaciones. El tiempo de las negociaciones para Thatcher ya había pasado, y la única negociación posible hubiera sido que la Argentina abandonara inmediatamente las islas.

Ese domingo, la primer ministro estaba en Chequers –la casa de campo en las afueras de Londres destinada al descanso de los primeros ministros británicos– junto con algunos miembros de su gabinete. Según narra ella, la propuesta de paz nunca le llegó. Según Haig, el Gobierno británico conocía en detalle la propuesta, y según Belaúnde Terry, también, al

Raúl Fain Binda, diario *La Razón,* 7 de noviembre de 1984, sobre la misteriosa desaparición del libro de bitácora del submarino Conqueror, cuestión no aclarada hasta el día de hoy. Esta información sería sustancial para probar una maniobra de encubrimiento vinculada al hundimiento del Belgrano.

punto de confirmar que los británicos le habían sugerido modificaciones.[17] Así fue como no solo no dio la orden de alto al fuego, sino que encargó proseguir con los ataques en cualquier circunstancia que fuera.

Dada la diferencia horaria entre Buenos Aires, Lima, Washington y Londres, cuando Costa Méndez comunicó a Belaúnde Terry –a las 10 de la mañana, hora de Buenos Aires– que la Argentina estaba dispuesta a aceptar, era la 1 de la tarde en Chequers. Eran las 9 de la mañana en Lima y Washington. Belaúnde Terry trasmitió la noticia a Haig, que estaba con el canciller británico, Francis Pym, en Washington. Es inverosímil que este no le hubiera avisado a su propio gobierno.[18]

A las 18:00 horas de Argentina, Belaúnde Terry anunció al periodismo el acuerdo de paz, y también anunció el horario y lugar de la firma. Poco antes se había producido una llamada de Haig a Belaúnde Terry pidiendo algunos cambios. Lo había conversado con Pym. En la Casa Rosada, el anuncio de Belaúnde al periodismo generó satisfacción y optimismo. Se vivía un mesurado clima de optimismo.

Luego de la reunión con sus colaboradores, alrededor de la 1 de la tarde de Londres, Thatcher dispuso cambiar las reglas de empeñamiento y ordenar al Conqueror hundir al Belgrano. Sabía que desde hace más de 24 horas antes el Conqueror lo venía siguiendo. Aquella reunión fue informal, por lo que no hay actas, solo reconstrucciones posteriores.

Según la explicación de Thatcher, ella nunca se enteró de la propuesta. Sin embargo en la película *La dama de hierro*, se observa a su personaje desestimando despectivamente la propuesta. La recreación en un film no cuenta como prueba, claro, pero es un indicio de cómo se recuerda aquel evento en la cultura popular. Más contundentes son las investigaciones de Tam Dalyell (miembro de la Cámara de los Comunes) y su equipo, que trabajaron en Buenos Aires, Lima –donde Tam Dalyell se entrevistó con Belaúnde Terry–, Washington y Londres, que aseguran que ella estaba perfectamente al tanto de la propuesta. Lo mismo confirma Arthur Gavshon en su entrevista con Haig en Washington y los autores de *Malvinas: La trama secreta*.[19]

---

17 Ver testimonios de Belaúnde Terry en el canal de YouTube "Malvinas: un asunto latinoamericano", cap. 4: https://bit.ly/3duJ8gG
18 A. Gavshon y D. Rice, *op. cit.*, pp. 107 y subsiguientes.
19 A. Gavshon y D. Rice, *op. cit.*, p. 127, y R. Cardoso, R. Kirschbaum y E. Vander Kooy. *Malvinas: la trama secreta*, p. 231.

Como decíamos, desde el viernes 30 de abril el submarino nuclear HMS Conqueror venía siguiendo al crucero ARA General Belgrano, que tenía órdenes explícitas de no ingresar a la zona de exclusión.[20] Dado que no estábamos formalmente en guerra, el Reino Unido solo podía haber atacado dentro de la zona de exclusión, según el artículo 51 de autodefensa de la ONU, y siguiendo las instrucciones del parlamento de utilizar el mínimo de fuerza para recuperar las islas. Sin embargo, Thatcher no dudó en dar la orden de hundir al Belgrano. Debió reiterar la orden tres veces al capitán del submarino, consciente de que el Belgrano estaba fuera de la zona de exclusión y se dirigía hacia Isla de los Estados.

Yo recuerdo la tensión que se vivió entre la noche del domingo y la mañana del lunes. Nosotros no participábamos de las decisiones, pero al estar en contacto con nuestros jefes sabíamos lo que estaba sucediendo.

Cerca de las 20:30, Galtieri regresó de su reunión en el Estado Mayor Conjunto y entró a la Sala de Situación donde lo esperaban sus inmediatos subalternos, el general Norberto Iglesias, el almirante Roberto Moya y el brigadier José Miret. Mientras tanto nuestro equipo continuaba estudiando el último ofrecimiento de Belaúnde Terry, aunque nuestros consejos no iban a influir demasiado sobre la opinión de los miembros de la Junta. Lami Dozo era partidario de seguir adelante con la propuesta que se había aceptado de palabra minutos antes del hundimiento del Belgrano, porque pensaba que lo que se ofrecía era conveniente para la Argentina. Galtieri y Anaya, en cambio, creían que el escenario había cambiado, y que ante semejante ataque no se podía aceptar la propuesta inmediatamente. Pude observar aquella noche que el episodio del Belgrano afectó enormemente a los integrantes de la Junta. La euforia de aquella tarde por la posibilidad de alcanzar la paz había sido reemplazada por un silencio sepulcral, luego de recibir esta noticia. A partir de ese momento la solución negociada estaba cada vez más lejana.

Galtieri y Anaya decidieron enviar a Iglesias y a Moya al Perú para explicar en persona a Belaúnde Terry que ante lo ocurrido con el Belgrano no podían aceptar inmediatamente la propuesta. Miret, en cambio, no viajó, porque Lami Dozo era partidario de aceptarla. Finalmente, el factor emocional del hundimiento del Belgrano provocó el disenso de la Junta y la no aceptación, por el momento, de la propuesta peruana.[21]

---

20 Informe Rattenbach, t. I, cap. VI, fojas 174/175.
21 Informe Rattenbach, t. I, cap. V, fojas 117/118.

En una primera instancia, la decisión de Galtieri y Anaya pareció acertada para muchos de los que lo aconsejaban. La Argentina pudo contraatacar y el martes 4 de mayo hundió la fragata HMS Sheffield, lo que generó una sensación de equilibrio en las acciones, pero no evitó la escalada del conflicto. Debe destacarse que el 6 de mayo, la Secretaría General del Ejército advirtió a Galtieri que una victoria militar era imposible, tal como puede verse en el la página siguiente.

Esto mismo le había advertido Isidoro Gilbert a Fernando Lascano, quien era, dentro del equipo, el nexo con la prensa. Gilbert era el corresponsal de la agencia soviética Tass en Buenos Aires, conectado con la inteligencia de ese bloque y que regularmente le hacía llegar unas fotos satelitales y comentarios de interés.

"El 6 de mayo, la Secretaría General del Ejército advirtió a Galtieri que una victoria militar era imposible."

Mientras tanto, las conversaciones diplomáticas continuaron, pero se mudaron a las Naciones Unidas: el diálogo se dio por intermedio de otro peruano, Javier Pérez de Cuéllar, aunque estas negociaciones no dieron resultado alguno. En esta ocasión, los británicos dejaron en claro que estaban allí por respeto a la ONU, pero que luego del hundimiento del Sheffield lo único que ellos hubiesen aceptado habría sido una retirada, la vuelta del estado anterior, y la aceptación por parte de la Argentina de la preeminencia de los deseos de los isleños.

No obstante, luego del conflicto, el Reino Unido sostuvo que el 4 de mayo aceptó una nueva propuesta de paz del presidente Belaúnde Terry, que fue rechazada por la Argentina. En Casa Rosada no se conoció nada sobre este tema. En el informe Rattenbach figura una carta del ministro de Relaciones Exteriores del Perú, Manuel Ulloa, a Nicanor Costa Méndez, con fecha del 5 de mayo donde le manifiesta que no existió una segunda propuesta por parte del Perú, y la que circuló contiene términos diferentes a la original y no fue elaborada por el Gobierno del Perú. Además, Ulloa agrega que impartió órdenes a todas las embajadas del Perú para desmentir la versión. Esta carta se puede verificar en el informe Rattenbach, cuyos integrantes califican duramente esta acción británica. En la historia oficial de Freedman se sostiene esta versión, a pesar de la explícita y documentada negación del canciller Ulloa. Desde ese momento hasta el 14 de junio, solo quedó resistir y combatir, siempre con la frente

SECRETARIA GENERAL DEL EJÉRCITO [SECRETO] Buenos Aires, 06 de mayo de 1982.-

TEMA: Análisis de la propuesta del Secretario General de la ONU, Dr PEREZ DE CUELLAR.

CONSIDERACIONES

1. Cualquiera sea el resultado militar de la confrontación bélica, el conflicto con la GB deberá solucionarse necesariamente a través de una negociación.

2. Esta negociación permitirá obtener un mayor porcentaje de las aspiraciones argentinas de máxima, cuanto más favorable sea la situación militar.

3. Razonablemente no puede esperarse la derrota militar de la GB, única solución que posibilitaría obtener la totalidad de las aspiraciones pretendidas por A.

4. De acuerdo a la información disponible pareciera que el momento es el adecuado para iniciar una negociación apoyada en bases razonables, habida cuenta que:

   a. Se habrían producido significativas bajas entre los elementos de desembarco inglés.

   b. Al parecer GB no contaría en este momento con la suficiente FA (aviones de AAD y helicópteros) para apoyar una operación seria de desembarco.

   c. Se ha confirmado el hundimiento de un destructor y se aprecian averías significativas tanto en sus portaaviones como en sus medios de apoyo de fuego.

   d. Lo apuntado tiene que haber producido una baja en la moral de combate de los elementos empeñados y de su frente interno, esto último condicionado por la real información que se difunda en GB.

   e. Esta situación favorable convendría que sea explotada lo antes posible ya que es probable que se revierta gradual y aceleradamente con el arribo de los refuerzos ingleses a las fuerzas empeñadas y con la probable aparición y posterior agravamiento de problemas operacionales y logísticos de las fuerzas argentinas.

5. La magnitud del conflicto, la cantidad de bajas de ambos bandos han influido sobre la propia OP reemplazando una actitud triunfalista poco racional por una más madurada y prudente, más permeable a la conveniencia de iniciar negociaciones.

6. En este momento la opinión pública europea y los gobiernos de los países de la CEE han tomado distancia con respecto a la GB y condicionando el empleo de sus medios militares.
   Ello reduce su capacidad de maniobra diplomática y militar pero una actitud intransigente de A puede revertir nuevamente esta situación.

"3. Razonablemente no puede esperarse la derrota militar de la GB". Informe inédito de la Secretaría General del Ejército, fechado el 6 de mayo, donde determina que no se puede lograr una victoria militar del conflicto y recomienda buscar una solución negociada.

en alto para los héroes de nuestro pueblo que batallaron en el TOAS, y con muchas más batallas ganadas de las que se piensa, aunque en evidente inferioridad de condiciones. No hubo más lugar para negociaciones, pero al menos a mí me tocó vivir más adelante una importante y estrecha relación con los opositores de Haig y de Thatcher en los Estados Unidos y el Reino Unido, respectivamente, lo que me permitió colaborar en que se supiera la verdad sobre muchos aspectos del conflicto de Malvinas.

Finalmente, respecto del Belgrano, quiero expresar que todas estas vicisitudes políticas y diplomáticas no desmerecen en absoluto el alto espíritu de la tripulación y la disposición para el combate para dar la vida por la patria. A los héroes del Belgrano, mi mayor homenaje.

Después del 2 de mayo

Benito Rotolo

El lunes 3 de mayo no teníamos precisión sobre lo que estaba ocurriendo. En realidad, comenzábamos a preocuparnos por la suerte de los tripulantes del Belgrano. Eso nos provocaba un profundo pesar: estando en el mar, en condiciones de dar batalla, quizás la peor desgracia era que nuestro buque fuera averiado antes de combatir. Por supuesto que esa fue la vulnerabilidad que aceptamos todos. No encontrábamos respuesta satisfactoria a la oportunidad de combate que habíamos dejado pasar.

De todos modos, aún creíamos que la flota tenía una oportunidad y albergábamos la esperanza de que el ataque no estaba descartado. La lista de vuelo seguía con seis aviones bomberos y dos como interceptores, listos en cubierta. Hacíamos guardia en la sala de pilotos e íbamos rotando de función cada dos horas, con una de descanso. Solo despegaron dos aviones A4Q, a las 13:30 y 16:30, en configuración de intercepción, pero eran aviones propios. Cerca de las 18, reconocimos un rumbo definido de la flota, que marcaba un repliegue hacia el oeste.

El viento del domingo 2 de mayo por la tarde, según nuestra observación, era suficiente para despegar, y el del lunes a la mañana era indubitable. A media mañana, la sala de pilotos listos estaba casi llena. Había

Crucero ARA General Belgrano, navegando en aguas del Atlántico Sur. 1982.

varios oficiales del buque y pilotos que mantenían intensas charlas de análisis sobre el *impasse* que estábamos teniendo, sin decisiones concretas. De pronto, abrió la puerta el almirante Allara, que venía acompañado del capitán Sarcona. Nos saludó y tuvimos una breve conversación en la que lo llenamos de preguntas. No recuerdo quién fue el que tomó la palabra, pero expresó lo que la mayoría estaba pensando:

—Señor –le dijo–, ¿por qué no juega Ud. la batalla antes de que nos encuentren los submarinos? Si regresamos, corremos el riesgo de que nos ataquen antes de llegar a un lugar seguro.

—Señores, esto es muy importante para que lo decida yo solo y no tengo la confirmación de continuar con el ataque –nos alcanzó a decir el almirante Allara por toda respuesta, y nos quedamos inmersos en una mezcla de resignación y silencio, sabiendo que habíamos dejado pasar la única oportunidad para enfrentar a la flota enemiga.

Recién en ese momento terminamos de entender lo que había sucedido con el Belgrano. Nos fuimos enterando de que se habían iniciado tareas de búsqueda, que el buque se había hundido y se habían localizado un gran número de balsas, pero estaban con mal tiempo y recién

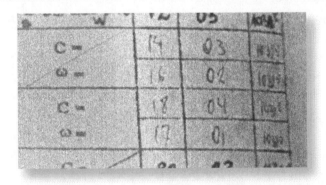

Hoja del libro de navegación del portaviones ARA 25 de Mayo, del día 2 de mayo de 1982. Los renglones aumentados en detalle corresponden a los horarios de 13, 14, 15 y 16 horas. Allí está registrado la intensidad del viento real y en ese orden horario se puede leer: 14 nudos, 16 nudos, 18 nudos y 17 nudos. Eso demuestra que las condiciones de operatividad estaban dadas, porque un avión necesita un mínimo de 15 nudos para ser catapultado con éxito. De aquí concluimos que, finalmente, el motivo por el cual no se realizó el ataque a la flota inglesa no se debió a cuestiones climáticas, sino políticas y estratégicas.

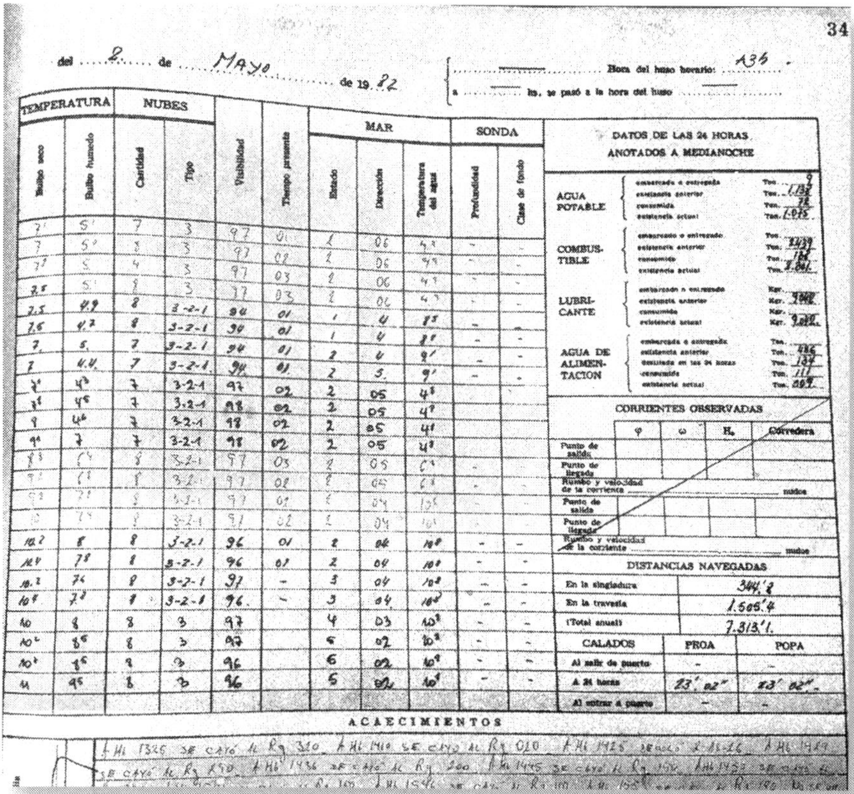

34

del 2 de Mayo de 19 82 — Hora del huso horario: +3½ — a ... hs. se pasó a la hora del huso ...

TEMPERATURA		NUBES				MAR			SONDA	
Bulbo seco	Bulbo húmedo	Cantidad	Tipo	Visibilidad	Tiempo presente	Estado	Dirección	Temperatura del agua	Profundidad	Clase de fondo
7	5	7	3	97	01	1	06	4	-	-
7	5	8	3	97	02	2	06	4	-	-
7	5	4	3	97	03	2	06	4	-	-
7.5	5	8	3	97	03	2	06	4	-	-
7.5	4.9	8	3-2-1	94	01	1	4	8	-	-
7.6	4.7	8	3-2-1	94	01	1	4	8	-	-
7.	5.	7	3-2-1	94	01	2	4	9	-	-
7	4.4.	7	3-2-1.	94.	01.	2	5.	9	-	-
7	4	7	3-2-1	97	02	2	05	4		
7	4	7	3-2-1	98	02	2	05	4		
9	4	7	3-2-1	98	02	2	05	4		
9	7	7	3-2-1	98	02	2	05	4		
8	6	8	3-2-1	97	03	2	05	6	-	
9	6	8	3-2-1	97	02	2	05	6	-	
9	7	8	3-2-1	97	02	2	04	10		
10	7	8	3-2-1	97	02	2	04	10		
10.2	8	8	3-2-1	96	01	2	04	10	-	-
10.4	7	8	3-2-1	96	01	2	04	10	-	-
10.2	7	8	3-2-1	97	-	3	04	10	-	-
10	7	8	3-2-1	96.	-	3	04	10	-	-
10	8	8	3	97		4	03	10	-	-
10	8	8	3	97		5	02	10	-	-
10	8	8	3	96		6	02	10	-	-
11	9	8	3	96		5	02	10	-	-

DATOS DE LAS 24 HORAS ANOTADOS A MEDIANOCHE

AGUA POTABLE	embarcada o entregada	Ton. 9
	existencia anterior	Ton. 1.132
	consumida	Ton. 72
	existencia actual	Ton. 1.075
COMBUSTIBLE	embarcado o entregado	Ton.
	existencia anterior	Ton. 2439
	consumido	Ton. 198
	existencia actual	Ton. 2.241
LUBRICANTE	embarcado o entregado	Kgr.
	existencia anterior	Kgr. 9302
	consumido	Kgr.
	existencia actual	Kgr. 9.302
AGUA DE ALIMENTACION	embarcada o entregada	Ton.
	existencia anterior	Ton. 486
	destilada en las 24 horas	Ton. 134
	consumida	Ton. 111
	existencia actual	Ton. 509

CORRIENTES OBSERVADAS

	φ	ω	H_o	Corredera
Punto de salida				
Punto de llegada				
Rumbo y velocidad de la corriente				nudos
Punto de salida				
Punto de llegada				
Rumbo y velocidad de la corriente				nudos

DISTANCIAS NAVEGADAS

En la singladura	344'8
En la travesía	1.505'4
(Total anual)	7.313'1.

CALADOS	PROA	POPA
Al salir de puerto	-	-
A 24 horas	23' 02"	23' 02".
Al entrar a puerto	-	-

ACAECIMIENTOS

A Hs 1325 se cayó al Rv 320. A Hs 1410 se cayó al Rv 010. A Hs 1425 ... A Hs 1427 se cayó al Rv 430. A Hs 1436 se cayó al Rv 200. A Hs 1445 se cayó al Rv 150. A Hs 1453 se cayó ... al Rv 105. A Hs 1546 se cayó al Rv 110. A Hs 155... al Rv 190 ...

“El viento del domingo 2 de mayo por la tarde era suficiente para despegar, y el del lunes a la mañana era indubitable. La sala de pilotos listos estaba casi llena. Abrió la puerta el almirante Allara, acompañado del capitán Sarcona. No recuerdo quién tomó la palabra, pero expresó lo que la mayoría estaba pensando:

–Señor –le dijo–, ¿por qué no juega Ud. la batalla antes de que nos encuentren los submarinos?

–Señores, esto es muy importante para que lo decida yo solo y no tengo la confirmación de continuar con el ataque [...]

Nos quedamos inmersos en una mezcla de resignación y silencio, sabiendo que habíamos dejado pasar la única oportunidad para enfrentar a la flota enemiga.”

por la tarde llegarían buques a esa posición. Toda esta información nos hizo olvidar por un momento nuestra ocupación por la ofensiva, y nos mantuvimos atentos al rescate de nuestros camaradas y a mantener la defensa del portaviones, porque el hundimiento del Belgrano era una clara demostración de lo que podían hacer los submarinos nucleares de la Marina Real británica.

Mientras el portaviones y su grupo se retiraban hacia aguas menos profundas que permitieran encontrar resguardo de posibles ataques submarinos, los aviones Tracker y los helicópteros Sea King retomaban sus tareas de búsqueda antisubmarina, a veces con sembrado de sonoboyas, desplegando una gran actividad disuasiva igual a la que se venía haciendo antes de encontrar la ubicación del Invincible. Necesitábamos dar un signo de vida, una señal clara de que todavía éramos una amenaza y que no estábamos débiles, que el golpe al Belgrano no nos había tocado a nosotros. De haber encontrado un submarino británico, hubiésemos tenido buena capacidad de atacarlo con torpedos buscadores o bombas de profundidad que podían lanzar los aviones Tracker, los helicópteros Sea King y Alouette. Rogábamos tener una contraofensiva en ese momento tan delicado para todos los que estábamos embarcados.

El lunes 3 de mayo estuvimos a la expectativa de un posible ataque a un submarino: había búsqueda antisubmarina con los aviones embarcados y también los basados en tierra, y fue permanente la salida de helicópteros para comprobar escuchas arriando el sonar. Por la tarde nos enteramos de que el aviso ARA Alférez Sobral había sido atacado por helicópteros enemigos en la madrugada de ese día, mientras iba al rescate de dos pilotos de un avión Canberra, que se habían eyectado el 1º de mayo dentro de la zona de exclusión. Nada se sabía del buque porque no hubo más comunicaciones y lo estaban buscando.

El martes 4 fue otro día tenso, con mucha búsqueda. Se investigaron varios contactos que dejaban la gran duda de qué submarino estaba cerca, pero esto no se llegaba a confirmar. Una gran noticia que resucitó nuestra confianza se dio a la tarde de ese día, cuando supimos del ataque de dos Super Étendard al destructor HMS Sheffield. Sentimos la satisfacción de, por un lado, haber dado un golpe importante poco tiempo después del hundimiento del Belgrano, y por otro, de que haya sido ejecutado por dos aviones navales nuevos, de los que se tenían dudas de si podían estar alistados para el combate en tan poco tiempo. Habían salido de Río Grande y los había guiado un viejo explorador naval, el Neptune 2P-112, tripulado por el capitán de corbeta Proni Leston y el capitán de corbeta Sepetich; los pilotos de los Super Étendard eran el capitán de corbeta Bedacarratz y el teniente de fragata Mayora. Todos nos alegramos de semejante éxito, ya que cuando nos embarcamos, ellos estaban trabajando intensamente en los cálculos matemáticos para lograr el famoso top de tiro, que definía la puesta a punto del sistema de armas para poder lanzar el misil.

Otra buena noticia fue que el Aviso Sobral había sido ubicado y estaba navegando lentamente hacia Puerto Deseado y ya había tenido apoyo con helicópteros de la Fuerza Aérea para evacuar heridos. El día 3 a la madrugada había sostenido un combate con helicópteros británicos que le lanzaron varios misiles fuera del alcance de las armas del Aviso. Previo a ello el Comandante, Capitán de Corbeta S. Gómez Roca, ordeno que todo el personal se refugiara en cubiertas bajas, porque nada podían hacer con el armamento que tenían y él se quedó en el puente de comando, con el personal imprescindible. Luego del último ataque, el segundo Comandante Teniente de Navío Sergio Bazán, que estaba en la enfermería curándose de heridas en una pierna, sube a cubierta corrió al puente y quedo atónito al ver que estaba todo destruido. El comandante y ocho personas más murieron y el buque estaba con incendios y fuera de control.

Inmediatamente se hizo cargo y comenzó con la atención a los heridos y las reparaciones básicas para para reestablecer el sistema de gobierno para llevar el buque a buen puerto. Esta era toda la información que tuvimos ese día, y sentimos con tristeza a los caídos en combate, pero también con gran satisfacción el ejemplo que dio el Comandante, al morir en el puente de comando, algo que no ocurría desde las guerras de la independencia. También fue un ejemplo de valor y determinación el segundo comandante, compañero de promoción y amigo, por quien sentí un profundo orgullo.

El miércoles 5, cerca de las 8 de la mañana, el Tracker 2-AS-23 tripulado por el teniente de navío Cal y el guardiamarina Ferrari, durante una búsqueda radar contactó algo similar al snorkel de un submarino. Se realizó un ataque lanzando un torpedo MK44 que no registró impacto. Se informó del ataque al portaviones. Inmediatamente, despegó un Sea King, el 2-H-231, al mando de los tenientes de navío Osvaldo y Guillermo Iglesias (no eran familiares), para colaborar con la búsqueda.

Media hora después despegó otro Sea King, el 2-H-234, con el capitán de corbeta Barro y el teniente de fragata Urbano, y minutos después fue catapultado otro Tracker, el 2-AS-24, con los tenientes de navío Fortini y Ferrer. Todos se dirigieron al punto de contacto, convencidos de que iban a cazar un submarino. Cerca de las 10, y manteniendo una posible detección submarina, el teniente Fortini lanzó otro torpedo sobre el punto dato. El torpedo se activó correctamente, pero luego del tiempo esperado, la explosión no ocurrió. La tarea y la coordinación de las cuatro aeronaves fue de características excepcionales, pero no se pudo comprobar que se hubiese hecho blanco. No obstante, el operativo llevado a cabo seguramente fue muy disuasivo para cualquier intento de acercarse al portaviones nuevamente.

A bordo vivimos esa mañana con mucha tensión y expectativa. Resaltamos el gran trabajo del grupo antisubmarino y celebramos con cierta euforia el efecto producido.

Los días siguientes –jueves 6 y viernes 7– continuamos el regreso a Puerto Belgrano, marcados por la sensación de "lo que pudo haber sido". Sobre todo porque estábamos convencidos de que el ataque de los primeros días de mayo podía haber tenido éxito. Estábamos confiados porque en los ejercicios de flota siempre obteníamos un buen nivel. En 1980 habíamos hecho unas prácticas muy parecidas, con resultados tremendamente favorables desde las estadísticas. Fueron prácticas con asesoramiento del departamento de Matemáticas de la Universidad Nacional del Sur, cuyo jefe era el capitán de navío (RE) Gerardo Sylvester, ex Comandante de la Aviación Naval, estadístico matemático, que había escrito varios libros sobre la probabilidad y los sistemas de armas. Con la colaboración del centro de análisis operativo de Puerto Belgrano, embarcamos durante esas semanas al equipo de personas para hacer una evaluación de todos los ataques de práctica que realizábamos. El blanco era el ARA Hércules, un destructor de la clase Sheffield, adquirido al Reino Unido junto con el ARA Santísima Trinidad, que entró en servicio a principios de 1978. Durante dos semanas, desde la escuadrilla, pusimos todos los A4Q en servicio a realizar ataques ya programados variándolos permanentemente, para ver si podíamos vulnerar la poderosa defensa aérea que ostentaba esa clase de buques. Hacíamos aproximaciones frontales, aproximaciones cruzadas, con dos aviones, con cuatro, con seis, todos los tipos de ataques posibles, para luego ser analizados. Se anotaba

Destructor británico HMS Sheffield luego de ser atacado por dos misiles Exocet, lanzados desde dos aviones Super Étendard el 4 de mayo de 1982.

cuánto tardaban en detectar a los aviones, a qué distancia se los detectaba, cuáles no eran detectados, a qué altura volábamos… todo quedaba registrado para el posterior análisis de los equipos de matemáticos. Esto nos dio una probabilidad interesante, porque descubrimos que la defensa de los buques no era impenetrable: la clave era llevar el avión pegado al agua, porque el lóbulo radar que detectaba los blancos en aproximación permanecía pegado al agua hasta las 18 millas y luego se separaba con una curva ascendente que no detectaba las aeronaves rasantes que se aproximaban. Gracias a esa prueba, supimos que si manteníamos nuestros A4 a muy baja altura, pegados al agua, podíamos acercarnos hasta 18 millas sin ser detectados, y ese preaviso no era suficiente para lanzar los misiles Sea Dart; si los lanzaban antes, el misil se inhabilitaba por cercanía al buque lanzador. Otra vulnerabilidad de aquellos buques –y esto quedó demostrado en Malvinas– era que no tenían una defensa de punto eficaz dentro de las diez millas; me refiero a más cantidad de cañones automáticos y misiles de corto alcance.

Sabíamos, entonces, que existían grandes posibilidades de superar la barrera de las 18 millas, entrar por este punto ciego, llegar al blanco y lanzar las bombas sin que este ejerciera una defensa efectiva. El resultado de aquellos ejercicios fue muy esclarecedor, puesto que se podía intentar el ataque rasante y con seis aviones se podían perder dos o tres en el intento y el resto lanzaría seis bombas en reguero cada uno. El resultado fue muy alentador y cuantas más simulaciones se jugaban, más se confirmaban los valores. En los sucesivos ejercicios, cuando navegaba la flota, a veces las probabilidades mejoraban por el efecto sorpresa y los ataques por distintos flancos del buque, que le causaban un efecto de saturación y dificultaba la defensa.

Mientras regresábamos navegando a través del Mar Argentino, recordé aquel trabajo que nos había devuelto la confianza para enfrentar a los modernos sistemas de armas, signados como el paradigma de la defensa aérea en el mar. Recordaba la fascinación del técnico británico que había participado con nosotros de las pruebas, y que nos halagó al momento de presentar los resultados:

—Esta evaluación en nuestro país no se ha hecho aún –dijo con sorpresa Peter Kerrison, que representaba a la firma británica del sistema de armas en calidad de asistente, y acotó–: y difícilmente se vaya a hacer.

Su comentario respondía a que el Reino Unido no contaba con aviones navales de ataque para hacer la simulación y su fuerza aérea tampoco podía hacerlo, ya que eran para bombardeo estratégico. Esto nos dio la certeza de que aquella prueba aún no la habían realizado.

Fuimos los primeros en descubrir estas vulnerabilidades. Ese es el examen que no pudimos dar los primeros días de mayo.

Finalmente, la flota se replegó con rumbo norte. El trabajo de mantenimiento en todo el portaviones era intenso, puesto que la navegación había dejado sus huellas en varios sistemas del viejo buque. Por otro lado, el ánimo a bordo no era bueno; muchos alentaban que se preparaba otra salida, otros masticaban el mal humor por la suspensión del ataque, pero todos nos preguntábamos lo mismo: ¿cuándo íbamos a volver a tener una oportunidad como esa? Hasta ese momento, nadie explicaba cuáles eran las intenciones futuras. El 10 de mayo, el portaviones entró a Puerto Belgrano, luego de que nosotros, el día anterior, habíamos catapultado todos los A4 hacia la base aeronaval Espora.

Nos quedamos allí haciendo tareas de mantenimiento, descargando la logística del portaviones y tomando un breve descanso, hasta que recibimos la orden de desplegar la escuadrilla con todos los aviones y pilotos hacia Tierra del Fuego. El 12 de mayo partimos con los ocho A4 y dos

Fragata HMS Ardent, luego del último ataque de seis aviones navales A4Q en el estrecho de San Carlos, el 21 de mayo de 1982.

aviones más de apoyo con destino a la base aeronaval Río Grande; allí estaban los aviones Super Étendard y el Grupo 6 de aviones Dagger de la Fuerza Aérea. También operaban desde esa base los aviones exploradores y de transporte de la armada, que cruzaban a las islas de noche y con vuelo rasante para evitar ser detectados, asumiendo un riesgo enorme.

La convivencia en esos días difíciles, hasta el 14 de junio, nos dejó para siempre una entrañable amistad y camaradería.

La noche del 20 de mayo comenzó el desembarco británico en San Carlos, y el 21 tuvimos nuestro bautismo de fuego por la tarde. Atacamos a la fragata HMS Ardent, cerca de la bahía Ruiz Puente. Éramos seis aviones, y al no tener avión de reaprovisionamiento disponible por la alta demanda de las distintas oleadas de aviones que se dirigían a San Carlos, salimos con cuatro bombas en lugar de seis. El Tracker tripulado por los tenientes Ferrer y Marinsalta salió a explorar nuestra ruta y se posicionó al sur del estrecho de San Carlos, desde donde mantenía contacto con nosotros. Nos organizamos en dos secciones; la primera integrada por el Philippi, Márquez y Arca. La segunda, Rotolo, Lecour y

Sylvester. Debido a una demora en cabecera de pista por la calibración de los equipos de BLF, nosotros despegamos unos 10 minutos más tarde, y ya quedamos separados para toda la misión, porque acortar la distancia significaba sacrificar combustible, que necesitaríamos al regreso.

Cuando iniciamos el descenso hacia las Islas, la primera sección ya estaba en vuelo rasante por el estrecho de San Carlos hacia el norte, donde se estaba produciendo el desembarco. Al poco tiempo escuchamos por radio a Philippi que designaba un blanco para el ataque y lo iniciaba. Pero luego del ataque Marquez avisa que dos aviones Harriers los persiguen, y 30 segundos después Philippi anuncia que se eyecta. Durante diez segundos quedamos estremecidos, pero continuamos nuestra aproximación. Quince minutos después, recostados sobre la Isla Soledad y llegando a Bahía Ruiz Puente, divisamos el buque en el medio de la Bahía e iniciamos el ataque. Recibimos un intenso fuego antiaéreo de misiles y cañones de varios buques y también de posiciones terrestres. Pese a todo, afortunadamente pudimos llegar al blanco y los tres hicimos nuestros lanzamientos correctamente. Entre los seis aviones lanzamos 23 bombas de 500 libras cada una con cola frenada sobre la Fragata Ardent. Por los impactos recibidos de ambos ataques, se produjo un gran incendio y se hundió al anochecer, luego de que la tripulación había logrado ser evacuada. Ese día, la Fragata Ardent había soportado dos ataques de la Fuerza Aérea antes del nuestro.

En cuanto a los ataques de los dos aviones Harriers al primer grupo, Philippi fue derribado por un misil y logró eyectarse sobreviviendo varios días en la isla. Márquez, en cambio, recibió una ráfaga de cañones de 30 mm en el centro del avión, lo que causó una explosión que desintegró el avión, causándole la muerte.

Arca también fue atacado con cañones, que le causó serias averías sobre las alas; perdió todo el combustible y parte del tren de aterrizaje. Ya sin poder volver al continente, se dirigió a Puerto Argentino y se eyectó sobre la bahía; cayó al agua cerca de la costa y hasta que fue recuperado por un helicóptero del Ejército.

Arribamos a Río Grande con muy poco combustible y con varias esquirlas en nuestros aviones, y a pesar de haber cumplido la tarea con éxito, teníamos una extrema tristeza por los camaradas derribados.

Totalmente exhausto por el peso de la misión, cuando me retiraba hacia los alojamientos de la base, se repetía en mi memoria la imagen del buque rodeado de explosiones y fuego producto de los regueros de bombas que había observado por el espejo retrovisor, por un brevísimo instante, mientras invertía mi avión para pegarme nuevamente al agua. En ese momento pensé en la suerte de aquellos hombres y lo que debieron soportar tras el bombardeo; obviamente, la guerra, con toda su crueldad desplegada, ya nos había atrapado a todos.

Aquel día, el escenario del estrecho de San Carlos fue dantesco. Hubo muchas misiones de aviones de la Fuerza Aérea para atacar a los buques británicos. Se había levantado una niebla que impidió los ataques por la mañana, y por la tarde persistían chubascos, nubes bajas y algo de sol. Por el fuego antiaéreo, el cielo se veía de a ratos surcado por estelas de humo de los misiles que cruzaban de banda a banda del estrecho intentando derribar a los aviones que incursionaban. A este duro combate los británicos lo bautizaron como "The Bomb Alley" ("El callejón de las bombas"). Describiendo este ataque, el almirante Sandy Woodward, comandante de las Fuerzas Navales británicas, comenta en su libro *Los cien días* cómo terminó aquella jornada: "La fuerza de las explosiones [se refiere a las bombas lanzadas en reguero] casi sacaba el barco del agua, haciendo volar a los hombres que estaban echados sobre las cubiertas a una altura de casi un metro por el aire. Tres hombres cayeron al agua. Una de las bombas de doscientos cincuenta kilos que cayó en la popa hirió o mató a todo el equipo de bomberos. Se mire como se mire, desde Cabo San Vicente hasta Jutlandia, esta batalla naval fue una de las más terribles".[22]

La Escuadrilla con menos aviones por los derribos del día 21, cumple otra misión el 23 de mayo con los que tenía en servicio. Liderados por el Castrofox, el Benitez, Zubizarreta y Oliveira, despegaron de Río Grande para atacar blancos navales en Puerto San Carlos. En el trayecto, realizaron reaprovisionamiento en vuelo con el KC 130 de la Fuerza Aérea y se dirigieron al sector Norte del estrecho de San Carlos. El avión del TN Oliveira tuvo fallas en la transferencia y no pudo recibir combustible, por lo que tuvo que regresar a Río Grande.

Los aviones restantes cruzaron la Gran Malvina por el Norte y apenas llegaron al estrecho vieron sus blancos. Bajo un intenso fuego antiaéreo proveniente de la costa y de los buques, Castrofox lanza sus cuatro bombas sobre un buque de asalto anfibio, que resultó ser el HMS Intrepid.

22 Woodward, *Los cien días*, p. 272.

Benítez atacó e hizo sus lanzamientos sobre una fragata tipo 21 que luego fue confirmada como la Fragata HMS Antelope. Momentos antes, también es atacada por aviones A4B de la Fuerza Aérea, durante el cual, después del lanzamiento, es derribado el primer teniente Luciano Guadagnini. Este buque, luego de los ataques, terminó con dos bombas alojadas en su interior, de 500 y 1000 libras, y de acuerdo a diferentes investigaciones, la de 500 libras sería de las utilizadas por la Armada y la de 1000 lb por la Fuerza Aérea. El comandante del buque Capitán de Fragata Nick Tobin desembarca la tripulación y ordena desactivarlas al final del día.

Durante esa operación, la bomba sobre la cual estaban trabajando explota y provoca un incendio que hace estallar depósitos de munición y misiles, quebrando el casco del buque, que se hundió rápidamente.

Zubizarreta ataca otra unidad que estaba fondeada, pero ninguna de sus bombas salió por fallas del lanzador. Los tres pilotos hacen diferentes escapes, pero finalmente se reúnen y regresan a Río Grande, con diferentes novedades.

En el aterrizaje, con intensa lluvia y vientos fuertes y cruzados, el CC Zubizarreta, que venía muy pesado con las bombas arriba, revienta una cubierta, se va de pista. Cumpliendo con los procedimientos recurre a la eyección, pero resulta defectuosa y Zubizarreta impacta en el piso antes de que se arme correctamente el paracaídas.

Su fallecimiento y el de Márquez el día 21 produjeron un duro golpe emocional a todo el equipo. Eran dos personas muy queridas y fue muy difícil aceptar estas perdidas, pero la realidad mandaba y había que continuar. Nos movía la vigencia del enorme ejemplo que nos habían dejado. Las salidas a las islas siguieron y Oliveira, Olmedo y Medici tuvieron su oportunidad, todos pudimos repetir.

La tercera de ataque continuó cumpliendo misiones hasta el fin del conflicto, como todas las demás unidades que operaban desde Río Grande. Cada una se destacó por sus resultados efectivos en la batalla aeronaval, una historia que merece ser contada en otra oportunidad.

CAPÍTULO 5

Segunda quincena de mayo de 1982 – hoy

El rival de Haig

José Enrique García Enciso

Siempre supe que esta información algún día sería publicada. No podía hacerlo en el momento en que sucedió, pues todavía estaba trabajando en forma reservada y no quería que mi nombre trascendiera. Sabía que esto tendría implicancias nacionales e internacionales, por lo que debía esperar al momento adecuado.

Solo se contaron partes fragmentadas de esta historia en una nota que escribió Héctor Horacio Rodríguez Souza en el diario *Convicción* del 29 de junio de 1982, sin mencionarme como la fuente que le brindó toda la información. Sin embargo, como expresé en la introducción a este libro, me parece justo que a casi cuarenta años de finalizado el conflicto se sepan algunas de las acciones de inteligencia en las que trabajamos junto con el mayor Horacio González. Esta información será útil para comprender cómo fue que desde la Argentina se colaboró para que en los Estados Unidos cuestionaran –y finalmente, obligaran a dimitir– al secretario de Estado, Alexander Haig, por ocultarle información sobre la posición argentina durante las negociaciones al presidente Reagan y al Senado, información que nosotros habíamos hecho llegar.

Del mismo modo, nuestras acciones de inteligencia sirvieron además para que en el Reino Unido casi se realizara una moción de censura a Margaret Thatcher por el ocultamiento de las circunstancias en las que fue hundido el crucero General Belgrano.

Lo que voy a contar a continuación no es de público conocimiento, excepto lo que comenté en el diario *Convicción*, y considero que ha llegado el momento de decir exactamente cómo fue aquel episodio que me tocó vivir casi por una casualidad del destino.

A las 23:00 del domingo 16 de mayo sonó el teléfono de mi casa. No era un horario habitual, pero en situación de guerra ya no existían los horarios "habituales" y "no habituales", y las novedades podían darse tanto de día como de noche. Era el secretario general de Presidencia, mi jefe, el general Iglesias, para decirme que al día siguiente tenía que estar a las 7 de la mañana en su despacho. Me pidió que no llegara tarde, pese a que yo no nunca llegaba tarde. Había algo misterioso en el llamado, pero no quiso agregar nada más, y yo tampoco pregunté nada.

Al día siguiente, a las 6:55, ingresaba a la Casa Rosada y comenzaba mi andar por los largos pasillos que llevaban hasta la oficina de Iglesias. Me anuncié en la puerta a las 7 en punto y su secretaria me invitó a sentarme y esperar mientras se comunicaba con el interno de Iglesias. No llegué a acomodarme cuando ella me llamó:

—Dice el general que pase, que lo estaba esperando.

Al ingresar, vi al general sentado a la cabecera de una mesa larga, de unas ocho o diez posiciones. A su derecha, un teniente coronel de comunicaciones, a quien yo no conocía, y a su izquierda, una persona que jamás había visto: un tipo enfundado en un traje negro, impoluto y brilloso, con corbata negra, anteojos de marco grueso y peinado a la gomina.

—Le presento al señor Clifford Kiracofe —me dijo Iglesias, estirando su brazo derecho hacia delante, con la palma de su mano abierta—. El señor es asesor del senador Helms y ha venido hasta aquí especialmente para averiguar qué fue lo que pasó con las negociaciones lideradas por Alexander Haig.

Terminó de decir esto y se produjo un silencio incómodo, que Kiracofe llenó poniéndose de pie y haciendo una pequeña reverencia hacia mí. Me sorprendió su destacada estatura, que no había adivinado mientras permaneció sentado.

—Usted está aquí para oficiar de traductor —completó Iglesias, dirigiéndose hacia mí.

Mientras el asesor del senador republicano pro continente americano Jesse Helms permanecía en silencio, Iglesias me hizo saber que Kiracofe entendía el castellano y que él mismo sabía hablar inglés, pero que necesitaba de mi presencia para que todo "se entendiera bien" y que no se produjera ninguna confusión por una mala interpretación del idioma.

Dicho esto, yo me senté en algún punto intermedio de la mesa larga y participé de esa conversación, en la que Iglesias hablaba en castellano y Kiracofe respondía sin aguardar a mi traducción, mientras que Iglesias esperaba, cauto, que yo repitiese las palabras que Kiracofe pronunciaba en inglés.

—Yo vengo de parte del senador Helms, presidente de la Comisión de Relaciones Exteriores del Senado, que votó en contra de Haig cuando este pidió a los senadores que se inclinaran a favor del Reino Unido. – Así se presentó Kiracofe, aunque nosotros ya sabíamos quién era Helms: fue el único de los ochenta senadores que no estuvo de acuerdo con esa petición. Lo que no sabíamos era a qué había venido aquel hombre, y lo explicó en pocas palabras–: El senador cree que el general Haig no informó fehacientemente al Senado la posición argentina, favoreciendo directamente al Reino Unido.

En ese momento comprendí qué era exactamente lo que Kiracofe había venido a buscar. Quería investigar qué había hecho el rival político de su jefe durante las negociaciones, porque había algo que no cerraba. Entonces se explayó, en un inglés duro y cerrado.

—El senador Helms no termina de comprender el relato de Haig sobre la negociación con la Argentina ante el Senado de los Estados Unidos. De acuerdo a lo que cuenta el secretario de Estado, la Argentina nunca quiso negociar nada, no demostró voluntad negociadora, según sus propias palabras, y lo que le extraña al senador es que ese relato no coincide con lo que algunos compatriotas suyos nos han contado en algunas reuniones que el senador mantuvo con ellos en privado en Washington, sino más bien todo lo contrario: los argentinos afirmaban que el Reino Unido no demostraba ningún tipo de voluntad negociadora.

—Claro –se adelantó Iglesias–, nosotros tuvimos mucho diálogo con Haig, que iba y venía de Londres. La última vez que estuvo Haig en Buenos Aires, estuvo en esta misma ala de la Casa Rosada, y se llevó la quinta propuesta que la Argentina ofreció para sellar la paz con el Reino Unido.

—¿Cómo quinta propuesta? –se sorprendió Kiracofe.

—Sí, quinta propuesta. La primera vez que vino, le ofrecimos una para que la acercara al Reino Unido. Dijo que la rechazaron y vino con una nueva. Nosotros la rechazamos y propusimos una segunda versión. La rechazaron, y así hasta llegar al quinto ofrecimiento propuesto por nuestro país, que desconozco si llegó a manos del gabinete británico – resumió Iglesias.

—Ah, no, no sabíamos esto nosotros...

Clifford Kiracofe se quedó en silencio por un momento, pensativo, o sorprendido. Era fácil darse cuenta en su cara de que a las 7:20 de la mañana del lunes su viaje ya había dado frutos y que las doce horas de avión no habían sido en vano. Como si se diese cuenta de que él solo comprendía lo que estaba pasando, se sintió en la necesidad de explicarnos qué era lo que había descubierto.

—Nosotros no sabíamos nada de todo esto. Y no fue una simple omisión, sino que Haig mintió deliberadamente, pues les dijo a los senadores que la Argentina nunca había entregado una propuesta de paz. En eso basa su argumento de que ustedes no tuvieron voluntad negociadora. Pero esto que ustedes me cuentan lo cambia todo. Haig nos dijo el miércoles 28 de abril que la Argentina había rechazado la propuesta de mediación.

Esto nos llamó la atención, porque el embajador argentino en Washington le contó al senador Helms que el jueves 29 al mediodía le había entregado al general Haig una nota donde la Argentina no rechazaba la propuesta y solicitaba algo más de tiempo para analizarla. Algunos de los documentos que mostré a Kiracofe pueden verse en este libro, como por ejemplo, el primer proyecto de memorando de acuerdo y su propuesta final, que cambiaba lo consensuado favoreciendo marcadamente la posición británica.[1]

Iglesias había recibido a Kiracofe por compromiso, por pedido de su amigo agregado militar en Washington, el general Miguel Mallea Gil, y quería finalizar rápido la entrevista para poder seguir con su trabajo que, en plena guerra, con múltiples batallas librándose en varios frentes, era arduo e intenso.

---

1 Análisis del comité militar especificando cambios realizados por Haigh, véase p. 73 de este libro. Los proyectos de acuerdo elaborados en conjunto por Haigh, durante la visita a la Argentina, se pueden consultar en el Informe Rattenbach.

—Comprendo perfectamente –sintetizó Iglesias en un rudimentario inglés, y continuó en español–. Vamos a hacer algo: usted lo va a acompañar al señor Kiracofe –me dijo a mí–; se van derecho para la oficina donde están ustedes. ¿Vio la oficina del mayor Horacio González, que está al lado de la suya? Usted le toca la puerta al mayor y le dice que va de parte mía. Que se van a quedar ahí toda la mañana. Le pide al mayor que le muestre el estante en el que están las carpetas donde estamos guardando todos los documentos de las negociaciones. Él va a saber de qué le hablo. Usted le dice a este hombre –dijo, señalando a Kiracofe– que puede mirar absolutamente todo lo que está ahí, pero que de ese despacho no sale una sola hoja y nada de lo que está ahí se puede fotocopiar. Ahora, mirar, se puede mirar todo. Usted se queda al lado de él por cualquier duda que tenga y lo ayuda con las traducciones que le hagan falta. Se pueden quedar hasta el final del día. Y acuérdese –dijo, mientras se levantaba de su silla–: el señor puede mirar todo, pero usted no le saque el ojo de encima.

> "Con el acceso a esos documentos, Helms tendría material suficiente para demostrar que Haig había ocultado parte de la verdad al Senado de los Estados Unidos, lo que finalmente produciría su caída."

Con esas instrucciones, Iglesias dio por terminada la reunión, y sin esperar a que yo tradujera nada, se acercó hasta el otro extremo de la mesa e invitó cordialmente a Kiracofe a que se levantara, mientras le extendía el brazo en dirección a la puerta. Iglesias nunca imaginó las consecuencias que tendría la decisión que tomó: con el acceso a esos documentos, Helms tendría material suficiente para demostrar que Haig había ocultado parte de la verdad al Senado de los Estados Unidos, lo que finalmente produciría su caída, aunque eso aún no lo sabíamos.

Acompañé por los pasillos de la Casa Rosada a nuestro nuevo huésped, que estaba a mi cargo. Entramos a la oficina del mayor González, quien se comunicó con el general Iglesias para verificar lo que yo le decía. El general Iglesias ordenó que se le mostraran los documentos a Kiracofe.

Comenzamos por las carpetas del estante superior. Iba a llevar un tiempo procesar tanta información, pero apenas vio algunas páginas, a Kiracofe se le iluminaron los ojos. Me pidió hacer un llamado, y me pareció que no era conveniente negárselo. Le ofrecí el teléfono y marcó una ingente cantidad de números. Al ratito estaba hablando con Jesse Helms, al que le comentó con regocijo que tenía delante de sus ojos documentos secretos de la Argentina en los que mostraban una a una todas las propuestas de paz que el país le había entregado a Alexander Haig. Luego cortó y siguió mirando una a una todas las carpetas.

Al final de la mañana quedaban muchas carpetas sin abrir, por lo que le expliqué al mayor González la situación. Le pedí permiso para poder seguir trabajando esa tarde y al día siguiente. Pero hice algo más: le pedí autorización para que Kiracofe pudiera copiar de su puño y letra en un cuaderno las propuestas, lo cual no implicaba ningún riesgo de seguridad.

Desde el lunes 17 hasta el viernes 21 de mayo estuvimos encerrados Clifford Kiracofe y yo en la oficina del mayor González estudiando documentos y copiando lo que él consideraba que le serviría. Solo salíamos para almorzar. Allí pudo observar que en la propuesta que Haig se llevó de la Argentina hacia el Reino Unido figuraban como puntos fundamentales las resoluciones 1514 y 2065 de la ONU, porque estas se refieren a la disputa de soberanía. A su regreso a Washington, la propuesta de acuerdo definitiva que presenta al gobierno argentino elimina los artículos mencionados, pero sí incluye tener en cuenta los deseos de los isleños, que se determinarían a través de una encuesta de opinión. A raíz de ese cambio se solicita un plazo para analizar la propuesta, pero Haig no accede, y pide que se responda ese mismo día. Kiracofe, enterado de este detalle, llamó tres veces a Washington desde el teléfono de mi oficina. En su último llamado habló con Helms, a quien le dijo que tenía la información que había venido a buscar. No quedaron dudas al final de ese viernes para Clifford Kirakofe de que Argentina había querido negociar. El sábado partió rumbo a los Estados Unidos y nunca más lo volví a ver.

El 26 de junio se dio a conocer la renuncia de Haig al cargo de secretario de Estado de los Estados Unidos. En una entrevista posterior, contó por qué se vio obligado a dimitir:

—Yo renuncié a causa del senador Helms y del ataque de William Clarke, quienes me acusaron de haberle ocultado información al Senado y le dieron al presidente Reagan una serie de propuestas de paz de la Argentina que yo no le había compartido en su momento. No sé de dónde las obtuvo, pero era cierto que yo no las había considerado razonables y por eso fue que no se las mostré al presidente, quien pensó de otro modo y hasta vio con buenos ojos algunas de ellas. Por eso fue que me pidió la renuncia.[2]

---

2 Declaración de Haig reproducida en el diario *Convicción*.

"El hundimiento del Belgrano no fue casual. Nuestras fuentes de la CIA nos informaron que el canciller británico, Pym, que estaba en Washington reunido con Haig, comunicó al gabinete británico la aceptación argentina. Conocemos cada una de las palabras que emitió estando en suelo americano. Esto lo trasmitió cuatro horas antes de que el buque fuera hundido." (Clifford Kiracofe)

De esta experiencia me quedó la satisfacción de haber contribuido a mostrar el ocultamiento del general Haig, y demostrar que la imagen de la Argentina como "intransigente" y "soberbia" era equivocada.[3]

Todo esto se lo relaté al periodista Rodríguez Souza luego de la renuncia de Haig. El artículo se publicó en el diario *Convicción* y se tituló: "Las mentiras de Haig durante su gestión provocaron su caída"[4]. Pero además, la visita de Kiracofe me dejó una espina: mientras almorzábamos uno de esos días, le referí la negociación de Belaúnde Terry. Luego, le mostré los documentos pertinentes. Después de leerlos, me miró y me dijo:

—El hundimiento del Belgrano no fue casual. Nuestras fuentes de la CIA nos informaron que el canciller británico, Pym, que estaba en Washington reunido con Haig, comunicó al gabinete británico la aceptación argentina. Conocemos cada una de las palabras que emitió estando en suelo americano. Esto lo trasmitió cuatro horas antes de que el buque fuera hundido. Coincidentemente, en Perú, el canciller Javier Arias Stella afirma haber mantenido informado de cada paso de la negociación a los embajadores de Argentina y del Reino Unido.[5]

No sabía yo cuánta importancia tendrían para mí la frase de Kiracofe y el artículo de Rodríguez Souza para el futuro.

---

3 "Haig, su gestión pro británica". Diario *Convicción*, 28 de octubre de 1982.
4 Artículo de Héctor Rodríguez Souza, diario *Convicción*.
5 Entrevista del programa Panorama de la BBC, 16 de abril de 1984. Artículo de Arthur Gavshon, *The Observer*, 12 de junio de 1983. "Revelaciones sobre la guerra de Malvinas de un ex embalador británico". *La Prensa*, 14 de noviembre de 1983.

Este artículo de H. H. Rodríguez Souza sobre el papel de Haig como defensor de la posición de Thatcher fue realizado con la información brindada por José Enrique García Enciso luego de la vista de Clifford Kiracofe, enviado del senador Jesse Helms. A su vez, generó el interés de Desmond Rice en su visita a la Argentina y permitió establecer la relación de colaboración Tam Dalyell.

Izquierda: Declaraciones de Haig posteriores a su renuncia, donde afirma que aquellos a quienes consideraba sus adversarios internos, utilizaron la información brindada para forzar su renuncia. Derecha: Haig afirma que, puesto a elegir, resultaba geopolíticamente más importante Gran Bretaña que Argentina.

12/JUN/82

Peru disputes British account of Belgrano

by ARTHUR GAVSHON

PERU'S former Foreign Minister last week joined his US and Argentine counterparts in claiming that a promising Peruvian-American peace plan was 'destroyed' by the sinking of the cruiser General Belgrano.

Dr Javier Arias Stella also disputed some aspects of an official British account of what happened when four key governments engaged in last-ditch exchanges to avert all-out war over the Falklands in early May, 198.. In particular, he contradicted a statement by Foreign Secretary Francis Pym that Peruvians had given no indication that a treaty had been drawn up.

Arias Stella's assessment appeared to be closer to those given to The Observer by former US Secretary of State Alexander Haig and by Argentina's former Foreign Minister Nicanor Costa Méndez.

At about noon Argentine time on Sunday 2 May, Argentina's President Leopoldo Galtieri advised Peruvian President Fernando Belaúnde Terry that Argentina was ready to accept the peace plan subject only to the formal confirmation of his Military Committee at a meeting seven hours later.

Belaúnde at once informed Haig who, that morning in Washington, was deep in consultation with Pym. But four hours later the Belgrano was torpedoed by HMS Conqueror with a loss of 368 lives.

In Argentina, said Arias Stella, this news 'destroyed everything.'

Arias Stella, now Peru's permanent delegate to the United Nations in New York, was asked in a telephone interview if the peace plan had been in substantive form and capable of producing an immediate ceasefire.

Pym is on record as saying the new plan, although 'promising as a basis for further work,' required 'more time and more work' to be completed. He transmitted its full text to London more than three hours after the attack on the Belgrano, he has said.

Arias Stella replied: 'I most thoroughly disagree that our seven-point peace proposal was at all vague or general or not ready to be put into effect at once. It was the result of very long negotiations, mainly with Haig whom we took to be speaking for Britain. We thought that we'd worked out a completely practical proposal which had a fair and balanced text completely consistent with Security Council Resolution 502 [which called for an Argentine withdrawal from the Falklands and negotiations on the dispute].'

Haig told The Observer nine days ago the plan was a simplified version of one that had been formulated during the period of his mediation efforts which ended on 30 April. He said that although some difficult paragraphs remained to be settled 'we did think we had a formulation that provided hope that a settlement could be reached.'

Haig's statement broadly confirmed what Costa Méndez earlier had said to Desmond Rice, a former Royal Dutch Shell Company manager in Argentina, when they discussed the linkage between the attack on the Belgrano and the collapse of the peace plan. The Argentine then said that two unsettled paragraphs were of 'minor importance' and would be 'easy to solve.'

Pym has said that 'if the Peruvians had prepared a treaty for signature on the evening of 2 May they certainly gave us no indication of this in Lima or in London.' Not so, said Arias Stella.

'President Belaúnde had constant and direct phone contact with Haig and kept him fully informed. We knew that Pym was in Washington. We understood that their contact was so close that whatever Haig accepted was alright with Pym — and that Pym passed it on at once to London.'

Arias Stella emphasised that Britain's Ambassador in Lima, Charles Wallace, was kept very fully informed at all times. Belaúnde, additionally, went on television with an announcement that peace was imminent.

The ambassador said the sinking of the Belgrano had 'without doubt' also sunk the peace initiative. 'I can give you no more graphic a confirmation of that than by repeating Costa Méndez's words next morning on 3 May.

'He rang to thank us for our help. He said at the meeting of the Argentine Military Committee at 1900 hours (Argentine time) in Buenos Aires on 2 May the agreement was already at the last stage with only two points of minor importance left, which would have been easy to solve on the spot, when an admiral burst in with the news that the Belgrano had been sunk

'It was Haig himself, Rice learnt in Buenos Aires, who passed word of the Belgrano's sinking to President Belaúnde about two hours after the event. 'Haig was very moved,' Belaúnde later recalled.

Artículo de Arthur Gavshon en *The Observer* en el cual el ex ministro de relaciones exteriores del Perú, Javier Arias Stella, refuta las explicaciones británicas del hundimiento del Belgrano. Las preguntas y la investigación fueron realizadas en función de las copias de las conversaciones telefónicas enviadas a Gran Bretaña.

.... noviembre de 1983

De un ex embajador inglés

Revelaciones sobre la guerra de las Malvinas

Londres, 13 (ANSA y EFE) — En su primera aparición pública después de meses de silencio el ex embajador británico en Wáshington, durante la guerra de las Malvinas, Nicholas Henderson, afirmó que es probable que algunos miembros de la administración Reagan, a los que calificó de "prolatinos", hubieran alentado al régimen militar argentino a invadir las islas Malvinas.

En un extenso artículo publicado en la revista "The Economist" el ex embajador precisó que "el gobierno británico no sabía nada de una nueva iniciativa cuando autorizó el hudimiento".

También asegura sir Nicholas Henderson que "nada permitía sugerir en aquel momento que la Argentina estaría más dispuesta a negociar de lo que estuvo en el mes precedente".

El crucero fue torpedeado a las 19.00 GMT del domingo 2 de mayo y en varias ocasiones se acusó al gobierno británico de hacerlo cuando la iniciativa de paz de Perú estaba en plena gestión, y ya aceptada en principio por la Argentina.

Propuesta de Perú

El embajador escribió que por la mañana del mismo día, unas cinco horas antes del hecho, el entonces secretario de estado de los Estados Unidos Alexander Haig, y el ministro de relaciones exteriores británico, Francis Pym, se reunieron en Wáshington y hablaron sobre las ideas surgidas en Perú para un acuerdo negociado y que "no habían sido formuladas de forma definitiva".

"Estas propuestas eran muy similares a las que él mismo (Haig) había adelantado y pensó que quizá serían más aceptables en Buenos Aires, procediendo de un gobierno sudamericano", escribió el diplomático.

El ministro Francis Pym transmitió un telegrama a Londres sobre las nuevas "ideas" (Henderson dice que no podían calificarse de "propuestas") dos horas y cuarto después de

que el "Belgrano" fuera alcanzado por un torpedo, según el relato del embajador.

Error

Henderson mantiene que la Argentina había sido advertida de que Gran Bretaña estaba dispuesta a actuar militarmente, pero que las autoridades de aquel país pensaban que los británicos no iban a hacerlo.

El diplomático cree que había "buenas razones militares para autorizar el ataque contra el 'Belgrano'" y que antes de que éste se produjera, la Argentina "hizo todo lo posible para hundir el buque británico 'Glamorgan' el día antes de que el 'Belgrano' fuera torpedeado".

En otro punto de su relato, sin Nicholas dice que Alexander Haig le describió el comando ejecutivo argentino con el que se entrevistó como "irracional y caótico" y que le dio la sensación de que había 50 personas que tomaban decisiones.

Encuesta

En tanto una encuesta dice que Gran Bretaña debería negociar con la Argentina sobre el futuro de las Malvinas, opinan casi dos terceras partes de los ciudadanos británicos.

Según un sondeo de opinión, que publica el diario "Daily Mail", el 63 por ciento quiere que las negociaciones empiecen ya, mientras que el 33 por ciento no están de acuerdo con ello.

Por partidos, los porcentajes a favor y en contra de las negociaciones son los siguientes: Alianza Socialdemócrata Liberal 75-23, partido Laborista 67-27 y partido Conservador (en el poder) 55-42.

La primera ministra británica, Margaret Thatcher, en su última declaración pública, al propio periódico, hace unos días, se mostró dispuesta a reanudar negociaciones con el nuevo gobierno argentino pero no sobre la soberanía de las islas Malvinas.

Thatcher señaló que quiere tratar con la Argentina sobre relaciones diplomáticas, comerciales y financieras.

El ex embajador británico en Washington Sir Nicholas Henderson revela que Gran Bretaña conocía la propuesta de paz de Belaúnde Terry. El diario *Clarín* cita partes de un extenso artículo publicado en la revista *The Economist*.

La conexión británica

José Enrique García Enciso

Había pasado ya un tiempo desde que Clifford Kiracofe volviera a Washington. La guerra había terminado y Galtieri había sido reemplazado por el general Reynaldo Bignone, quien había decidido que el equipo Malvinas siguiera trabajando con la misma estructura pero con otro objetivo: tratar de analizar a fondo lo sucedido y extraer las conclusiones, sobre todo de cara al futuro.

De la visita del asesor de Helms me habían quedado una tarjeta con el número 202 224 6342 de Washington y una enorme inquietud. Una duda lacerante. ¿Qué había querido decir cuando aseguró que el hundimiento del Belgrano no había sido casual? No lo sabía aún, pero estaba a punto de comenzar a recibir las respuestas, de una fuente inobjetable. De un parlamentario británico. Del decano de la Cámara de los Comunes.

Una tarde, recibí en presidencia un llamado de un viejo amigo mío, Roberto Starke. Era licenciado en Ciencias Políticas y estaba vinculado a la empresa Shell. Sabía de mi tarea en relación a Malvinas y quería invitarme a comer frente al hotel Alvear. Acepté con gusto, pensando que nos encontraríamos a conversar de generalidades y pasar un buen momento. No sabía que esa noche, nuevamente, tal vez por una casualidad, mi vida volvería a sufrir un giro impensado.

Roberto me esperaba con una persona de buen aspecto, expresión simpática, bien vestido, que hablaba perfecto español. Su nombre era Desmond Rice. Había sido varios años presidente de Shell Argentina. Se había retirado y desde entonces se dedicaba a la investigación periodística. Aunque era hijo de británicos, había nacido en Sudáfrica, lo que le facilitaba su ingreso a la Argentina. Simpatizaba con nuestro país, y quería publicar algunos artículos donde se trasmitiera nuestro punto de vista respecto del conflicto Malvinas.

Desde el comienzo existió una buena sintonía entre nosotros. Luego de la comida, y como yo vivía cerca, lo invité a tomar un whisky a mi casa. Le quería mostrar la copia del artículo de Rodríguez Souza, donde se relataba el comportamiento de Haig durante la mediación tal cual lo habíamos hablado con Clifford Kiracofe.

La conversación duró hasta la madrugada. Luego de leer el artículo, demostró tal interés en el tema que me pidió –más bien me rogó– que le diera una copia. Me dijo que para él sería importantísimo que nos pudiéramos reunir nuevamente al día siguiente. Que esa vez él traería el whisky. Le dije que lo esperaba a las 19:30, pues para esa hora habría terminado en Presidencia. Se despidió con un abrazo, cosa extraña en un anglosajón.

"Tam Dalyell sospechaba que Thatcher había mentido al respecto, y presentó un pedido de interpelación en la Cámara de los Comunes. Había descubierto inconsistencias y mentiras flagrantes del gobierno británico en la versión oficial del porqué de la orden de hundirlo."

Al otro día, puntualmente, llegó con una botella de Cardhu, todo un lujo en aquel momento. Nos servimos una medida generosa, *on the rocks*, como pidió, y comenzamos a conversar.

Luego de un primer momento dedicado a generalidades, cambió el tono. Se volvió serio. Comenzó diciéndome que la cuestión Malvinas no era un *hobby* para él. Que venía con una misión concreta. Trabajaba para un legislador británico, Tam Dalyell, fuerte opositor de Thatcher. Él le había pedido que viajara a la Argentina y tratara de reunir toda la información posible que mostrara qué había pasado realmente con el hundimiento del crucero General Belgrano. Tam Dalyell sospechaba que Thatcher había mentido al respecto, y presentó un pedido de interpelación en la Cámara de los Comunes. Había descubierto inconsistencias y mentiras flagrantes del gobierno británico en la versión oficial del porqué de la orden de hundirlo, y estaba convencido de que había muchas más mentiras por descubrir. Para demostrar lo que decía, Desmond me trajo un libro llamado *Thatcher's Torpedo*, escrito por Tam Dalyell.

Comencé a leerlo por encima. Acusaba a Thatcher de haber hundido al Belgrano para hacer fracasar la propuesta de Belaúnde Terry y daba detalles absolutamente precisos de aquella jornada trágica que demostraban que era imposible que hubiera desconocido la propuesta. Al otro día lo llevé a Presidencia, lo traduje rápidamente y se lo mostré a mis jefes, quienes lo calificaron como una "bomba". Inmediatamente ordenaron dos fotocopias para su análisis.

Esta era, pues, la respuesta a lo que había deslizado Clifford Kiracofe: no había sido una casualidad el ataque.

Desmond me relató, además, la trayectoria de Tam Dalyell. Era un noble escocés que había comenzado en el partido conservador, pero que se alejó a raíz de la crisis del canal de Suez. Desde entonces había sido representante laborista y era el parlamentario de mayor antigüedad en la Cámara. Muy respetado por todos, llevaba veinte años en los Comunes para el momento en el que Desmond me contactó. Luego, seguiría veintidós años más, hasta retirarse y ser elegido por el voto de profesores y estudiantes como rector de la Universidad de Edimburgo, hasta que falleció en enero de 2017, a los 84 años.

Desmond agregó que había hablado dos veces con él ese día. Tam Dalyell le había pedido que me preguntara si estaba dispuesto a colaborar con él. Quería presentar una moción de censura a Margaret Thatcher, pero necesitaba muchas pruebas, sobre todo de nuestro lado. Por supuesto, le dije que colaboraría.[6] Esa noche me dediqué a leer cuidadosamente el libro. Decía todo lo que sospechábamos.

Artículo de Manfred Schonfeld, diario *La Prensa*, Buenos Aires, 6 de septiembre de 1984.

A las 7 de la mañana del otro día pedí hablar con el mayor González, mi jefe directo. Le informé en detalle lo sucedido y le mostré el libro. Le dije que me parecía un tema de la mayor importancia para nosotros, pues hasta ese momento aparecíamos ante el mundo como un agresor intransigente. Le propuse invitar a Desmond a nuestra oficina, que lo conociera, y luego mostrarle toda la documentación que le habíamos mostrado a Kiracofe. Una vez más, aceptó inmediatamente y me ratificó su apoyo

---

6 Artículo de Manfred Schonfeld, diario *La Prensa*, Buenos Aires, 6 de septiembre de 1984.

y confianza. Me pidió que tradujera el libro para poder analizarlo mejor. Así lo hice en dos días. La fotocopia de la tapa de esa traducción, de la cual se hicieron dos copias, se menciona en el Informe Rattenbach.[7]

Esa noche le comenté a Desmond que al otro día lo recibiríamos en la Casa de Gobierno y que tendría acceso a todos los documentos. No cabía en sí de satisfacción. Me abrazó dos veces.

Por la mañana temprano lo recibí y lo presenté ante el mayor González, quien lo saludó cordialmente y luego le dijo que quedaba en mis manos, y que no dudara en pedir lo que necesitara.

Desmond quedó maravillado con la documentación. Allí estaba, día por día, todo lo sucedido desde el 2 de abril. Lo que lo dejó sin palabras fueron las transcripciones de las conversaciones entre Galtieri y Belaúnde Terry. Allí estaba todo. Y debe recordarse que esas transcripciones eran absolutamente desconocidas para todos, salvo para nosotros. Estaban también los documentos de análisis, en los cuales recomendábamos la aceptación, e inclusive el cable de Associated Press anunciando la paz y dando detalles de la ceremonia que se realizaría para el anuncio.

Luego de ver esto, Desmond pidió hablar por teléfono a Londres. En este caso le dije que no. Lo que estábamos haciendo solo lo conocíamos González y yo; no teníamos autorización expresa de ningún superior. Hubiera sido difícil de explicar qué hacía el representante de un legislador británico revisando nuestras carpetas más secretas y llamando a Londres, si alguien hubiera escuchado la llamada, lo cual, por otra parte, era muy probable. Esa misma mañana le informamos al general Iglesias de todo lo que estaba sucediendo.

Desmond –de quien yo ya me había hecho amigo– viajó al Reino Unido para compartir el resultado de su investigación con Tam Dalyell. A los cinco o seis días, sonó el teléfono de mi casa a las 6 de mañana. Era Desmond, que no podía contener su entusiasmo y me dijo que para Tam Dalyell era fundamental contar con los documentos que le había mostrado para ir publicándolos en el diario británico *The Observer*. Su idea era dar a conocer las propuestas de paz que Thatcher había desestimado, incluyendo la última, que debía de haber llegado a Chequers antes de que ella diera la orden de hundir el Belgrano, cuando se suponía que regía una tregua implícita mientras se estuviese considerando la

---

7 Informe Rattenbach, t I. cap. V, foja 17.

“Para Tam Dalyell era fundamental contar con los documentos que le había mostrado para ir publicándolos en el diario británico The Observer."

propuesta. Si nadie salía a desmentir los documentos publicados en el diario, entonces quedaba demostrado que su contenido era veraz y que se podía usar como argumento válido para llevar adelante una moción de censura contra Thatcher, quien luego de la victoria del Reino Unido en las Malvinas había visto revivir su popularidad y se había asegurado su continuidad en el cargo de primer ministro.

Volví a pedirle autorización al mayor González, ya no para consultar los documentos sino directamente para fotocopiarlos y enviarlos al Reino Unido. Con el conflicto ya finalizado, el mayor González estuvo de acuerdo en que hiciera las fotocopias y las enviara a Londres si creía que eso iba a ayudar para que se supiera la verdad.

Primera publicación en medios británicos en base a los documentos enviados, que no fue refutada. *The Observer*, 5 de junio de 1983. Tarjeta personal de agradecimiento de Rice donde dice que la "munición" será empleada para dar a conocer el punto de vista argentino.

Yo mismo empecé a sacar los documentos de su despacho para hacer las fotocopias y pagar de mi bolsillo los envíos, que no se podían hacer directamente hacia el Reino Unido, por el riesgo de que fueran interceptados. Por este motivo tuve que organizar una triangulación con un amigo mío holandés que trabajaba en la empresa Bridas en la Argentina. Yo despachaba los documentos a un hermano suyo a Holanda, que metía el sobre en otro sobre, para que los británicos no sospechasen nada, y se los reenviaba directamente a Desmond Rice, que estaba viviendo en Londres en ese momento.

"Como nadie nunca refutó nada de lo que decían esos artículos, se llegó a la conclusión de que efectivamente lo que decían era verdad –algo que yo ya sabía, pero que ellos necesitaban probar–, y con esa información, Tam Dalyell hizo una moción de censura a Margaret Thatcher."

Tal como lo había anticipado Tam Dalyell, The Observer comenzó a publicar estos documentos filtrados desde la Argentina, algunos de los cuales reproducimos en la siguiente página. Yo los guardaba a medida que Desmond me enviaba los recortes, haciendo la vía inversa del correo a través del hermano de mi amigo en Holanda.

Como nadie nunca refutó nada de lo que decían esos artículos, se llegó a la conclusión de que efectivamente lo que decían era verdad –algo que yo ya sabía, pero que ellos necesitaban probar–, y con esa información, Tam Dalyell hizo una moción de censura a Margaret Thatcher, que tuvo el apoyo de más de 170 parlamentarios británicos pero que finalmente no prosperó, porque faltaron votos.

Sin embargo, la verdad sobre los intercambios y las negociaciones durante la guerra pudo ser conocida por los británicos que quisieran saber más sobre el accionar de Margaret Thatcher, porque Tam Dalyell la interpeló desde su puesto de parlamentario en la Cámara de los Comunes y además publicó dos libros que demostraban las maniobras de ocultamiento del hundimiento del Belgrano: *One Man's Falklands* (1982)[8] y el mencionado *Thatcher's Torpedo* (1983). Todavía conservo ambos libros, dedicados por el propio Tam Dalyell de puño y letra.

---

8 T. Dalyell. *op. cit.*, p. 81 y ss.

THE GUARDIAN Monday June 20 1983

Company chairman defends business with invaders

Falkland wool sales 'fleeced Argentinians'

By Paul Keel

The head of the Falkland Islands. Company, which was attacked this weekend for selling wool to Argentine troops during their occupation of the colony, said yesterday: "They would have taken it, anyway."

The soldiers used bales of wool to line their trenches, but Mr Ted Needham, the chairman of the Coalite Group, which owns the company, said that the invaders were the ones who had been fleeced.

"It's quite clear that some of the islanders 'got a fair amount of amusement and entertainment in taking the Argentinians for a ride, even though they were taking whatever they wanted," he said.

Speaking on BBC Radio's World This Weekend programme, Mr Needham said: "Under these circumstances, what would anybody else have done? If they were going to take this wool out of our more

Labour MP for Ayrshire South and a member of the Foreign Affairs select committee which recently visited the Falklands, was not happy, with Mr Needham's defence.

He said that under the circumstances of last year's invasion it seemed very strange for a British-based private company to be trading with an enemy. Speaking on the same programme, Mr Foulkes called for a general inquiry into the company's operations in the Falklands.

During his visit to the islands earlier this year he had heard widespread criticism of the company, which has a near monopoly of the colony's sheep-farming economy.

But Mr Needham was equally abrasive in dealing with the MP's call for an inquiry. He accused Mr Foulkes of having no genuine interest in the islanders, and doubted

Ted Needham: "amusement for islanders"

Tam Dalyell: Queen's speech question

Dalyell returns to sinking of Belgrano

By Michael White, Parliamentary Correspondent

The Government's most tenacious Falklands critic, Mr Tam Dalyell, MP. will this week press the Defence Secretary, Mr Heseltine, about the extent of British intelligence on Argentine thinking just before the Belgrano was sunk.

In the wake of new reports from Buenos Aires that Argentine generals and even the "hawkish" Admiral Anaya, commander-in-chief of the navy, were moving towards acceptance of the need for compromise rather than risk a war, the MP has written to the Secretary of State giving warning that he intends to try to raise the question during the Queen's Speech debate which starts on Wednesday.

This will be no surprise to Mr Heseltine.. But yesterday's Observer report confirmed what Mr Dalyell said he knew already, that 1520 divisional

commanders met informally on the Saturday afternoon — 24 hours before the sinking — and agreed that they were not prepared for all-out war; a view reinforced at a further meeting at higher level that night and conveyed to General Galtieri. Quite separately, at about the same time, Admiral Anaya reportedly ordered the withdrawal of the fleet, including the Belgrano.

Mr Dalyell wishes to know when the MoD learned of these developments, and he will almost certainly be told. Ministers and officials believe that this kind of talk is, at best, wishful thinking and, at worst, malevolent mischief-making given the enormous dangers facing the British task force at the time.

Mr Dalyell persists in believing that insofar as the Falklands issue made Mrs Thatcher what she is today, so its con-

---

THE OBSERVER, SUNDAY 19 JUNE 1983

15

Generals told Galtieri army was not ready

ARTHUR GAVSHON reveals how a last-minute peace plea failed

ARGENTINE generals were pleading with General Galtieri to negotiate peace with Britain only hours before the General Belgrano was sunk.

The Observer has learned that on Saturday, 1 May, last year a secret meeting was held between Galtieri and a group of Argentine generals who urged him to negotiate a settlement

news from the Falklands, where British ships and Harrier jets were pounding the Argentine positions.

The consensus that emerged, Argentine officials said, was that Argentina should negotiate and, at all costs, avoid all-out war.

The general feeling was that until 1 May few members of the military hierarchy really believed that the British would mount a major assault. One

Secretary of State Alexander Haig in Washington.

Galtieri, according to transcripts of the conversation, obtained by The Observer, displayed immediate interest and promised a swift reply.

It seemed plain that the views of the generals — who had nominated him as the Army's representative in the junta five months earlier — reinforced

Both developments appeared to have influenced his decision to authorise the recall of the entire Argentine fleet, including the Belgrano well south of the exclusion zone, at around eight o'clock on Saturday evening.

That recall order was issued without Anaya consulting with his 23-member Council of Admirals. Two of the admirals in that council were known

---

Otros artículos periodísticos, que luego de publicados son devueltos por Rice. Puede notarse en la parte superior izquierda del de The Guardian, el saludo manuscrito del periodista.

Desmond también usó la información que le entregué para completar su investigación, que dio lugar a la publicación de un libro llamado *El hundimiento del Belgrano*, en coautoría con Arthur Gavshon, editado en Londres y que se agotó en la primera semana de ventas. En la Argentina y con el mismo título se publicó en la editorial Emecé. Desmond me envió el primer ejemplar de tapa dura de su libro con una carta del editor y una tarjeta suya agradeciéndome por mi "valiente colaboración".

"La tarea de enviar documentación al Reino Unido prosiguió durante un año y medio. Los documentos sirvieron tanto para el libro como para la moción de cesura a Thatcher [... y] dio lugar a lo que se denominó el Belgrano Enquiry, una investigación independiente que llegó a la conclusión de que el gobierno británico conocía la propuesta del Perú antes de hundir al crucero."

Esos libros hablan por sí solos, y son un material adicional para comprender la verdad sobre la negociación por Malvinas. En estos trabajos se puede observar claramente que el gobierno británico comandado por Margaret Thatcher no tuvo ningún tipo de voluntad negociadora, algo endilgado por Alexander Haig falsamente al gobierno argentino como principal argumento para que los Estados Unidos apoyen al Reino Unido. Aquí se observa también que la mediación de Haig fue claramente parcial en favor del gobierno británico.

La tarea de enviar documentación al Reino Unido prosiguió durante un año y medio. Los documentos sirvieron tanto para el libro como para la moción de censura a Thatcher. Pero por encima de eso, sirvieron para mostrar algo que hizo que muchos británicos comenzaran a cuestionarse lo que había pasado.[9] Dio lugar a lo que se denominó el *Belgrano Enquiry*, una investigación independiente que llegó a la conclusión de que el gobierno británico conocía la propuesta del Perú antes de hundir al crucero.[10] También produjo efectos extraños: Tam Dalyell exigió respuestas al Ministerio de Defensa; un funcionario del ministerio le avisó que se lo estaba engañando desde el mismo ministerio y le comunicó, además, que no se podía tener acceso a los telegramas del Ministerio de Relaciones Exteriores anteriores al hundimiento del Belgrano. Ese funcionario fue

---

9 Manfred Schonfeld, diario *La Prensa*, 6 de septiembre de 1984 (ver p. 143 de este libro).
10 La investigación se encuentra disponible en inglés en www.belgranoinquiry.com.

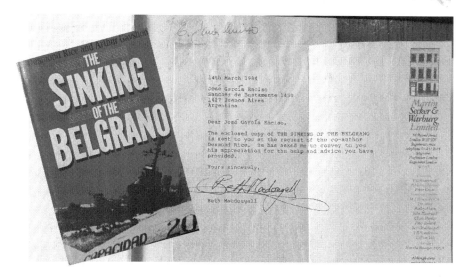

La investigación culmina en el libro *The Skinking Of The Belgrano*, publicado por Seker & Warburg en Gran Bretaña en 1983, que se transformó en best seller. El ejemplar reproducido fue enviado por el editor en agradecimiento por la colaboración para el mismo.

echado del ministerio y juzgado en Londres. Se llama Clive Ponting, y su experiencia está relatada en el libro *El derecho a saber: la historia secreta del hundimiento del Belgrano*, publicado también en la Argentina.

Por otro lado, existió un extraño episodio vinculado a un oficial del Conqueror. Desaparecieron documentos del submarino y se desconfió de él, cuya tía era activista de grupos de izquierda. Se sospechó que los documentos podían estar guardados en su casa, listos para ser usados en la acusación a Margaret Thatcher. En 1985 entraron presuntos ladrones a la casa de esta señora; finalmente no se concretó ningún robo, pero a ella la encontraron muerta, según información publicada por diarios británicos en ese momento.

Otro hecho histórico que conviene tener en cuenta es la interpelación en la Cámara de los Comunes al ministro de Defensa Michael Heseltine el 7 de noviembre de 1984, referente a la pérdida del libro de bitácora del Conqueror. En esa reunión el ministro reconoció que el libro de bitácora del submarino se había extraviado, pero que el libro de registros del comandante es secreto y está muy bien guardado en el ministerio de Defensa. Sea por una causa o la otra, ninguno de los dos libros han podido ser consultados. Esta respuesta del ministro provocó

CLARIN ★ Buenos Aires, domingo 30 de diciembre de 1984

Malvinas: Londres niega una grave acusación

Archivo 1984

El gobierno británico negó oficialmente que oficiales de su servicio de inteligencia estén involucrados en la muerte de una activista antinuclear, a quien se relacionaba con las investigaciones sobre el hundimiento del crucero argentino "General Belgrano", ocurrido durante la guerra de las Malvinas en 1982. El legislador laborista Tam Dalyell afirmó que pese a la negativa de la administración conservadora, el asesinato de Hilda Murrell tiene vinculación con las averiguaciones por el hundimiento.

LONDRES (AP, UPI, R-L). — En una nueva instancia de las investigaciones sobre el hundimiento del crucero "General Belgrano" por fuerzas británicas, durante la guerra de las Malvinas, el gobierno de Margaret Thatcher negó ayer formalmente que oficiales de inteligencia hayan participado del asesinato de una activista antinuclear, de 78 años, vinculada precisamente a dichas investigaciones.

Surgió así la presunción de que la anciana habría obtenido información reservada, a través de su sobrino, sobre el hundimiento del "Belgrano", que navegaba fuera de la zona de exclusión fijada por los británicos, según todas las pruebas disponibles.

La señora Murrell habría sorprendido a varios intrusos en su domicilio, en el pasado mes de marzo y a consecuencia de ello habría sido asesinada, en...

mandante Green, quien actualmente trabaja como carpintero en el sur de Inglaterra, dijo que la teoría de su tía "puede estar en lo correcto".

Dalyell dijo ayer que "la historia tiene mucho más de lo que se puede ver a simple vista".

Margaret Thacher, primera ministra británica.

Clarín, domingo 30 de diciembre de 1984. Información sobre un "misterioso" episodio relacionado con la desaparición del libro de bitácora del submarino Conqueror.

un serio cuestionamiento del parlamentario Mr. Denzil Davies respecto de que esta información no era verosímil y demandó al ministro una versión completa, clara, honesta y verdadera (ver la transcripción del parlamentario Davies en el Anexo de este libro, pág. 255).

En esta misma sesión, la parlamentaria Elaine Kellett-Bowman, del partido Conservador, dijo: "Es más que extraordinario que los miembros de la oposición den más crédito a información plantada o filtrada por los argentinos, a que la que nos expone el ministro de Defensa." A esto, Heseltine agregó: "Es cierto que los miembros de la oposición prefieren la información de los enemigos de este país a la de su propio gobierno" (misma sesión parlamentaria del 7 de noviembre). Esta expresión se refería a la información que nosotros trasmitíamos a Tam Dalyell.

Desmond volvió a la Argentina en 1985. Lo invité a Corrientes para que diera charlas a la juventud del Partido Liberal, de la cual yo era en ese momento presidente, explicando todo lo que había averiguado, que era mucho, pues en el libro *El hundimiento del Belgrano* figura una reconstrucción completa de lo sucedido en Lima, Buenos Aires, Washington y Londres ese 2 de mayo de 1982.

En Corrientes, Desmond defendió ardorosamente los derechos argentinos sobre Malvinas, de viva voz ante el auditorio local. También tenía gran interés en conocer personalmente a excombatientes argentinos, por lo que organizamos algunas reuniones en mi casa. Allí conoció, entre otros, a Roberto Baruzzo –quien recibiría posteriormente la máxima condecoración al valor en combate por luchar heroicamente y salvar la vida de su jefe poniendo en riesgo la suya– y a José Galván, quien tiene una historia muy particular y muy vinculada conmigo: luego de haber salvado sus piernas de milagro, José regresó a Corrientes y lo llevé a trabajar conmigo. Al principio, de la guerra hablaba muy poco, hasta que por fin comenzó a expresarse y nunca se detuvo. Fue elegido como presidente del Centro de Ex Soldados Combatientes en Malvinas de Corrientes (CESCEM Corrientes) y, además, sigue siendo alguien muy cercano a mi familia.

Desmond quedó muy conmovido al escuchar estas dos historias y las de todos los otros excombatientes correntinos con los que se reunió en casa. Al finalizar la jornada, él debía regresar a Buenos Aires y luego al Reino Unido: lo despedí afectuosamente y no lo volví a ver.

En 1990 recibí en Corrientes una visita muy singular: el señor Robin Wallis, segundo secretario de la sección de intereses británicos de la embajada de Suiza –o sea, el representante de la embajada británica en la Argentina mientras las relaciones bilaterales estuvieron suspendidas–. Simplemente quería conocerme. Durante tres días estuve con él y pude recorrer Corrientes, incluyendo el Iberá.

Hablamos mucho de Malvinas y me limité a transmitirle lo que era público; aun así, me resultó curioso que tomaba nota de todo. Antes de regresar a Buenos Aires, me regaló un libro sobre el Reino Unido llamado *Britain 1989* y nunca supe si su visita fue casual o si tenía algún otro propósito.

Para esos años, yo ya estaba volcado plenamente a la acción política. Mi padre había sido vicegobernador y yo era presidente de la Juventud Liberal y senador provincial, cargo para el que me habían elegido el año 1987. Esas tareas me absorbían totalmente. La Juventud tenía treinta y cuatro comités y 23 mil afiliados. De ellos, muchos eran excombatientes, y una de mis primeras preocupaciones como senador fue volcarme a la atención de los excombatientes. En esa época estaban aún olvidados y el Estado se había desentendido de su suerte. Para legislar teniendo en cuenta sus intereses, me acompañaban varios de los excombatientes a los que había tratado de ayudar individualmente, con la satisfacción de que ahora, al ser legislador, se me brindaba la oportunidad de ayudar al conjunto.

Luego de jurar y asumir el cargo comencé a presentar proyectos. Muchos se convirtieron en leyes de la provincia. Algunas de las leyes asociadas a los excombatientes que impulsé fueron la Ley 4.194, estableciendo la entrega de una medalla al mérito a todas las unidades con base en Corrientes que hubieran luchado en Malvinas; la Ley 4.370, otorgando diez becas a cargo de la provincia para excombatientes que quisieran continuar sus estudios; la Ley 4.371, estableciendo que treinta vacantes anuales de la administración pública debían ser cubiertas por excombatientes; la Ley 4.372, que impulsaba la creación de un régimen especial de atención a la salud para excombatientes; la Ley 4.415, de incorporación a la obra social provincial de excombatientes sin cobertura médica; la Ley 4.551 para erigir un monumento a excombatientes caídos en combate; la Ley 4.745, eximiendo a excombatientes del 50 por ciento del pago de la cuota de viviendas adjudicadas por el Estado. Además de esas, he impulsado muchas otras leyes vinculadas a excombatientes, como la obligación de la provincia de adjudicar en cada entrega de viviendas un cupo a excombatientes, la invitación a excombatientes para hablar en las escuelas en fiestas patrias, una ley de pensión provincial, la eximición de parte de las tarifas públicas de luz y agua, y otras. Todos esos beneficios alcanzaban a la totalidad de las personas que combatieron, incluyendo soldados, suboficiales y oficiales. Además, cuando se cumplieron los primeros diez años de Malvinas, organizamos actos en los que recibieron reconocimientos provinciales.

Esto que menciono no es para ufanarme de nada; simplemente quiero expresar que mi vínculo con la causa Malvinas lejos estuvo de terminar en 1982; sería más preciso decir que por ese entonces recién estaba comenzando...

Hasta hoy, mantengo contacto permanente con los excombatientes, en particular con los de mi provincia. José Galván me invitó más de una vez a participar del Centro de Ex Combatientes, dado que yo también había sido llamado "a cumplir una tarea" durante el conflicto, pero en reiteradas ocasiones le expliqué que yo no podía aceptarlo, porque no había arriesgado mi vida como ellos. Sin embargo, en 2001, con una ceremonia sorpresa, José me entregó el diploma de Miembro Honorario del Centro de Ex Soldados Combatientes en Malvinas de Corrientes.

Anteriormente, el Regimiento 9 de Infantería de Corrientes –al cual pertenecían muchos excombatientes, entre ellos, el teniente coronel José Negretti, que luchó en la Compañía de Comandos 601, y el teniente primero Peluffo del RI 12, herido en la cabeza en Pradera del Ganso– me había nombrado asesor histórico, a través de una comunicación oficial en el Boletín Militar. Mi tarea era trasmitir a los jóvenes oficiales y soldados aspectos de la gesta de Malvinas y de la historia argentina. Poco después también fui incorporado como miembro honorario del Regimiento.

Además, di muchas charlas y conferencias, escribí artículos sobre el Belgrano y seguí leyendo y releyendo los documentos hasta la obsesión. Sabía que algo debía hacer, pues tenía un compromiso no cumplido con mis camaradas de equipo.

En el año 2014, gracias a Roberto Sylvester, pude reunirme con los integrantes de la tercera escuadrilla aeronaval de caza y ataque. Allí, Benito escuchó lo que yo tenía que decir y yo escuché su testimonio. Ambos supimos que las respuestas que tanto habíamos buscado podían encontrarse en el cruce de nuestras historias. Y así nació este libro, que para mí se había gestado en 1984, cuando me despedí del mayor González en su despacho y él me autorizó a disponer de todos los documentos originales que probaban lo que decimos, con el compromiso de que yo siguiera en la tarea de darlos a conocer. Hoy, tardíamente, estoy cumpliendo ese pedido.

Encuentro con el almirante Harry Train

Benito Rotolo

A mí me costó mucho hablar sobre Malvinas después de la guerra. Sé que el silencio de posguerra es un tópico bastante habitual en la literatura bélica, pero en mi caso no estaba asociado directamente a algún trauma particular, sino que el contexto histórico inmediatamente posterior a la guerra hizo muy difícil cualquier referencia a Malvinas. Se la vinculó con el Proceso y la indiferencia generalizada por la derrota no posibilitó el rescate de acciones destacadas de los combatientes, pese a algunos reconocimientos a los pilotos argentinos que tuvieron participación en el conflicto.

Ya hemos indagado en este libro sobre los motivos que desencadenaron este conflicto y no es mi intención hacer una evaluación de cuán pertinente fue llegar a un escenario bélico contra el Reino Unido; sin embargo, es necesario destacar que con el regreso de la democracia se vivió una "desmalvinización" intensa, en la que todo lo vinculado al conflicto podía ser tomado en forma peyorativa. En ese contexto, se relativizó todo hecho importante desde el punto de vista estratégico, y solo trascendieron algunos relatos de acciones heroicas, muy humanas y rescatables, pero que no fueron suficientes en el descreimiento local, para un análisis global que pusiera los hechos en el nivel adecuado.

Mi historia –la de una batalla que finalmente no se llevó a cabo– no parecía redituable ni suscitó particular interés, por lo que simplemente la fui dejando atrás mientras seguía adelante con mi carrera en la Armada. Reviví esos días de mayo en los que el destino de la guerra estuvo en juego solamente junto a familiares, amigos íntimos y en algunas reuniones con marinos extranjeros; pero esencialmente podría decir que la opción por el silencio se prolongó por muchos años, hasta que empecé a dar unas charlas que fueron el germen de este libro.

Asi fueron los acontecimientos que yo viví en el portaviones; procuré narrar los hechos reproduciendo cada detalle tal como lo recuerdo y como lo relaté apenas había regresado de la campaña. Ahora llegó el momento de contar algunos encuentros que mantuve después de la guerra, y que resignificaron completamente mi experiencia en el mar, ya sea confirmándome algunas teorías que me había formulado allí o haciéndome replantear ciertas cosas que había vivido. Se trata puntualmente de las conferencias del almirante Harry Train, de la Armada de los Estados Unidos y de las conversaciones que tuve con el comandante del portaviones británico Invencible en tres oportunidades, así como mi concurrencia al Royal College of Defense Studies, en Londres, donde pude analizar la experiencia de Malvinas con colegas de distintas Marinas del mundo, varios oficiales británicos veteranos y almirantes de la Marina Real británica. Agrego, además, algunos párrafos destacados del libro *Los cien días*, del almirante Sandy Woodward, porque cuenta con humildad y realismo cómo vivió las amenazas y los ataques de las fuerzas argentinas. También suscribo algunas opiniones de oficiales que estaban embarcados en diferentes buques, lo que se supo mucho tiempo después de la búsqueda del 25 de Mayo por parte de los submarinos británicos y los efectos de la enorme campaña antisubmarina que desarrollaron los aviones Tracker y los helicópteros Sea King operando desde el portaviones.

Toda esta recopilación, en definitiva, me sirvió para confirmar mis sospechas de que la batalla se debería haber librado, de que realmente estuvimos cerca de una batalla decisiva, o al menos, de que tuvimos la oportunidad de hacerlo y no la supimos aprovechar.

Por agosto de 1982 retomamos las actividades habituales de adiestramiento en la escuadrilla de los A4Q con los aviones remanentes y con algunos más que se habían reparado, sobre todo para seguir formando pilotos nuevos. Volvíamos a la rutina del trabajo tratando de dejar atrás el trago amargo del conflicto. La escuadrilla de los Super Étendard había recibido todos los aviones con su logística de repuestos y armamento. El curso pendiente que teníamos con el teniente Arca en Francia quedó anulado y la idea era hacerlo a comienzos de 1983 en el país. Así fue como entre el 83 y el 88 pude disfrutar de un avión nuevo, con tecnología actualizada, y completar todo el adiestramiento sin inconvenientes, incluyendo las operaciones en portaviones, donde, afortunadamente, el avión resultó más fácil y simple de operar que el A4Q. Esta oportunidad profesional calmó mucho las incertidumbres sobre nuestra carrera, ya que la profesión militar con la nueva democracia comenzaba a sufrir varios embates inesperados.

La flota retomó el trabajo de siempre, pero esta vez, cuando preparábamos los ejercicios tácticos, siempre estaba presente la experiencia de Malvinas. La Armada, además, a partir de 1984 comenzó a recibir los destructores Meko 360 y, posteriormente, las corbetas Meko 140. Se incorporaron también dos submarinos TR1700, todo material de origen alemán, adquiridos mediante un plan de reequipamiento naval que había firmado el presidente Juan Perón en 1974.

Este proceso de incorporación de medios duró hasta fines de los años 90, lo que significó una gran actualización para toda la Armada, y nos posibilitó adquirir un lenguaje profesional sobre los nuevos sistemas y la táctica naval que nos dio un lugar privilegiado entre las marinas de la región y otras extracontinentales. Esto nos permitió una equitativa interoperabilidad entre ellas y, a decir verdad, hubo un gran crecimiento profesional de los hombres de la Armada en este período.

Fue así como en 1986 dejé la unidad para cursar la Escuela de Guerra Naval, requisito para cumplir nuestro primer comando, y allí descubrí que entre tantos conocimientos profesionales, lo aprendido en Malvinas también se tenía en cuenta; de a poco comenzamos a contar las experiencias personales. Todos estos temas me causaron gran entusiasmo porque además eran tratados con apertura académica, conducidos por un grupo de hombres muy destacado en la profesión que, con mucha iniciativa, impusieron un rumbo acertado y moderno a los nuevos conceptos de la guerra naval. Con autocrítica, creatividad y debate vivimos una actualización de conocimientos profesionales que puso a la Escuela en un primer nivel entre las escuelas similares de los países sudamericanos, los Estados Unidos y otras de Europa. Fue un cambio cualitativo formidable, en el que nosotros éramos los protagonistas aun siendo alumnos.

Como parte del ciclo de conferencias, en noviembre de ese año nos visitó el almirante Harry Train, de la Armada de los Estados Unidos, que estaba visitando el país. La sorpresa fue que su tema era el conflicto de Malvinas, y en él volcaba un análisis muy profesional que había hecho con su Estado Mayor a fines de 1982. Durante el conflicto Malvinas, Train había sido el comandante en jefe de la flota del Atlántico situada en Norfolk, Virginia, y siguieron desde allí todo lo acontecido en el Atlántico Sur.

En una exposición clara, sincera y muy afable, este almirante me sorprendió gratamente con el resultado de su análisis, puesto que mostraba claramente las vulnerabilidades que tenía la flota británica en la operación de Malvinas y los riegos que hubiese corrido si nuestras fuerzas hubiesen tenido un poco más de preparación y si algunos hechos se hubiesen producido, como el ataque de la flota argentina del 2 de mayo.[11]

---

11 El almirante Train pronunció conferencias en la Escuela Nacional de Defensa, la Universidad de Belgrano y la Escuela de Guerra Naval los días 26, 27 y 28 de noviembre de 1986. En cada conferencia se prestó a debates con preguntas y respuestas. Siempre fueron muy prolongados, respondía a su criterio todos los problemas planteados y enriquecía notablemente lo acontecido en el conflicto de Malvinas. Su conferencia, así como una selección de los debates, se encuentran disponibles en el *Boletín del Centro Naval* nº 834 (Train, *Malvinas: un caso de estudio*).

Escuchándolo, fui recuperando la idea que yo compartía sobre el ataque. Por un lado, quedé muy impresionado y a su vez satisfecho por el reconocimiento de nuestras acciones, que nadie había rescatado aún, ni siquiera nuestra propia Armada.

Creció mi curiosidad, e investigando un poco más, me di cuenta de todo lo que se había analizado y escrito sobre el conflicto en las demás Armadas del mundo, desde el manejo de la crisis hasta los aciertos y desaciertos que no pudieron impedir que todo terminara en una guerra. Aquellos trabajos eran muy profesionales, profundos y con conclusiones que se aplicaban directamente a las enseñanzas que esas experiencias nos habían dejado.

Ese día, la sesión de preguntas y respuestas de la conferencia duró más de dos horas. Aquí voy a mencionar algunos conceptos del almirante Train que están relacionados con lo que nosotros pensábamos mientras estuvimos embarcados los primeros días de mayo:

Los británicos asumieron siempre que estaban en guerra y sus acciones mantuvieron coherencia en el sentido de recuperar militarmente las Islas Malvinas. En cambio, la conducción político-militar argentina se manejó esperanzada en que alguna negociación se iba a lograr antes de llegar a un conflicto armado.

Había dos maneras de evitar que el Reino Unido desembarcara en las islas: la primera, prolongando la pista de Puerto Argentino y armando la logística para operar aviones de combate, interceptores y de ataque. La segunda, que la flota argentina, junto con la Fuerza Aérea, enfrentaran a la flota británica en altamar, produciendo un severo desgaste que le impidiera el desembarco y los obligara a una solución negociada.

No habiéndose realizado lo de la pista en Puerto Argentino, la maniobra del almirante Lombardo de atacar la fuerza naval británica cuando estuviera aferrada a una operación de desembarco era muy acertada. La aproximación que se hizo con el grupo del 25 de Mayo por el norte y el grupo del Belgrano por el sur, entre el 1° y 2 de mayo, fue una gran oportunidad por la sorpresa y el desconocimiento hasta ese momento de la Fuerza de Tareas del portaviones 25 de Mayo, cuya posición no fue descubierta por los submarinos nucleares ni advertida por la Marina Real británica hasta que estuvieron en posición de ataque el 2 de mayo a la 1:30 de la madrugada. Este enfrentamiento pudo haber dado resultados sorpresivos para la Argentina por la vulnerabilidad que tenía la fuerza británica en cuanto a la detección y alerta temprana, como así también la escasa capacidad de los aviones Harrier para atacar a buques de superficie. De hecho, habían planificado ponerlos como interceptores en un concepto defensivo ante el mayor radio de acción de los aviones A4Q.

Otras dos oportunidades que mencionaba Train se dieron en la guerra terrestre. Si los argentinos frenaban a las tropas británicas en la Batalla de Pradera del Ganso o si se mantenía un ataque sostenido en Fitz Roy (Bahía Agradable), las tropas británicas hubiesen tenido que replegarse y reembarcarse nuevamente, como también lo expresa el almirante Woodward en sus declaraciones posteriores.[12]

Hasta aquí he mencionado solo algunos aspectos centrales de la exposición de Harry Train, y especialmente los referidos a la utilización de la flota; no continúo con el excelente trabajo que ha realizado, que se puede consultar íntegro en el *Boletín del Centro Naval*.

Encuentro con el comandante del Invincible

Benito Rotolo

En enero de 1989 me tocó ir en un programa de intercambio al Estado Mayor de la flota del Atlántico de la Marina de los Estados Unidos, en Norfolk, Virginia, donde se asienta la principal base naval de los Estados Unidos en la costa Este. En esa misma base estaba también el Comando Supremo Aliado de la OTAN, que trabajaba en forma integrada con el Comando Estadounidense para los temas de carácter conjunto. Este programa de intercambio de oficiales se había acordado entre el almirante argentino Ramón Arosa y el almirante estadounidense James D. Watkins hacia mediados de los años ochenta; fue una especie de acercamiento de la Marina de los Estados Unidos, retomando las relaciones profesionales de siempre y restituyendo la confianza mutua. Estos programas se hicieron extensivos a otros puestos de la Armada y de otras fuerzas de nuestro país, y los destinos ofrecidos eran de mayor relevancia profesional que los que teníamos antes del conflicto de Malvinas.

---

12 Train, H., *Boletín del Centro Naval*, n° 834, pp. 262 y ss.

Yo terminaba de cumplir mi primer comando como capitán de corbeta en la escuadrilla de Super Étendard en la Argentina y fui beneficiado con el programa, en un puesto que era realmente relevante: me incorporé al Estado Mayor y trabajé desde adentro de la Marina de los Estados Unidos cumpliendo funciones durante un año en el departamento de Logística y otro junto con el inspector general. En esos dos años en Norfolk me moví como un oficial más, amén de la relación que ya había forjado en mis años anteriores como instructor de vuelo, cuando también me había tocado estar en los Estados Unidos –1976 y 1978-79 en la base aeronaval de Kingsville, Texas–. De esa época me habían quedado un montón de colegas, amigos y exalumnos que, para 1990, ya eran comandantes de escuadrón y no tardaron en invitarme para conocer sus aviones.

A mi arribo, me presenté al segundo jefe del Estado Mayor, vicealmirante Edward Clexton. Con mucha amabilidad hablamos del programa y de mis tareas y, por supuesto, de las experiencias de Malvinas y del estudio y análisis que el almirante Train había hecho en ese lugar en 1982.

Clexton era aviador naval y durante la charla fuimos ganando simpatía por las actividades similares que habíamos desarrollado en nuestras carreras. Cuando estábamos por finalizar, le entregué un sobre con una nota firmada por el subjefe de la Armada argentina, que yo premeditadamente había solicitado al entonces vicealmirante Máximo Rivero Kelly, en la que me autorizaba, como divulgación, a volar y embarcar en cualquier unidad que yo solicitara bajo mi responsabilidad, siempre y cuando alguien me autorizara. Clexton leyó la nota y al terminar, con una amplia sonrisa, me dijo:

—Comprendo su ímpetu, y desde ya, está autorizado. Usted ha trabajado antes como instructor de vuelo, por lo tanto conoce nuestra Marina. Ahora bien, yo no voy a hacer ninguna solicitud.

—Entonces, ¿cómo voy a hacerlo? –le pregunté, atónito.

—Muy simple –me dijo–, usted vaya a los destinos, toque timbre a gente de su jerarquía y haga su pedido; si a ellos les interesa, seguramente lo van a invitar, pero le recuerdo que primero debe cumplir sus tareas en el Estado Mayor.

Salí feliz, porque como lo expresé anteriormente, tenía muchos amigos como comandantes de escuadrones, y sumado a ello, tenía mucho interés en aprovechar navegaciones cortas de los buques antiaéreos y portaviones.

Mi primer contacto lo hice en la base aeronaval de Oceana, a 30 kilómetros de Norfolk, donde están todas las alas aéreas de los portaviones
de la costa Este. Ese día visité al capitán de corbeta Roy Gordon, segundo comandante del escuadrón VF-31 de aviones F-14 Tomcat, y luego
de una agradable conversación, me sugirió que diera una conferencia
para todos los pilotos del ala aérea sobre la guerra aérea de Malvinas.
Sorprendido, le pregunté si este tema podía ser de interés, dado que el
conflicto había sido muy corto.

—Benito —me contestó él—, es de mucho interés, porque fue el último
conflicto, el más reciente, en el que se hundieron buques y hubo una batalla aeronaval.

Roy me convenció, y preparé la charla.

Cuando llegó el día programado, me fui de overol y campera de vuelo, y al llegar al lugar de la conferencia, en uno de los hangares, una multitud de casi cien pilotos estaban sentados esperando. Honestamente,
quedé sorprendido y le comenté a Roy:

—Espero satisfacer semejante expectativa.

Por suerte, la charla se desarrolló en un clima amistoso y profesional,
y fue todo un éxito. A partir de allí tuve las puertas abiertas para volar lo
que deseara. El sistema del almirante Clexton había funcionado, y durante dos años pude volar y navegar las unidades que yo elegí. Durante
toda mi estadía, esta relación me trajo muchos beneficios profesionales.

Con los oficiales de la OTAN —que estaban representados por españoles, alemanes, franceses, italianos e británicos— pude mantener una
cercana relación social y profesional, en la que siempre el interés ron-
daba las experiencias de Malvinas.

Lo que me propongo contar ahora ocurrió en la mitad de la estadía y
no tuvo nada que ver con mis "buenas relaciones" en la US Navy.

En marzo de 1990 nos invitaron a mí y a mi esposa a una recepción oficial de uniforme que había en honor a una autoridad naval de la
OTAN, de quien yo no había reparado particularmente su nombre. Al
llegar, todos los invitados nos reunimos en un gran hall de recepción, y
mientras charlaba amistosamente con algunos conocidos, se acercó un
oficial británico, capitán de corbeta también. Se presentó con un amable "buenas noches" y seguidamente agregó:

—Quería saber si tendría usted algún inconveniente en hablar con mi jefe.

—Sí, ¿cómo no? –contesté, a lo que el oficial agregó:

—Mi jefe es el almirante Jeremy Black.

—¡Claro que sí! –respondí, sin entender el porqué de tantas formalidades. Luego supe que su jefe, Jeremy Black, era un almirante británico de máxima jerarquía (cuatro estrellas) y se trataba ni más ni menos que del homenajeado principal en aquella recepción de la OTAN.

Atravesamos el hall mientras pensaba con curiosidad y expectativa el motivo por el cual un almirante británico había solicitado hablar conmigo, un capitán de corbeta argentino, y caí en la cuenta de que seguramente el tema iba a ser Malvinas. Esto ya me había ocurrido varias veces con oficiales británicos de menor jerarquía, con los cuales siempre indagábamos de forma amistosa dónde había estado cada uno, pero hasta entonces, nunca había conversado con un almirante británico.

Finalmente, al llegar donde él se encontraba con varios almirantes británicos y estadounidenses, un hombre de tamaño imponente y amplia sonrisa se separó del grupo y con una actitud notablemente afectuosa me dio la mano. Nos presentamos y así iniciamos de una manera muy afable una charla que acaparó la atención del grupo de almirantes.

—Mire, capitán –me dijo el tal Jeremy Black–, me encantaría que habláramos de excombatiente a excombatiente. Tengo entendido que usted es aviador naval y que estuvo embarcado en el 25 de Mayo los primeros días de mayo de 1982.

—¿Usted estuvo en la guerra también? –le pregunté yo, sorprendido de que él supiera tanto de mí y yo, nada de él–. ¿Qué rol tenía?

—Yo era el comandante del Invincible.

¡Vaya sorpresa! Estaba parado delante de quien comandaba el buque que queríamos averiar con nuestro ataque. Sinceramente, no esperaba ese encuentro aquella noche, cuando mi humilde propósito era hacer un poco de relaciones sociales. Entusiasmado de tener ante mí al mismísimo comandante del portaviones que habíamos detectado en aquellos días de mayo y que podríamos haber atacado, en un segundo me volvió todo aquello que había pensado en esos días y dije para mí: "¡Esta es mi oportunidad!". A pesar de la diferencia de jerarquías y de tener ante mí a un antiguo enemigo, me dediqué a recordar aquellos momentos para sacarme las dudas que nunca habíamos podido sacarnos sobre cómo vivieron ellos nuestra aproximación a distancia de combate entre las dos flotas…

—Almirante –le dije–, la guerra ya pasó; desde ya que podemos hablar de lo que usted quiera, como dos buenos excombatientes... Yo tampoco supe de las conjeturas que ustedes hicieron respecto a ese posible enfrentamiento del 2 de mayo, así que me gustaría oírlo todo.

Así empezó la conversación, sin medias tintas: los dos queríamos saber, estábamos sedientos por conocer lo que había sucedido en el bando contrario. El diálogo tenía ribetes interesantes, y atrajo la atención de tres o cuatro almirantes británicos –también de mucha jerarquía– que estaban invitados a la gala junto con Jeremy Black. A ellos se les sumaron otros tantos antiguos almirantes de la Marina de los Estados Unidos, muy interesados en lo que Black y yo teníamos para decirnos. Entre ellos estaba también el almirante Frank Kelso, comandante del Supremo Comando Aliado, que tenía sede en Norfolk, ya designado futuro jefe de operaciones navales (el CNO, *Chief of Naval Operations*) de la US Navy, que vendría a ser el número uno de la Marina de los Estados Unidos en Washington.

Como se ve, podría decirse que en un instante logramos reunir a un auditorio de los más destacados para los que me tocó hablar jamás. Y no solo eso, sino que estaban de lo más interesados: habían formado una ronda en la que ya no cabía nadie más. Sin embargo, mi deseo era oír lo que Black tenía para contarme de las maniobras propias en esos cinco días de mayo que habían marcado a fuego mi vida y mi historia como piloto naval.

—Para serle franco, yo siempre tuve varias incógnitas sobre su accionar –comenzó Jeremy Black–, pero lo que más me gustaría saber es qué tenían pensado hacer ustedes...

Como recién empezaba la charla, yo hice silencio, para ver cuánto sabía realmente sobre lo sucedido. Mi táctica surtió efecto, porque enseguida fue más específico con su pregunta, rememorando más precisamente los dos primeros días de mayo de 1982.

—Lo que yo digo –prosiguió– es que no entiendo bien qué pensaban hacer con los A4, porque si nos atacaban con esos aviones, sabíamos que sus A4 tenían mayor radio de acción que nuestros Harrier, a los que íbamos a terminar usando de interceptores. Pero el tema es que había que tratar de detectarlos, y no era una tarea sencilla, porque nuestro equipo de portaviones no tenía la posibilidad de un avión explorador o alerta temprana para detectar buques a distancia y prevenir ataques aéreos, como ustedes, que tenían los aviones S2E Tracker. Yo lamenté mucho no tener esa opción, porque sabía que con los Tracker ustedes corrían con ventaja. Además, teníamos claro que estaban usando esas aeronaves como antisubmarinos y también como exploradores, y que eso les permitía detectarnos y mantenerse en exploración en contacto radar, capacidad que nosotros no poseíamos en nuestra flota. –Black demostró que los británicos sabían mucho de nosotros y que nos habían estudiado bien–. La verdad es que nos sorprendimos con el acercamiento de ustedes. No nos hubiésemos enterado de no ser porque desde nuestra flota se detectaron algunas emisiones "poco claras" en el horizonte. Creo que ustedes saben bien que esa noche del 1º de mayo era una noche clara, con mar estable y casi sin viento, por lo que había algo de horizonte y se facilitaba el vuelo nocturno.

—Sí, claro, recordamos bien esa noche –atiné a responder, guardando algunas palabras para mi turno, pero él ya sabía de lo que le estaba hablando.

—Sí, sí, tengo entendido que han padecido mucho ese centro de alta presión en el que estábamos…

—Sí, resultó una gran preocupación para nosotros –le confesé–, al punto tal que el 2 de mayo a la madrugada no pudimos despegar, debido a que el peso óptimo para el ataque no era posible con la condición de viento calmo.

—Claro. A nosotros, sin embargo, nos sirvió, porque nos permitió hacer una exploración con un Sea Harrier tripulado por un piloto de la RAF[13], porque los de la Marina habían volado intensamente ese día. Este piloto estaba fresco para salir. Le pedí a ver si podía aunque sea volar sobre el portaviones para ver de qué se trataban esas "señales poco claras" que habíamos detectado en el horizonte. Despegó y cuando estaba a 80 millas me informó que seguía teniendo horizonte para volar tranquilamente. Lo autoricé a seguir, y ahí es cuando los detectó a ustedes, a 140 millas de nuestra posición. No se alcanzó a ver bien, pero sabíamos que era una flota completa, con el portaviones, con destructores… una amenaza naval que nos preocupó muchísimo, por la magnitud y por la cercanía: usted bien sabe que estaban *demasiado* cerca de nosotros. –Creo que eso fue una especie de insinuación o de invitación para

---

13 Real Fuerza Área Británica, por sus siglas en inglés.

que yo hablara, pero hice caso omiso y lo dejé seguir: quería saber cuánto sabían ellos sobre la flota argentina–. Apenas aterrizó nuestro piloto, tuvimos la detección de un Tracker, por lo que de inmediato ordené su persecución. El Tracker estaba ahí, llegamos incluso a iluminarlo con los radares de los destructores de la serie Sheffield tipo 42, lo que permitía el guiado de los Harrier, así que envié a uno de nuestros aviones a hacer la interceptación, pero cuando llegó al punto dato ya no había nada, el Tracker se había ido... A decir verdad, nunca pudimos interceptar y derribar a sus Tracker; en aquellos días llegamos a mandar hasta diecisiete interceptaciones sin encontrarlos nunca, y eso sí que nunca lo entendí: ¿me puede decir cómo lo hacían?

—Mire, almirante –dije yo, tomando la palabra–, fue más sencillo de lo que usted cree. En nuestro taller de electrónica de la base naval, en puerto Belgrano, habíamos desarrollado un detector de contramedidas muy elemental, con un analizador de espectro manual que nos permitía detectar la frecuencia de los radares 965 de los buques tipo 42. Cuando los aviones eran iluminados por los radares de búsqueda aire, descendíamos a ras del agua para evitar las interceptaciones. Esa táctica la teníamos bien diseñada, porque habitualmente hacíamos ese tipo de prácticas con nuestros destructores Hércules y Santísima Trinidad, de la misma clase que el Sheffield. Como el Tracker es un avión con motores a explosión y lento, podía volar con seguridad muy cerca de la superficie del mar. –Tanto mi interlocutor como nuestro auditorio seguro sabían esto, pero quería demostrarles que con un simple dispositivo y con muchas horas de adiestramiento habíamos logrado hacer de nuestras deficiencias (como la falta de alta tecnología) nuestros mayores activos–. Siempre practicamos esto y sabíamos que era muy difícil hacer interceptaciones si el avión volaba muy cerca del agua, pero lo que no sabíamos era la efectividad que tuvimos en virtud de lo que usted me cuenta.

—Bueno, felicite a esos muchachos por el ingenio, puesto que no pude derribar a ninguno –dijo, y se notaba que sus palabras eran sinceras–. Ahora, fíjense –se dirigía a los otros almirantes–, nosotros teníamos dos portaviones, pero como no teníamos exploración en el mar, esta flota se nos vino encima y no supimos qué hacer...

Los almirantes miraban fascinados, porque era visible que Jeremy Black dominaba el arte de la palabra y era capaz de captar la atención de su público. Hablaba con cierto histrionismo, como un docente guiando a sus alumnos hacia la respuesta correcta sin perder nunca el hilo de la conversación. Todas las personas en esa ronda habíamos sido trasladadas virtualmente al Atlántico Sur, y veíamos desde arriba cómo las dos flotas, ya en distancia de combate, maniobraban de tal forma de reducir sus vulnerabilidades.

—Pero algo hicimos, amigos –rompió la intriga Black, y volvió a dirigirse a mí–, algo hicimos. Nosotros sabíamos que, por el poco viento, ustedes no iban a tener mucho combustible, así que pusimos en la línea recta entre las dos fuerzas a tres o cuatro destructores clase 42 como piquetes, para que ustedes no llegaran al núcleo de la fuerza.

—Bueno, sí, nosotros suponíamos que ustedes iban a hacer eso, pero no íbamos a pasar por ahí.

—¿Y por dónde iban a pasar?

—Por donde nos guiaran los Tracker.

—¡Ah, no puede ser! –se sorprendió Black–. ¿A los Tracker también los guiaban en el mar?

—Sí, era la única manera de atacar en el mar abierto. El Tracker despegaba, analizaba un poco la ruta y nos liberaba los obstáculos para llegar al objetivo que se seleccionaba; en este caso nosotros queríamos llegar al núcleo, porque allí iba a estar el portaviones y posiblemente el Canberra con el personal de desembarco. Después nos enteramos de que no estaba. Esos eran nuestros blancos: ustedes tenían casi todos los infantes que podían llegar a desembarcar en las islas en el Canberra, y nosotros trabajábamos para evitar cualquier posible desembarco.

Cuando terminé de decir esto, Black se dio vuelta para mirar a todos los que nos rodeaban, y con una sonrisa socarrona y apuntándome con el dedo pulgar, dijo:

—Estos muchachos son muy listos, ¿eh? –Su comentario no hacía más que respaldar nuestra acción.

Después, empezamos a evaluar otras cosas. Él cambió de tema:

—A mí no me preocupaban solo los aviones… Dígame, capitán, esas corbetas francesas, ¿dónde estaban? ¿Qué iban a hacer?

—¿Cómo sabe lo de las corbetas francesas?

—Mire, cuando nosotros salimos por el Canal de la Mancha, la señora

Thatcher le dijo a Mitterrand que embarcara a toda la gente especializada en el armamento francés que tenían los argentinos. A mí, particularmente, como oficial de superficie me interesó mucho lo de las corbetas, pero también hablamos de los Mirage, de los Super Étendard que estaban adquiriendo y su estado de alistamiento; sabíamos que todavía ni siquiera los franceses habían homologado los datos para el lanzamiento del misil. En general nos proveyeron mucha información, nos dijeron que ustedes tenían pilotos muy competentes, que solo les había llegado el primer grupo de aviones y que todavía les faltaba mucha información para operarlos correctamente –Jeremy Black desplegaba su conocimiento de la flota argentina como si hubiese estado embarcado en el 25 de Mayo en vez del Invincible–. También sabíamos que ustedes tenían cinco misiles porque la entrega se había parcializado en tres partes, lo que les daba muy pocas posibilidades de que un Super Étendard pudiera atacar, excepto que lo hicieran con bombas, pero era arriesgar un avión misilístico pasando sobre los buques británicos como si fuera un A4, así que descartamos esa posibilidad.

—¿Y sobre las corbetas francesas? –le pregunté yo. Me refería a las corbetas ARA Drummond, Granville y Guerrico–, ¿qué le dijeron?

—Bueno, los franceses nos preguntaron: "¿Ustedes tienen exploración?". Ahí ya crearon la inquietud. Les respondí que no y me volvieron a preguntar: "¿Qué es lo más alto que tienen en el mar?". Y lo más alto que teníamos en toda la flota era el radar del Invincible. Y los franceses no tuvieron piedad: "Para cuando su radar detecte las corbetas, ellas ya van a haber lanzado sus cuatro misiles Exocet cada una".

Era verdad lo que decían los franceses, porque las corbetas tienen un francobordo bajísimo; esto se puede comprobar, por ejemplo, en el puerto de Mar del Plata, donde normalmente se ve alguna que otra corbeta francesa de estación y se puede apreciar que la superestructura tiene apenas dos metros arriba del muelle; son realmente bajas.

—¿Ustedes tenían pensado usar las corbetas? –me preguntó por fin.

—¡Las usamos! –exclamé–. Señor, las corbetas fueron destacadas; estaban a 80 millas de su flota y fueron ordenadas a replegarse cuando se tomó la decisión de demorar el ataque por la falta de viento.

—Ah, no, ¡pero esto es increíble! ¡Miren las cosas que me vengo a enterar! –La sorpresa de Black era genuina, pero así y todo se lo tomaba con humor, como si fuese otra pieza más de entretenimiento para su público, generando intriga por los riesgos palpables que evidentemente habían vivido sin saberlo durante la guerra–. Ya que me dice eso, tengo una curiosidad. Hace unos meses estaba caminando por el muelle de Portsmouth –que es donde los británicos tienen su base naval más importante, al sur del Reino Unido– y mi suboficial sonarista me dijo que hubo uno o dos torpedos que nos pegaron en el casco y que no explotaron, ¿usted sabe algo de eso?

—Mire, el submarino San Luis estuvo en la zona norte de las islas y cerca de la entrada del estrecho de San Carlos. Atacó con torpedos a unidades británicas el 1°, el 4 y 9 de mayo. Lamentablemente, sus torpedos no explotaron porque se les cortaba el filoguiado; fue una falla que no pudieron resolver en ese momento y no solo no pudieron festejar, sino que soportaron tremendos ataques con bombas de profundidad y torpedos buscadores que afortunadamente evitaron con tácticas evasivas muy acertadas. Un año después, resolvimos el problema.

—Sí, sí, ya sé que después lanzaron correctamente… ¡Por suerte tuvieron ese problema entonces! Les debemos un favor a los alemanes, porque el sistema es alemán –se rió, como cobrándose una vieja deuda.

Jeremy Black era verdaderamente afable, y la charla se daba en un clima entre amistoso y emotivo; parecíamos dos viejos compañeros encontrándonos después de mucho tiempo. Él era quien generaba ese clima con sus chistes y sus humoradas, desdramatizando un tema que era muy serio, pero después de casi una hora de intercambiar comentarios yo me empecé a sentir un poco incómodo, porque al fin de cuentas estábamos reteniendo a todo un grupo de antiguos almirantes que no hacían más que escuchar en silencio.

Cuando estaba por excusarme para no demorarlos más y que pudieran seguir con la reunión, Black dejó de preguntarme cosas para hacer una reflexión final, con un tono de confesión:

—Yo estuve en desacuerdo con el acercamiento que habíamos hecho a las Islas Malvinas ese día. El Canberra no estaba con nosotros y no tenía sentido acercarnos tanto si no íbamos a realizar ningún desembarco; fue una prueba, y si esa prueba nos significó tener la flota argentina encima con estas posibilidades, fue un desacierto y yo se lo dije al almirante Woodward, pero él me insistió. Recuerdo que en aquel momento yo tuve muchos planteos de mis oficiales, que tenían sentido común igual que yo, y que decían que era absurdo hacer ese acercamiento, porque con él, también nos estábamos acercando a los aviones de la Fuerza Aérea argentina. En fin, habíamos entrado en una situación que, para ser franco, me había costado mucho conducir, pero finalmente lo que hicimos fue esperar el ataque tomando todos los recaudos que podíamos tomar. Esperábamos el ataque el 2 de mayo, pero no se produjo ese día. Luego, tampoco se produjo al día siguiente, ni al otro, y nosotros nos replegamos más al este, donde nos juntamos con el almirante Woodward y el resto de la flota nuevamente, y ahí se volvió a armar una cortina por si en algún momento, con reaprovisionamiento en vuelo, ustedes o la flota se movilizaban, porque para nosotros era una flota fantasma: teníamos a los submarinos Spartan y Splendid a la búsqueda del portaviones desde el 28 de abril y todos nos preguntábamos: "¿Cómo llegaron hasta ahí sin que los detuvieran?". No lo podíamos entender, y eso que no era solo un buque, ¡eran ocho! Cuando volvimos a replegarnos con el almirante Woodward también hicimos una cortina antiaérea, que duró tres o cuatro días, porque la consideramos necesaria; ese ataque podía venir en cualquier momento y también temíamos que se nos metiera por debajo el submarino diésel que tenían ustedes. Bueno, en realidad no sabíamos si tenían en servicio uno solo o los dos. Era peligrosa la situación: recuerdo que vivimos cuatro o cinco días de mucha tensión y la verdad es que fue muy meritorio el intento que hicieron.

Jeremy Black hizo una pausa en su relato. Estaba un poco cansado ya: el juego de encantar al público se había terminado y se podía vislumbrar que el recuerdo lo había transportado a esos días de peligro que ya tenía archivados en su memoria, reviviendo con ellos el temor de un ataque inminente. Por fin retomó el ambiente más distendido, ensayando de nuevo su amplia sonrisa:

—Alguien va a recordar algún día esta batalla que no se dio, pero sinceramente le digo, Benito –desde ese momento empezó a llamarme por mi nombre de pila–, hubiese sido algo muy parejo, muy parejo, lo reconozco y no lo puedo negar porque acá, en este Estado Mayor –se refería al de la flota del Atlántico–, el almirante Harry Train, en el año 1982, hizo un análisis muy profesional junto con su Estado Mayor sobre las posibilidades de una y otra flota, y ellos fueron los primeros que dijeron que nosotros habíamos corrido mucho riesgo, y que si esa batalla hubiese ocurrido, el desgaste que podía haber provocado a los buques británicos los hubiera dejado en desventaja para enfrentar a los aviones argentinos basados en la costa. Esta situación podía haber comprometido seriamente el desembarco.

Ocho años habían pasado de la guerra y yo por fin alcanzaba la confirmación de la hipótesis que manejábamos con mis colegas a bordo del 25 de Mayo: si hubiésemos atacado aquel día o los días subsiguientes, habríamos tenido grandes chances de causarles serios problemas, sin dejar de lado el riesgo que corríamos si nos encontraban los submarinos nucleares.

—Me alegro mucho de escucharlo –le confesé con total honestidad a Jeremy Black–, porque esta fue mi obsesión durante todos estos años. A pesar de que yo era un teniente de navío, lo sabía y no podía dejar de pensar en ello; usted me da ánimo para que sigamos analizando este tema, porque creo que es muy profundo.

—Mire, yo estoy en actividad, usted está en actividad… seamos prudentes, por ahora no escribamos nada. Cuando nos retiremos, lo escribimos –me dijo. Este libro es una consecuencia directa de sus palabras.

Esa conversación habrá durado una hora. Todos quedaron maravillados y muchos, incluso, se acercaron para saludarnos y felicitarnos por la espontaneidad y camaradería que observaron en nuestro encuentro; quienes me conocían me asociaban más con la parte aeronaval y con los ataques que habíamos hecho a partir del 21 de mayo, pero no sabían de mi experiencia embarcado.

Luego de los saludos, pasamos a las mesas, porque aún no habíamos cenado y los mozos insistían para que ocupemos nuestros lugares junto a nuestras esposas, que nos estaban esperando.

Yo compartía mesa con el ayudante de Jeremy Black, que me había convocado al comienzo, y con otros oficiales de la US Navy de mi jerarquía, que me hicieron hablar durante toda la cena sobre la guerra, porque todavía el tema estaba bastante fresco y se sabía muy poco, así que querían escuchar algunas historias de primera mano.

Cuando hube cenado, me excusé y fui para el *toilette*, que quedaba saliendo del comedor, en la zona del hall, donde había estado hablando con Jeremy Black frente a los otros almirantes. Al salir, para mi sorpresa descubrí que el mismísimo Black me estaba esperando.

—Quédese acá -me dijo-, ahora que estamos solos sí podemos seguir charlando.

—No es conveniente –le contesté y, exagerando, le dije–, se van a enojar con nosotros.

—No se preocupe –me contestó–, este encuentro es más importante que la cena. Usted quédese conmigo y sigamos hablando de nuestro tema.

No habían pasado ni diez minutos de nuestra conversación, cuando el resto de los almirantes empezaron a salir del salón comedor con las tacitas de café en la mano, rodeándonos nuevamente y volviendo sobre los temas que nos interesaban a todos. En esa segunda ronda, mucho se habló de la importancia de los portaviones para lograr capacidad de exploración, alerta temprana, superioridad aérea, y ataque de superficie y submarina. Los marinos estadounidenses defendían ese tipo de buque porque de otra manera una flota se reduce a una Marina costera, según decían, en lugar de una flota oceánica con capacidad de proyección de fuerzas. Así fue como, después de Malvinas, muchas Armadas adquirieron algún tipo de plataforma en el mar –portahelicópteros o portaviones– para mejorar sus capacidades y aumentar el poder disuasivo.

Sobre estos temas nos quedamos dialogando de manera muy entretenida hasta que se fue haciendo el final de la reunión.

Jeremy Black y yo nos despedimos afectuosamente e hicimos el pacto de seguir charlando e, incluso, de escribir sobre nuestro intercambio. Yo me quedé complacido con todas las conjeturas que hicimos, e internamente me quedó una mezcla de orgullo y sabor amargo por haber descubierto que había sido verdadera nuestra chance de un logro importante durante aquellos primeros días de mayo, cuando por un factor que no conocí hasta mucho después, no habíamos librado una batalla crucial. Sé que nada aseguraba el éxito, pero después de hablar con Jeremy Black me quedó claro que las oportunidades estaban, y que nuestros superiores, en el afán de obtener una negociación, no supieron aprovecharlas.

Royal College of Defense Studies (Londres)

Benito Rotolo

Luego de nuestro encuentro en los Estados Unidos, con Jeremy Black intercambiamos datos de contacto y nos mantuvimos conectados, enviándonos de cuando en cuando alguna carta en la que nos comentábamos brevemente un resumen de novedades de nuestras vidas. Así fue como me enteré de que él se había retirado de la Marina y que en sus años de descanso había comenzado con un nuevo emprendimiento vinculado a la venta de vinos. Gracias a esa nueva actividad, un día me avisó que iba a estar viajando hacia la Argentina. Lamentablemente, no se iba a quedar en Buenos Aires, pero sí iba a tener una escala de tres horas en la ciudad, así que acordamos vernos directamente en Aeroparque para continuar nuestra conversación.

Yo lo esperé allí y él llegó como siempre, con muchas ganas de hablar. Estaba con su esposa, y charlamos como si fuese el reencuentro de dos viejos amigos. Él quería seguir charlando del tema, teníamos mil cuestiones para tocar y hablamos de todo. Fue un encuentro ameno, entre dos personas que, más que amigos, eran pares: nos podíamos mirar a los ojos como diciendo: "¿Quién va a entender estas cosas si no nosotros dos?". Y algo tan sencillo como eso se disfrutaba.

Eso sucedió en 1996, seis años después de habernos conocido. Luego tuvimos algunos contactos postales esporádicos, hasta que en 1999 tuve la suerte de ser seleccionado por el Estado Mayor conjunto para concurrir durante el año 2000 al Royal College of Defense Studies (RCDS), en Londres, invitado por el Ministerio de Defensa de ese país. El College reúne a personas de distintas nacionalidades para trabajar juntas, interactuar y colaborar en la solución de problemas internacionales. Consiste en reunir a cuarenta británicos y cuarenta extranjeros de distintos países que abarcan casi todo el mundo; en su mayoría son miembros de altas jerarquías de las Fuerzas Armadas y diplomáticos. Durante un año los participantes no son considerados *alumnos* sino *miembros*, y se estudia en general la situación de las naciones y la forma de mejorar la seguridad mundial; es un espacio muy interesante, donde se dan muchos debates, en los que se habla con total franqueza y todas las voces son escuchadas. Gracias al dominio del idioma pude tener una gran participación durante las actividades que se llevaron a cabo en el año.

Con el correr del tiempo, todos los participantes fuimos conociéndonos, del mismo modo que con los integrantes de la plana mayor del College. El director, vicealmirante John McAnally, nos invitaba por grupos pequeños a cenar con él, y en una de esas ocasiones conversamos sobre mi participación en Malvinas. Allí surgió el comentario sobre mi relación con el almirante Black, muy conocido por ellos, quien también había sido miembro del RCDS. Le comenté a McAnally que iba a llamar al almirante Black para visitarlo, y el director se sorprendió gratamente sobre nuestra amistad. A su vez, me manifestó que quizás yo quisiera conocer a un gran amigo de él, el almirante Alan West, en ese momento comandante de la flota en Northwood. Hice un corto silencio y con sinceridad le dije que no sabía que estaba en actividad. West había sido el comandante de la HMS Ardent durante el conflicto –un buque que atacamos con seis aviones navales de la tercera de ataque y que resultó hundido en el estrecho de San Carlos, el 21 de mayo de 1982– y nunca supe más nada de él. Le contesté que sí, pero le pedí que le preguntara primero si quería recibirme y que mi deseo era verlo al terminar el College.

Luego de unos meses en Londres, llamé al almirante Black a su domicilio y me atendió él personalmente.

—¡Hola, Benito! –me dijo calurosamente–. ¿Cómo estás? ¿Así que estás por Londres? Yo vivo en una pequeña casa de campo cercana a Portsmouth; cuando tengas un sábado libre, te venís con tu esposa. Tengo dos faisanes esperando para cuando llegues; lo que te pido es que traigas el vino.

Ese encuentro me entusiasmó. Tenía ganas de volver a ver a Jeremy Black y seguir con nuestros relatos y temas de la profesión naval, escuchar su tono afable, sus comentarios hilarantes y su enorme cordialidad, que hacían que uno se encontrara a gusto; pero además, aún teníamos varios temas pendientes para charlar.

Coordinar agendas no fue tan fácil, sobre todo porque el College era bastante demandante y la casa del excomandante del Invincible al sur de Londres estaba a casi dos horas de auto. Finalmente pusimos fecha y un sábado de otoño junto con mi mujer viajamos hasta allí.

Jeremy Black y su esposa nos recibieron muy amablemente, y como lo había prometido, nos deleitamos con un pastel de faisanes sumamente original y exquisito. La charla fue la de cualquier reunión social, hasta que dejamos a las mujeres conversando de otros temas y, disfrutando un aromático café, Jeremy Black me invitó a pasar al living.

—Vení, te voy a mostrar algo —me dijo.

Caminamos por la sala y en ángulo recto había otro espacio que conformaba un gran escritorio, donde pude ver paredes llenas de fotos, álbumes, carpetas con recortes periodísticos de la guerra. Todo estaba estibado en estantes y en una gran mesa baja.

—Acá está todo, *todo* —repitió excitado—: álbumes, fotos, historiales, todos los registros que llevé del Invincible, que fue mi último comando en el mar.

Hizo una pausa y luego, mientras yo miraba maravillado, retomó la conversación:

—Podemos seguir hablando nosotros para disfrutar de compartir la historia, pero lamento decepcionarte, Benito; debo decirte que ya no sé si tengo ganas de escribirla —hablaba como si sintiese que me debía una explicación, como si se estuviese excusando—. Me siento muy bien así como estoy —agregó—. Ya hay una historia de las operaciones que escribió el almirante Woodward. —Se refería al libro *Los cien días*—. Pero vos sentite libre de hacer lo que quieras. Esta es nuestra historia; yo creo que mi parte puede terminar acá.

Yo lamenté verdaderamente sus palabras, pero no por ello iba a dejar de hablar de los temas que nos interesaban a ambos. Estaba fascinado con todo el material que Black generosamente me compartía y no quería desaprovechar esa oportunidad de repasar una vez más aquellos cinco días de mayo que me venían persiguiendo desde hacía casi veinte años.

Empezamos hablando de diversas cuestiones sobre los conflictos armados en general y sobre la guerra de Malvinas en particular, coincidimos en los riesgos derivados que pudimos provocar mediante una guerra entre países del mismo bloque, ya que si el conflicto se hubiese prolongado por más tiempo, podríamos haber tenido la intromisión de fuerzas soviéticas en la zona (recordemos que estábamos en plena Guerra Fría). Con esto no quiero decir que Black no defendiera la causa británica, pero sí me parece importante resaltar la apertura que demostraba el comandante de uno de los dos portaviones que fueron a Malvinas; un militar que cumplió a la perfección con sus funciones, más allá de sus posiciones personales.

Luego, volvimos a hablar de la batalla naval que no ocurrió, y él volvió a admitir que podría haber sido una batalla decisiva y que podría haber provocado la frustración del desembarco.

—Muy parejo, hubiese sido muy parejo de haberse dado el combate. Corrimos demasiados riesgos por esos días, fue un verdadero golpe de fortuna para nosotros que ustedes no hubieran llevado adelante el ataque. En el momento no sé si tuvimos tan claro esto, pero cuando me enteré después de las posibilidades con las que contaban, me preocupé mucho más de lo que lo había hecho en el mar. No obstante, debo admitir que el ataque del 4 de mayo al destructor HMS Sheffield, con los aviones Super Étendard lanzando los misiles Exocet, nos causó sorpresa y un terrible disgusto. Aún estaba reunido con el resto de la flota, y esperando que los buques argentinos hicieran algún ataque, habíamos puesto varios destructores tipo 42 en una posición adelantada respecto de los portaviones, para protegerlos. Gracias a esta previsión, los misiles no alcanzaron a los buques del núcleo. No tuvimos la misma suerte con el Atlantic Conveyor, cuya pérdida nos generó un tremendo problema logístico. La amenaza de estos aviones con misil fueron un gran dolor de cabeza para la flota, a pesar de que los franceses nos habían asegurado que era imposible que pudieran tener listo el misil por falta de datos para su lanzamiento, pero a raíz de estos hechos tuvimos que replantear la posición de la flota más al este de Malvinas, teniendo extrema precaución para evitar nuevos ataques. Distinto fue el ataque del 30 de mayo: a fuerza de disponer en varias ocasiones la flota para la defensa aérea, nosotros estábamos mucho más preparados, y si bien nos tomó por sorpresa el sector por donde se aproximaron, pudimos responder a tiempo a la amenaza.

El ataque del cual hablaba fue el grupo combinado de dos Super Étendard con el último misil que quedaba y cuatro aviones A4C de la Fuerza Aérea con bombas. La misión se cumplió el 30 de mayo, y a los Super Étendard los tripulaban el capitán de corbeta Alejandro Francisco y el teniente de navío Luis Collavino, y a los aviones A4C, el primer teniente José Vázquez, primer teniente Omar Castillo, primer teniente Ernesto Ureta y el alférez Gerardo Isaac, y cumplieron una larga trayectoria para sorprender incursionando desde el sudeste. Esta derrota obligó al avión tanquero a acompañarlos a la ida y a la vuelta durante una larga distancia, mientras iban haciendo reaprovisionamiento en vuelo los seis aviones. La táctica consistía en que los SUE guiaran la aproximación, lanzaran el misil y luego los cuatro A4 siguieran su estela hasta

"Fue un verdadero golpe de fortuna para nosotros que ustedes no hubieran llevado adelante el ataque ... debo admitir que el ataque del 4 de mayo al destructor HMS Sheffield, con los aviones Super Étendard lanzando los misiles Exocet, nos causó sorpresa y un terrible disgusto."

llegar al blanco y lanzar sus bombas. Esto se cumplió a la perfección, pero durante la aproximación de los aviones A4C, los primeros tenientes Vázquez y Castillo fueron derribados por misiles Sea-Dart y los otros dos pilotos, con un extremo acto de arrojo, continuaron el ataque y llegaron al blanco, que reconocieron como un buque grande con cubierta ancha y humo negro en la parte superior, y allí lanzaron su armamento. Hubo también otros buques que dispararon misiles contra ellos, pero por suerte ninguno los impactó. Los dos A4 realizaron el escape rasante sin que fueran interceptados. Encontraron nuevamente el avión tanque y regresaron a Río Grande. La Marina Real británica reconoció el ataque, pero nunca confirmó sobre qué buque fue y si tuvo algún impacto. Recordemos que de los cinco misiles, dos se lanzaron contra el Sheffield, dos al Atlantic Conveyor, ambos hundidos, y el último al Invincible. En nuestros registros siempre quedó como que el misil y algunas bombas habían impactado al portaviones, y así lo atestiguaron los pilotos de la FAA, pero Jeremy Black sostuvo una vez más que reconoce el ataque como nosotros lo relatamos, pero reiteró aquella tarde, que ellos no habían sido impactados y que el misil pudo haberse desviado por la enorme cortina de chaff que lanzaron varias fragatas.[14]

—Usted no es el primero que me dice que el portaviones sufrió un impacto, Benito. Una vez, al poco tiempo de regresar al Reino Unido, realizamos un festejo naval en Portsmouth y como es costumbre, abrimos el barco para visitas durante uno o dos días. Era algo de rutina, hasta que uno de esos días, me llamó el oficial de guardia y me dijo: "Capitán, venga a ver esto". Bajé al hangar y me encontré con un grupo de franceses mirando con lupas, analizando la pintura, mirando la chapa. No entendíamos nada. Les pregunté qué era lo que buscaban: "El impacto. ¿Dónde pegó el misil?", me preguntaron, y yo no salía del asombro ante tanta insistencia. Evidentemente había trascendido que habíamos sido

---

14 Brown, *The Royal Navy and the Falklands War*, p. 256.

impactados durante la guerra, pero yo le digo que no fue así, Benito, ese hecho no consta en nuestros registros.

Puede que ambas historias sean verdad: tal vez la tripulación del Invincible no sintió el impacto pero el misil sí pegó: hay que reconocer que los Exocet tienen muy poca carga, porque su objetivo es crear un efecto dominó con la carga que trae el propio buque-objetivo; pudo haber entrado por el hangar sin causar mucho daño, aunque es cierto que debería haber quedado alguna avería visible, y algún testimonio de la tripulación. De cualquier modo, todos seguimos sosteniendo los relatos de los dos pilotos de la Fuerza Aérea argentina, Ureta e Isaac, que llegaron al blanco, vieron una densa columna de humo sobre el portaviones y lanzaron sus bombas. Estuve presente ese día, el 30 de mayo, cuando regresaron y relataron el ataque en la sala de prevuelo del hangar de Río Grande. Aun tenemos varios indicios en cuanto al comportamiento del Invencible después del ataque, que avalan las sospechas de que pudo haber sido dañado; solo hay que esperar que algún día algún tripulante lo confirme. De todos modos, este ataque combinado en mar abierto se enrola en uno de los hechos más importantes desde la Segunda Guerra Mundial, y el valor y el heroísmo de aquellos pilotos superan cualquier expectativa sobre el resultado, y ya forman parte de la historia moderna.

Con el material gráfico que me mostró Jeremy Black estuve entretenido y motivado hasta el atardecer, y me pareció que ya se iba haciendo hora de volver, así que nos despedimos de él y de su esposa y quedamos en volver a encontrarnos otro día. Las circunstancias quisieron que, por problemas de agenda, ese día no llegase nunca, y finalmente me fui de Londres sin volver a verlo. Intercambiamos en ese entonces algunas cartas más, hasta que tuve conocimiento, tiempo después, de que había fallecido el 25 de noviembre de 2015. Nuestra relación fue muy caballeresca y de gran respeto mutuo, y guardo un agradable recuerdo de su persona.

Mis disquisiciones sobre Malvinas en Londres, sin embargo, no finalizaron aquella tarde en la casa de Jeremy Black, puesto que el College era un lugar muy prolífico para intercambiar opiniones sobre lo que había sucedido en el Atlántico Sur. En la última parte del programa del RCDS estaban previstas visitas de autoridades importantes para dialogar sobre los temas actuales del mundo e intercambiar opiniones. También estaba previsto que las cúpulas de las fuerzas armadas vinieran a almorzar con los miembros del College, incluyendo a los de origen británico. Fue así como tuvimos el día naval y unos siete u ocho oficiales navales de diferentes países, más otros tantos oficiales navales británicos, almorzamos con varios almirantes de la Armada británica con el objetivo de hablar entre colegas sobre cuestiones relativas a los roles de las Armadas en tiempos actuales, historia naval, batallas importantes y otros temas afines. Eran temas muy interesantes, pero de a poco fuimos entrando en el conflicto del Atlántico Sur, y me llamó la atención cómo prendió el tema entre los oficiales extranjeros y británicos. Los almirantes aún tenían muy presente la guerra de 1982 y habían hecho un profundo análisis de la campaña de Malvinas. No se imaginaban las pérdidas y los daños que tuvieron en el enfrentamiento, y la información obtenida la aprovecharon para el diseño de nuevos buques y nuevos sistemas de armas, sobre todo el antiaéreo. También analizaron los errores de apreciación y las decisiones incorrectas para volcar la experiencia en la formación de comandantes en el mar, aunque reconocían que la velocidad de los cambios tecnológicos obligaba a un gran esfuerzo de actualización.

Cuando fue mi turno, conté sucintamente mi experiencia en los primeros días de mayo, cuando estuvimos a punto de atacar a la flota británica y no lo hicimos, supuestamente, por la falta de viento –hasta ese momento yo desconocía completamente la otra parte de la historia, que se decidió en la Casa Rosada–. Para mi sorpresa, la mayoría de mis colegas en la mesa coincidieron en que, luego del hundimiento del Belgrano, no era conveniente atacar con el 25 de Mayo. Según sus opiniones, perder estas dos naves capitales, hubiese sido demasiado duro para el país. También muy difícil asumir ese costo para el gobierno argentino, más teniendo en cuenta las consecuencias de un desequilibrio en la región cuando aún había conflictos sin resolver, como el caso de los límites con Chile. El mayor riesgo que ellos veían era la amenaza submarina y que una flota de 20 nudos, como era la nuestra, corría serio peligro de ser alcanzada y hundida sin combatir. De hecho, les llamó la atención que hayamos podido entrar y salir de aguas profundas sin haber sido detectados por el Spartan y el Splendid, que eran los submarinos que patrullaban la zona. Consideraron que el despliegue del 1 al 5 de mayo fue muy audaz de nuestra parte.

Reconozco que cuando escuché estas palabras las sentí muy honestas, y por primera vez me pude poner en la cabeza de un almirante, pese a que yo todavía era capitán de navío por ese entonces. Era cierto que perder el portaviones después del hundimiento del crucero hubiese sido muy grave, no solo para el desarrollo de la guerra, sino también para el futuro de la defensa de nuestro país.

Durante la conversación también se hizo recurrente la pregunta de por qué nuestros buques no fueron atacados antes por los submarinos británicos, pero todos coincidimos en que, en todas las batallas navales, el azar juega un papel preponderante; en esa oportunidad, los submarinos no nos encontraron. Comentamos también lo del Belgrano, y en ese momento, con mucho respeto a este caso, recordaron el hundimiento del crucero de batalla HMS Hood en 1941 por el acorazado alemán Bismarck en tan solo cinco minutos, con escasos sobrevivientes. Aquel golpe, el hundimiento de un buque capital al comienzo de la guerra, tuvo un gran impacto en la población y puso en gran dificultad la conducción política del conflicto, porque la dirigencia británica estaba dividida entre enfrentar a Alemania o negociar con ella. Por ese motivo toda la flota británica fue a buscar al Bismarck para hundirlo y recuperar la confianza de la gente en su Armada. Este paralelo con el Belgrano lo relacionaban con la lógica decisión del Almirantazgo argentino de ser más cautos con la demostrada superioridad de los submarinos nucleares, evitando una exposición irresponsable de la flota. Los marinos de otras naciones coincidieron con ese razonamiento y también lo habían visto de esa forma los almirantes de la Marina norteamericana durante la charla con Jeremy Black. Del mismo modo, para ellos también fue una gran complicación el hundimiento del Sheffield por un nuevo sistema de armas, sorpresivo y difícil de contrarrestar durante el conflicto. Claro está que si aplicábamos toda esta racionalidad sobre el empleo de los medios navales propios, no hubiésemos logrado ninguna resistencia a los intentos de desembarco.

Luego de una agradable sobremesa con estas charlas tan profesionales, nos despedimos y les agradecimos el tiempo que se habían quedado con nosotros.

Mi reflexión aquel día fue que los británicos también habían confiado en que, disuadidos por las capacidades de su flota, no intentaríamos hacerles frente o disputarles el mar. Otro pensamiento que tuve fue que todos los países habían aprovechado las experiencias que había dejado Malvinas y qué difícil era, en cambio, instalar estos temas en nuestro propio país. Más allá de las disquisiciones hechas en aquel momento a partir de algunas experiencias personales y de algunas intuiciones, hoy existen algunos datos fácticos, insoslayables a esta altura, luego de la desclasificación de ciertos documentos y de algunas investigaciones que se han hecho. Por ejemplo, que el portaviones 25 de Mayo no fuera atacado por el simple hecho de que no fue encontrado es algo ya probado. Y no fue encontrado porque las zonas de patrulla del Splendid y el Spartan tuvieron alguna interferencia en la comunicación satelital que los obligó a dejar una zona libre, que fue casualmente por donde entró y salió nuestro portaviones junto con todo el resto de la flota. Por otro lado, también se conoce que el Splendid abortó una aproximación de ataque al portaviones al sentir la amenaza de los aviones Tracker, lo que me permite concluir que después del 2 de mayo los submarinos británicos tuvieron la posición del portaviones, pero no pudieron aproximarse debido a la fuerte defensa antisubmarina llevada a cabo hasta llegar a aguas protegidas.

Ahora bien, también queda comprobado, tantos años después, que tenía más sentido continuar el ataque que suspenderlo. La idea de preservar la flota ante el riego de que sea hundida y se perdiera el equilibrio en la región, o el temor de quedarnos sin flota ante el problema pendiente con Chile, considero que son todos argumentos secundarios de un análisis teórico hecho *a posteriori*, sin tener en cuenta el momento que se estaba viviendo dentro de los buques y del portaviones en particular. Fue un escenario en el que todo sucedió de manera imprevista: la lucha comenzó sin una declaración previa de guerra y las acciones obligaban a rápidas respuestas, sin tiempo para las coordinaciones necesarias; por tal motivo, el liderazgo, la iniciativa y el factor sorpresa eran nuestro único recurso táctico para obtener ventajas, y en esa oportunidad las tuvimos.

Para la primera semana de diciembre del año 2000, el College concluía luego un intenso año de trabajo y viajes, que resumo como una de las mejores experiencias profesionales de mi carrera. Luego de la infinidad de temas tratados y la riqueza de la relación con un grupo humano diverso, el mejor regalo es la camaradería que alcanzamos. Aún nos mantenemos comunicados.

Como le había prometido al director, la segunda semana de diciembre me comuniqué con el oficial ayudante del almirante Alan West para conocerlo, y coordinamos reunirnos en su oficina del Comando de la Flota en Northwood, en las afueras de Londres.

Durante el viaje, de casi una hora debido al tránsito, me puse a pensar en este encuentro. Una vez más, como en tantos otros casos, dos excombatientes se reunían para conocerse por primera vez, luego de dieciocho años en que ambos se habían visto involucrados en un combate aeronaval con pérdidas y bajas para ambos lados.

Trataba de imaginarme la situación del otro, desde un aspecto absolutamente humano, porque el escenario de guerra ya no existía. Era obvio que Alan West, en su rol de comandante en 1982 de la fragata HMS Ardent, debió asumir una situación sumamente difícil, que le requirió mucho valor y firme actitud para sobreponerse a esas circunstancias; soportar los combates, mantener el control del buque y de su gente, poniendo a salvo a la tripulación y los heridos, antes que este se hundiera.

Con estas reflexiones y habiendo ambos continuado la carrera naval, lo que íbamos a protagonizar era un encuentro de características históricas. Con honestidad, me fui convenciendo de que finalmente estábamos haciendo algo necesario e importante para ambos: conocernos.

Al llegar al edificio me recibió su ayudante y, luego de una breve espera, West abrió la puerta de su oficina y me invitó a pasar. Nos saludamos con un fuerte apretón de manos y luego de servirnos un jarro de café cada uno, nos sentamos a conversar amablemente. En lo primero que coincidimos fue en la desafortunada crisis del 82, que lamentablemente terminó en una guerra, con graves consecuencias para ambos bandos. Después, ya con un poco de humor, acotamos que por suerte habíamos sobrevivido y podíamos contarnos nuestra historia.

La charla se volvió muy agradable y sincera. Yo le conté cómo habíamos vivido la misión del 21 de mayo, las dificultades para llegar a la zona de San Carlos, el intenso fuego antiaéreo, la amenaza de los aviones Harrier y luego los derribos de los tres aviones de la primera sección. Él también expresó que pasó un día tremendo, ya que su misión era estar en aguas abiertas para obtener detección temprana y estaba muy expuesto a los ataques aéreos; así fue como recibió las incursiones de un A4 y de tres Daggers de la FAA previos al nuestro, pero pese a los daños recibidos, no le impidieron seguir operando.

Recordaba muy bien el ataque de los seis aviones navales por la tarde, separados en dos secciones de tres aviones. Para él, lo distintivo fue la forma en que nos aproximamos (haciendo giros hacia una y otra banda para dificultar la puntería de los sistemas antiaéreos), el color claro de los aviones y las bombas de cola frenada lanzadas en reguero. De ambas secciones recibió impactos y, debido a las graves averías, tuvo que ordenar el abandono del buque; destacó, también, el heroísmo de la tripulación, que luchó hasta el último minuto. Bromeando una vez más, señaló que si hubiera tenido disponibles los misiles Sea Cat de corto alcance, nosotros no hubiésemos llegado al blanco, pero los había perdido en el ataque de la primera sección.

Hacia el final, hablamos de nuestras carreras, nuestras familias y las actividades del College. Ambos nos comprometimos en volver a encontrarnos en alguna otra actividad relacionada con las Armadas y nos despedimos amigablemente en un clima de mucho respeto y ¿por qué no decirlo?, también de mutua admiración.

West vino a la Argentina en una visita oficial a la Armada en el año 2001 y nuevamente en diciembre de 2003 como primer lord del Almirantazgo, ya que le habían otorgado el máximo cargo de la Marina de su país.

En ambas visitas pudimos reunirnos con algunos de los pilotos, repitiendo las impresiones de nuestro ataque, con comentarios sinceros, precisos y una acertada actitud reflexiva sobre las consecuencias de la guerra. Mantuvimos, también, reuniones profesionales y sociales con oficiales y almirantes de la Armada argentina, en las que intercambiamos muchas anécdotas del conflicto, comentamos las enseñanzas y construimos también una agradable amistad, que se ha extendido hasta estos días. Su trato hacia nosotros durante estos eventos fue siempre el de un auténtico caballero de mar.

Testimonios del almirante Sandy Woodward

Benito Rotolo

Tuve acceso al libro del almirante Sandy Woodward a mediados de los noventa. Si bien este hecho es anterior a mi estadía en Londres en el año 2000, lo dejé para el final porque al leerlo detenidamente quedé sorprendido por sus relatos. Con mucho respeto y consideración, menciona las posibilidades de la Armada y la Fuerza Aérea argentinas de provocarle daños a su flota, que podrían haber impedido el desembarco en las islas.

Destaco en este comandante la honestidad profesional de expresar las grandes dudas sobre la operación naval simplemente por las desventajas y vulnerabilidades que ellos evaluaban de elevado riesgo. Sincero y autocrítico, reconoció los momentos más terribles que soportó en los combates, donde debió recurrir a un estado de ánimo muy especial para sobreponerse y mantener el control de las operaciones. Dado que muchos de los pasajes de sus memorias reafirman mi convicción de las posibilidades que tuvimos, voy a mencionar algunos, para demostrar que los que pensábamos que el 2 de mayo debíamos seguir buscando la batalla no estábamos tan equivocados.

Solamente en su prólogo, con una asombrosa autenticidad, confiesa las críticas recibidas por algunos periodistas de medios británicos que lo trataban de muy precavido y arrogante. "Debía recibir la Estrella de África del Sur por haber estacionado el Hermes tan al este y lejos de la acción"[15], ironizaban en la prensa. En otro pasaje del prólogo, manifiesta: "Creo que el aspecto de este libro que más sorprendió a mis correctores y editores [...] era la ineludible conclusión de que de una u otra manera, el asunto no estuvo lejos de fracasar"[16]. Recuerda también que varias organizaciones totalmente competentes sospechaban que toda la operación estaba "condenada al fracaso"[17]. Como ejemplo, menciona los siguientes motivos:

- La Marina de los Estados Unidos consideraba que la reconquista de las islas era una imposibilidad militar.
- El Ministerio de Defensa británico manifestó que toda la idea era muy arriesgada.
- El Ejército británico pensaba que la guerra no era aconsejable por la superioridad numérica de hombres que los argentinos pondrían en las islas.
- La Royal Air Force se inclinaba a que sus posibilidades eran mínimas por las grandes distancias para operar desde Ascensión.

Obviamente, afirma Woodward, no faltaban voces para que la flota volviera. Pero confiesa que la férrea posición del primer lord del

---

15 Woodward, *Los cien días*, p. 14.
16 *op. cit.*, p. 15.
17 Ibid.

Almirantazgo, sir Henry Leach, de que la Marina podía hacerlo fue la confianza necesaria para seguir adelante.

En otro pasaje expresa que le agradece a Caspar Weinberger, ex secretario de Defensa de los Estados Unidos, la afirmación de que "la guerra del Atlántico Sur fue ganada por la indomable voluntad de las fuerzas armadas británicas", pero luego señala que "en términos generales la victoria deberá ser considerada como algo muy cercano a la derrota"[18].

En otro punto interesante, indica: "[L]os comandantes argentinos inexplicablemente no llegaron a darse cuenta de que, si hubieran atacado al Hermes, los británicos habríamos quedado destruidos", y luego concluye: "cualquier incidente mayor, como una mina, una explosión, un incendio en cualquiera de nuestros dos portaviones, sin duda habría resultado fatal para toda la operación".[19]

Es por este pensamiento que el primer capítulo de su libro comienza con el relato del ataque al destructor Sheffield. Conociendo en detalle esta misión, Woodward es muy preciso en cómo se llevó a cabo el ataque aeronaval por parte de los aviones Super Étendard y el viejo explorador Neptune. Sin duda, no oculta el asombro de semejante operación de ataque, que estuvo a un nivel de sorpresa tecnológica. Describe, además, la impotencia de toda la flota para detenerlos y salvó a los portaviones de ser impactados al poner tres destructores como cortina avanzada para recibir el ataque. Debo reconocer que la descripción de lo que sucedió, el reconocimiento de sus fallas, más lo vivido a nivel personal con sus comandantes, es un relato fiel de lo que verdaderamente pasó.

Respecto de la aproximación de nuestra flota y lo sucedido hasta el 5 de mayo, basta con repasar los capítulos 7 ("1º de mayo. Comienza la guerra") y 8 ("Las campanas del infierno") de su libro para comprender que para ellos el despliegue de nuestra flota configuraba una batalla naval decisiva. Y tenían que tomar acciones para detenernos antes de que un enfrentamiento se produjera, porque si ello ocurría, allí terminaba la campaña y quizás había que olvidarse del desembarco. Cito algunos párrafos de los capítulos referidos para ilustrar la situación:

---

18 *op. cit.*, p. 16.
19 Ibid.

"En la madrugada del 2 de mayo, me despertaron cuando uno de nuestros Harrier enviados a investigar informó que había hecho varios contactos de superficie en su radar en el cuadrante noroeste, a unas 200 millas. Mis pies estaban ya en el suelo antes de que terminaran de decírmelo".[20]

"Los contactos se produjeron más o menos donde esperábamos: al noroeste del grupo de batalla y al norte de las islas. Representaban, casi con seguridad, el grupo de batalla del portaviones argentino, el 25 de Mayo, con su escolta de tal vez cinco naves. Dos de ellas, sospechaba yo, podían ser los destructores antiaéreos tipo 42, Santísima Trinidad y Hércules, naves gemelas al Coventry y Sheffield".[21]

Resumiendo, Woodward analiza la situación con su Estado Mayor y rápidamente llega a la conclusión –totalmente correcta– de que el 25 de Mayo estaba planeando un ataque al amanecer con los aviones A4Q, que sumaba también posiblemente a los Super Étendard y luego los Exocet de todos los buques, especialmente de las corbetas francesas A69. Formaron una línea de batalla para enfrentar los ataques, teniendo en cuenta también que a 250 millas al sudoeste estaba el crucero Belgrano y sus dos destructores escolta, considerando que este grupo también sería una amenaza.

Para Woodward, el contraalmirante Allara, a bordo del 25 de Mayo, estaba ensayando un ataque masivo con todas sus unidades desplegadas sobre el grupo de batalla británico.

En una reunión a bordo del Hermes con su Estado Mayor, llegaron a la conclusión de que estaban frente a una batalla decisiva al amanecer, y que podían tener unas treinta bombas encima del Hermes y el Invincible de los aviones de ataque de un grupo y unos dieciséis misiles Exocet del otro, así como también los Super Étendard y aviones de la Fuerza Aérea, lo que crearía una gran confusión por el ataque simultáneo. Habrían encontrado una situación sumamente problemática para dar respuestas a las diferentes amenazas, para lo cual iban a necesitar mucha suerte para sortear esta situación.

Es así que, ante esta situación, Woodward solo podía evitar la batalla confiando en que los submarinos atacaran a los dos buques principales

---

20 *Op. cit.*, p. 161.
21 Ibid.

argentinos cuanto antes; de lo contrario, el desgaste de un enfrentamiento de superficie hubiera hecho fracasar su misión.

Al respecto, Woodward expresa: "No quedaba más que una sola solución. Tenía que eliminar uno de los brazos de la pinza. No podía ser el portaviones, debido a que nuestros submarinos Spartan y Splendid todavía no habían hecho contacto, de modo que debía ser el Belgrano y sus destructores".[22] Por lo que estábamos viviendo esa noche, no coincido con la expresión "maniobra de pinza", ya que daría a entender que el grupo sur tenía un rumbo hacia la fuerza británica y esto no era así, porque el buque argentino y sus escoltas navegaban con rumbo sudeste para presentar una distracción táctica a los británicos, y también una amenaza, pero no para sumarse en ese ataque, sino para batir blancos de oportunidad, si se realizaba la batalla en el sector norte.

Finalmente, el portaviones 25 de Mayo suspendió el ataque, y si bien había sido detectada su posición, los submarinos no habían dado con él, mientras que durante el repliegue, el Conqueror ya venía siguiendo al Belgrano y sus escoltas. Woodward también comenta que esperaron el ataque del grupo del 25 de Mayo hasta el 3, 4 y 5 de mayo, puesto que no lo podían localizar. En algún momento, pensaron que el ataque vendría después del ataque al Sheffield, pero tampoco sucedió. Después del 3 de mayo, el almirante Anaya decidió aceptar el asesoramiento inicial sobre la superioridad de los submarinos británicos y preservar, por el momento, al grupo del portaviones.

Para imaginar lo inesperado que fue para los planes de Woodward la ofensiva de la flota argentina, y la importancia que él le otorgaba a nuestra flota, basta con repasar este episodio en el relato de sir Lawrence Freedman, en su libro *La historia oficial de la campaña de Malvinas*. En un detallado y extenso texto, cubre largamente el período que va desde el 30 de abril al 5 de mayo,[23] con excepción del párrafo en el que sostiene que el día 2 de mayo hubo un ataque de aviones Super Étendard que finalmente no llego al objetivo. Este dato es incorrecto, ya que está comprobado con total exactitud que ese día no hubo acciones de guerra por parte de las fuerzas argentinas.

El análisis que hace el gabinete de guerra del Reino Unido sobre la amenaza que significaba el portaviones con su grupo aeronaval

---

22 *op. cit.*, p. 164.
23 Freedman, *The Official History of the Falklands Campaign. Vol. II.*, pp. 284-331.

embarcado es muy preciso y profesional. Yo concuerdo con todos los recaudos tácticos, porque de nuestro lado eran nuestras fortalezas. Estas consideraciones que analizaron desde el 22 al 30 de abril concluyeron que la mejor opción era hundir al portaviones con los submarinos nucleares lo antes posible.[24] Es notable la importancia que le asignaron a las posibilidades del 25 de Mayo.

Freedman agrega en su análisis la necesidad que tenía la flota británica de obtener el dominio del mar para el desembarco de las tropas en las islas. Justifica todas las acciones de Woodward –sobre todo el hundimiento del Belgrano–, ya que el plan que había diseñado contenía como premisa utilizar los submarinos nucleares y evitar cualquier desgaste de las fuerzas navales en un enfrentamiento con la flota argentina. Expresa que la frustrada acción de detectar y atacar al grupo de portaviones argentino obligó a cambiar las reglas de empeñamiento durante el mediodía del 2 de mayo, para que se atacara al Belgrano y así se intentara detener la ofensiva naval argentina. Debo aclarar que aquí no concuerdo con Freedman, porque reconozco que el portaviones y su grupo estaban en condiciones de un ataque inminente en la madrugada, pero en el caso del Belgrano, distanciado a 250 millas náuticas a 18 nudos de velocidad, tenía más de 10 horas para llegar a esa posición y colocarse al alcance de las armas, y no se lo podía tomar como un peligro inminente para tener la necesidad de neutralizarlo. Esta postura es muy discutible, sobre todo si tomamos la situación táctica del 2 de mayo a las 16:00, cuando nuestras fuerzas se replegaban hacia el oeste y las británicas hacia el este ampliando aún más las distancias entre ambas, y no hay registros de que se estuviera realizando ninguna ofensiva en ese momento.

En otro párrafo reconoce, también, que las comunicaciones de los buques argentinos eran interceptadas y descifradas, pero estas se demoraban en ser comunicadas a los mandos británicos, con lo cual sutilmente deja cubierta la postura de que desconocían la suspensión del ataque y el cese de hostilidades sugerido por el presidente del Perú en ese momento, algo muy distinto a lo que observaba José Enrique en Casa Rosada.

---

24 Ibid., pp. 261-268.

CAPÍTULO 6

Corolario de la campaña naval

Benito Rotolo

Consideraciones

Las frías aguas del Atlántico Sur habían tenido ya a dos flotas en disputa; ello ocurrió el 8 de diciembre de 1914 entre la escuadra alemana al mando del almirante Maximilian von Spee y la británica, a cargo del almirante Frederick Sturdee. Aquel encuentro se llamó "la batalla de Malvinas". Por aquel entonces, la táctica naval se resumía a provocar el encuentro, ponerse a distancia de tiro de los cañones y lanzar salvas sucesivas, tratando de lograr que una salva impactara sobre el buque enemigo. Claro que las ventajas estaban del lado de quien tuviera más alcance, más calibre y más precisión. Tarde o temprano, y de acuerdo con estos parámetros, el buque que recibiera la primera andanada quedaría fuera de combate o hundido. En esa oportunidad, los británicos tenían buques con mayor coraza, mayor velocidad y cañones de 305 mm. Los cruceros acorazados alemanes tenían menor resistencia en el casco y cañones de 210 mm. Las primeras salvas que hicieron blanco dieron sobre los buques británicos, pero no lograron su efecto debido a su coraza. Por esa superioridad, finalmente la flota alemana fue desgastada por la artillería enemiga y resultaron hundidos los buques SMS Scharnhorst, SMS Gneisenau y el SMS Leipzig. El almirante von Spee, sus dos hijos, también oficiales, y casi 1.800 hombres murieron en la batalla.

Esas tácticas fueron evolucionando y surgieron grandes cruceros y acorazados con un tremendo poder de fuego, y estos buques eran los actores principales del poder naval. Su apogeo llegó hasta la Segunda Guerra Mundial, cuando comenzaron a ser vulnerables a los submarinos y a la nueva figura en el mar: los portaviones.

"Los cinco días de mayo de 1982 definieron, a mi entender, el curso de la guerra, sobre todo por el contradictorio proceso decisorio de la Junta, que nos quitó la iniciativa y nos hizo perder las posiciones relativas favorables que por fortuna habíamos conseguido."

Contar con aviones embarcados daba una gran ventaja, por la exploración a distancia y el alcance de las armas (aviones de ataque y aviones torpederos), lo que creaba una superioridad imposible de contrarrestar para una flota que no los tuviera. Fue así que, con el correr de los años, el nuevo sistema cubierta-avión fue reemplazando a los grandes acorazados, y aparecieron cruceros livianos, destructores y fragatas con funciones de escolta y capacidades mayormente antiaéreas y antisubmarinas.

Para 1982, las flotas en disputa –la argentina y la británica– tenían este diseño, aunque una estaba compuesta por buques de 35 a 40 años, con sus limitaciones –como el 25 de Mayo y el Belgrano, más algunos destructores, combinando lo viejo y lo moderno–, y la otra era la tercera en el ranking mundial. Esta valoración estaba dada por la modernidad de sus naves y el desarrollo tecnológico de sus sistemas de armas, aviones de despegue vertical y radares de última generación.

Todo esto estuvo en juego nuevamente en el Atlántico Sur y Malvinas, y en ese escenario los cinco días de mayo de 1982 definieron, a mi entender, el curso de la guerra, sobre todo por el contradictorio proceso decisorio de la Junta, que nos quitó la iniciativa y nos hizo perder las posiciones relativas favorables que por fortuna habíamos conseguido.

La batalla decisiva no se dio. La flota británica no la buscó: era inaceptable un desgaste previo al desembarco y el plan pretendía hacerlo por medio de los submarinos nucleares; neutralizar la flota para poder invadir las islas. Provocar una batalla naval por parte de la flota argentina, a pesar de los riesgos, para mí era acertado, porque con nuestros medios y con la aviación embarcada, si tomábamos la iniciativa y conseguíamos la sorpresa, como realmente ocurrió, se podían provocar daños de importancia, dada la ayuda que ofrece el azar en la historia de las batallas navales cuando dos flotas se acercan para el combate. Las ventajas que tuvimos ya las mencioné, y lo cierto es que, llegados al punto que estuvimos el 2 de mayo, suspender el ataque en ese momento fue inevitable por el imponderable del viento, pero podíamos desplazarnos en su búsqueda hacia otras zonas más favorables mientras se perseguía la flota británica para mantener distancia de combate (180-250 millas náuticas). Esa situación meteorológica no podía durar más de 24 horas en el Atlántico Sur; relativizar la idea del ataque no tuvo visos de racionalidad para los que estábamos en el mar.

Al abandonar la ofensiva nos volvimos vulnerables, especialmente con una retirada lenta y muy expuesta, confiando en un escenario de crisis donde se cumplían las reglas de empeñamiento y la zona de exclusión y solamente podía haber acciones bélicas con el concepto de autodefensa. A nuestro nivel, en los buques teníamos un gran escepticismo de que esto se cumpliera a rajatabla, ya que conocíamos cómo los británicos utilizaban la diplomacia de cañoneras. Del mismo modo se han dado en la historia hechos reales de manejo de crisis, incluso con despliegues de fuerzas navales, donde se logró evitar una escalada bélica y en eso tratábamos de confiar.

Cuando nos enteramos del ataque al Belgrano inmediatamente asumimos que ya ninguna de estas reglas se iba a cumplir y que entrábamos en una escalada bélica generalizada. Todos entendimos que a pesar de los riesgos inminentes, había que poner nuevamente rumbo al enemigo y volver a intentar la batalla, pero esta orden nunca llegó. Con orgullo y dolor honramos al viejo crucero, que junto a su valiente tripulación cayó en combate con gran honor, dejando a sus héroes en el Atlántico Sur. El hundimiento del Belgrano en la faz operativa tiene esta interpretación; así lo entendimos los que estábamos en el portaviones el 2 de mayo; en cambio, a nivel político tiene otra explicación: el parlamentario Tam Dalyell sostiene que el Comando Naval británico poseía buena información sobre los movimientos del Belgrano y su maniobra de repliegue por la suspensión del ataque, como explicó José Enrique anteriormente.

Nuestra apreciación nunca dejó de lado que estábamos ante la tercera Armada del bloque occidental, integrante de la OTAN. Obviamente, las ventajas que tenían sobre nosotros eran en número de buques y nivel tecnológico. En la campaña, el Reino Unido envió al Atlántico Sur dos portaviones, mucho más modernos que el nuestro, veintitrés destructores, seis submarinos, ocho buques anfibios y cerca de sesenta buques no militares requisados y transformados para esta operación. Al respecto, el almirante Lombardo, en su libro *Malvinas, errores, anécdotas y reflexiones*, que no se llegó a publicar, expresa: "La enorme desproporción entre la cantidad y calidad de unidades hacía absolutamente imposible un combate frontal entre las flotas contendientes. Enviar la flota de mar argentina a enfrentar a los británicos no era una operación apta, por cuanto el sacrificio de hombres y unidades no hubiera servido para detener al enemigo, ni siquiera para causarle daños de consideración ni tampoco para evitar el desembarco. No era factible porque nuestra flota no hubiera podido entrar en combate con alguna posibilidad de éxito".[1] En otro párrafo, también confiesa: "Cuando comienzan los preparativos de la invasión, le aclaro al almirante Anaya que nuestra flota no iba a poder utilizarse si se detectaba la presencia de submarinos nucleares en la zona de operaciones".[2]

Evaluábamos permanentemente la dimensión de la flota enemiga, pero dada la orden de interceptarla el 30 de abril, nos refugiamos en nuestra confianza de poder tener una oportunidad, y eso nos dio fortaleza. Lamentábamos quizás no haber tenido un poco más de preparación. Recordábamos que para el conflicto del año 78 con Chile nos preparamos dos años antes, alcanzando un gran nivel de adiestramiento, probando el armamento y asegurando la cadena logística, factores fundamentales para la preparación moral que todo combatiente necesita. Es por eso que, ante nuestro estupor de hacerle frente militarmente al Reino Unido, teníamos respuestas tales como: "No hay que preocuparse, toda esta movilización es para presionar una negociación ventajosa, nadie piensa en provocar una guerra".

Existieron valiosos asesoramientos para limitar el conflicto en recuperar las islas, conseguir una negociación y retirar las fuerzas para no escalar a nivel bélico. No obstante, el curso de las decisiones después del 2 de abril fue cambiando el objetivo inicial hasta las célebres palabras de Galtieri frente a la plaza multitudinaria y enfervorizada, desafiando al Reino Unido: Manuel Solanet, en aquel momento secretario de

---

1 Lombardo, J. J., *Malvinas: Errores, anécdotas y reflexiones*, capítulo 2 (sin numeración de página).
2 Ibid.

Hacienda, en su libro *Notas sobre la guerra de Malvinas*, decía sobre esta frase que Galtieri "había cerrado la puerta y tirado la llave"[3]. Lamentablemente así fue, porque de esa manera le dio entidad y justificación a la fuerza expedicionaria británica para recuperar las islas militarmente. Si cumplía el plan inicial, el Reino Unido quedaba expuesto a una exageración de la respuesta: la flota venía en vano y se gestaba otro escenario para una negociación, pero esto no fue lo que sucedió.

El principal problema de esta actitud, para los que estábamos en el teatro de operaciones, es que interpretamos claramente que íbamos a una guerra, pero esta etapa no estaba para nada planificada, fue una improvisación.

Por eso, irónicamente, a pesar de los buenos y acertados análisis acerca del potencial de las fuerzas enemigas y de nuestras posibilidades, sorpresivamente terminamos mar adentro enfrentando a la flota británica.

Ante esta contradicción, los que estábamos embarcados asumimos con realismo que íbamos a un combate desigual y pusimos todo nuestro esfuerzo, de acuerdo con nuestras posibilidades, en tratar de alcanzar los mejores resultados, aprovechando las vulnerabilidades del enemigo que ya mencionamos. En lo personal, y me consta que muchos de mis compañeros pensaban igual, la actitud de los hombres embarcados –puedo hablar con certeza de los tripulantes del 25 de Mayo– teníamos plena conciencia de las consecuencias de una batalla. Sin embargo, a bordo todo comenzó a funcionar a la perfección. De a poco uno va dejando las especulaciones de lado y comienza a separase del pasado, de los sentimientos íntimos, y con gran concentración en sus funciones pasa a preparar el futuro de la mejor manera. El temor y la incertidumbre van mutando a la expectativa y la ansiedad por el examen que se aproxima; con una tensa calma, el pensamiento se va enfocando a la determinación de luchar y el deseo de conseguir un resultado. En ese punto solo importa el mundo que a uno lo rodea, el compañero, el equipo en el que se va a apoyar en la adversidad del combate. En todo ese proceso, cada uno debe cumplir su rol y todos dependemos de los demás; aparece la confianza y curiosamente vuelve el optimismo y el buen ánimo, que supera cualquier temor.

---

3 Solanet, M. *Notas sobre la guerra de Malvinas*. p. 104.

"No debe haber algo más parecido al infierno que sufrir explosiones de bombas, misiles o torpedos dentro de un buque de guerra, lleno de tuberías de combustible, vapor, armamentos, munición de combate, máquinas en funcionamiento, todo comprimido, donde la gente habita y opera en espacios muy reducidos y compartimentos estancos."

Esto es lo que experimenté personalmente y lo que observé dentro del portaviones, que se repitió de igual manera en los demás buques. Ese comportamiento es el necesario para enfrentar cualquier contingencia. Por las circunstancias mencionadas, no vivimos lo peor, pero por los relatos de las tripulaciones del Belgrano, el Sobral, el Isla de los Estados y varios buques británicos, no debe haber algo más parecido al infierno que sufrir explosiones de bombas, misiles o torpedos dentro de un buque de guerra, lleno de tuberías de combustible, vapor, armamentos, munición de combate, máquinas en funcionamiento, todo comprimido, donde la gente habita y opera en espacios muy reducidos y compartimentos estancos. Sin embargo, desde el comandante hasta el último de los 1.300 tripulantes del 25 de Mayo, la actitud general frente a la idea de entrar en combate fue ejemplar.

Verdades implícitas

Testimonios, casi cuarenta años, varios libros, historias oficiales y documentos desclasificados componen un abultado resumen de datos que van cerrando la verdadera descripción de hechos clave, que revelan los verdaderos efectos de la salida al mar de la flota argentina.

La evaluación británica estuvo clara, y siempre barajaron dos opciones: una, que ante la temible amenaza de los submarinos nucleares nadie les disputaría el mar, y la otra, que si nuestra flota les hacía frente, había que hundir la mayor cantidad de buques posible, poniendo en primer lugar al 25 de Mayo con su grupo aeronaval embarcado, puesto que ese buque podía cubrir cerca de 400 millas diarias de navegación y el alcance de sus aviones hasta 350 millas náuticas, incluyendo a los Super Étendard con sus misiles, porque si bien había dudas de si estaban a bordo, debían considerarlos. A eso se sumaban los aviones Tracker que podían brindar exploración antisubmarina a casi 400 millas de distancia del buque. Obviamente, ese era el blanco a neutralizar antes del intento de cualquier desembarco, y así lo evaluaba el Gabinete de Guerra el 28 de abril. Para el ministro de Defensa británico, John Nott, lo difícil era establecer la base legal para esta acción, y entendía que solo era posible ordenar su hundimiento cuando este atacara los buques británicos.

El gabinete se reunió nuevamente el 30 de abril con asesores legales, y tanto el jefe del Estado Mayor de la Defensa, sir Terence Lewin, como el primer lord del Almirantazgo, sir Henry Leach, luego de un largo debate, coincidieron en que los alcances de los aviones del 25 de Mayo daban cercanía y amenaza a toda la flota británica no bien saliera a alta mar. Por ese motivo se decidió cambiar las reglas de empeñamiento, y se permitió a los submarinos y a todos los buques atacar al portaviones fuera de la zona de exclusión sin que fuera necesario un ataque previo a la fuerza naval británica, excepto que estuviera en aguas territoriales argentinas o al norte del paralelo 35 y al oeste del meridiano 48.[4]

En su artículo "¡Hundan al portaviones!", publicado en el *Boletín del Centro Naval* n° 817, Alejandro Amendolara vuelca el resultado de una investigación al respecto y menciona que Nott expresaba: "Ya le habíamos dado al almirante Woodward las reglas de empeñamiento, permitiéndole atacar al portaviones argentino 25 de Mayo donde quiera que lo encontrara, dentro o fuera de cualquier zona de exclusión"[5]. Si el portaviones era detectado, su suerte estaría echada.

Para cumplir con ese propósito, desde Northwood, centro de comando de la Marina Real británica, el 1° de mayo se emitió un mensaje a los submarinos Spartan y Splendid para buscar el portaviones.

Ese día, el submarino Conqueror quedó ubicado al sur de las islas, el Splendid al norte y al oeste, y el Spartan al norte y al este. La versión británica más firme es que el Spartan recibió claro el mensaje y luego la posición estimada del grupo del portaviones, pero se inhibió de actuar porque esta estaba ubicada en el cuadrante del Splendid, que por un problema de recepción en la trasmisión satelital recibió tarde el mensaje. Doctrinariamente, el concepto es correcto, ya que no debe haber

4 Freedman, *op. cit.*, p. 267.
5 Amendolara, A., *Boletín del Centro Naval*, n° 817, p. 239.

interferencias en las zonas de patrulla para evitar confusión en el reconocimiento de blancos y se debe permanecer en las áreas asignadas, con la excepción de que exista la necesidad de una persecución en contacto de un buque enemigo. A pesar de todo, el portaviones argentino seguía sin ser detectado.

Como lo contara Jeremy Black, en la madrugada del 2 de mayo y ante la incertidumbre de no saber dónde estaba el 25 de Mayo, se envió un piloto de Harrier, teniente Ian Mortimer, a que se elevara sobre el Invincible y tratara de buscar con su radar algún contacto. Una exploración inadecuada y poco frecuente, pero no tenían otra forma de observar el horizonte. La noche era clara por la luz de luna, el mar estaba calmo y la seguridad del vuelo estaba garantizada, y fue así que Black autorizó al piloto a explorar algunas emisiones radar que provenían del oeste. El teniente Mortimer se acercó a 40 millas de nuestra fuerza, fue detectado y luego iluminado por los radares 909 de control tiro de los misiles Sea Dart por ambos destructores, Hércules y Santísima Trinidad. Esta acción motivó que el Harrier apagara sus sensores y regresara rápidamente hacia su propia fuerza. Black confesó haber quedado sorprendido por la cercanía de nuestra posición e inmediatamente le confirmó a Woodward la detección. Paralelamente, la flota argentina preparaba un ataque al amanecer, como lo habían sospechado; rápidamente ordenaron la formación de sus buques para resistir el ataque. Sus apreciaciones sobre aquel momento las conté en nuestro encuentro en Norfolk.

Para nosotros, la detección del Harrier cerca de la 1:30 de la madrugada del 2 de mayo significó un verdadero zafarrancho[6] por la alarma de ataque aéreo, que movilizó a toda la tripulación hacia sus puestos de combate. Los pilotos nos reunimos en la sala de pilotos listos, y una vez allí, analizando la situación, no podíamos entender un ataque nocturno de aviones Harrier, ya que no tenían esa capacidad, con lo que concluimos rápidamente que se trataba de alguien que había venido a corroborar nuestra posición. Cerca de las 2 de la mañana, y con un buen grado de excitación, comenzamos a prepararnos para el ataque del amanecer; obviamente, la batalla era inminente.

---

6 Un "zafarrancho de combate" es el término naval que indica el cubrimiento de puestos de combate en presencia del enemigo.

También para esta hora, nuestra flota había sido detectada, y comenzaba a correr el tiempo de descuento para tener los submarinos sobre nosotros. A pesar de esta situación, tanto en la trayectoria de ataque como al regreso no pudieron encontrarnos. Los buques del sector norte entraron y salieron a sus anchas, sin afectar sus operaciones y sin consecuencias desde el 28 de abril al 8 de mayo. Mariano Sciaroni, en su libro *Malvinas: Tras los submarinos ingleses*, sostiene: "También debe decirse que, si bien a partir del 2 de mayo la flota de mar tomó una postura defensiva, sus aviones antisubmarinos se mostraron más ofensivos que nunca".[7]

Otro punto para analizar, y que tiene algunas contradicciones, es si realmente el 2 de mayo a la madrugada Allara aún tenía la orden de ejecutar el ataque sobre la flota británica o si la causa de que no se efectuara fue verdaderamente la falta de viento.

Repasemos entonces cómo surgen las órdenes para el ataque. El 1º de mayo comienza la aproximación de los buques británicos sobre Malvinas y se inician los bombardeos durante la madrugada, los ataques aéreos sobre el aeropuerto con algunos daños, se incendia la base aeronaval, la Fuerza Aérea argentina comienza con los ataques y todo el mundo estaba convencido de que los británicos habían iniciado un desembarco.

Ante esta situación, el almirante Lombardo comenta en su libro que envió a la flota el mensaje GFH 011555[8]: "Enemigo aferrado. Libertad de acción".[9] Nada más necesitaba decirle al almirante Allara, comandante de la flota, pues todo estaba aclarado en los planes y en nuestras conversaciones previas. Agrega, además, en otro despacho, cómo estaba dispuesto el Grupo de Tareas británico, su composición y su posición estimada.

Lombardo sigue contando que, llegada la noche, comenzaron a tener mejor información, y a pesar de las acciones de ese día, nada hacía suponer que los británicos estaban desembarcando. Por ese motivo, Lombardo envía otro mensaje a Allara, el 2 de mayo a la madrugada (GFH 020119) afirmando que "no hay ataques aéreos sobre Malvinas desde 011900. Desconozco posición portaviones enemigos. Enemigo

---

7 Sciaroni, M. *Malvinas: Tras los submarinos ingleses*, p. 36.
8 Grupo, Fecha, Hora, del 01 de mayo a las 15:55.
9 Lombardo, J. J., *op. cit.*, capítulo 29.

no aferrado constituye fuerte amenaza para Fuerza de Tareas"[10]. Daba libertad de acción a Allara para que actuara según su apreciación de la situación.

La flota continúa la aproximación hacia la fuerza naval británica y el almirante Allara, observando que el pronóstico de viento para el amanecer disminuía aún más su intensidad, cerca de las tres de la madrugada decide posponer el ataque.

Con el correr de los años, la suspensión del ataque de la flota argentina en la madrugada del 2 mayo debido a la ausencia de viento real por una situación meteorológica inusual, se convirtió en la causa principal por la que se abortó la operación, y quedó como una versión consolidada. Como testigo presencial de este hecho, puedo aseverar que realmente no se podía hacer el ataque en ese momento, pero la decisión, para los que estábamos a bordo, se mantenía hasta encontrar mejores condiciones. No tener el viento necesario en un momento, o tener sin servicio la catapulta por unas horas, eran causas corrientes en las actividades de las aeronaves en cubierta de vuelo; nada hacía suponer, al menos para nosotros, que por esa causa nos retiraríamos de la posición de batalla que habíamos alcanzado.

Nunca se habló hasta ahora sobre cómo influyó el mensaje de Belaúnde Terry enviado a Galtieri el 1º de mayo cerca de las 23:00, recibido con beneplácito, que daba cuenta de que había una negociación en marcha para alcanzar la paz. En el primero de sus siete puntos se exigía el cese total de todas las hostilidades. Con esta información, que Lombardo conocía perfectamente, lo más probable es que esta haya sido la causa de la suspensión del ataque de la flota de mar y no la falta de viento, porque esa situación se solucionaba manteniendo el rumbo de ataque hasta alejarnos unas decenas de millas de esa posición que estábamos navegando, que era justo donde se ubicaba el centro de alta presión, origen del bajo viento real en superficie.

El almirante Lombardo, en sus declaraciones en el informe Rattenbach, afirma que el 2 de mayo a la madrugada, viendo cómo venía la situación para la flota, conversa con Allara y le da la orden de anular la operación y regresar a las posiciones iniciales.[11]

---

10 Ibid.
11 Informe Rattenbach, Declaraciones, t. I, folio 81.

Esta decisión, a mi entender, fue un gran error. Si bien el lanzamiento de los aviones no fue posible por la falta de viento, la flota debió continuar su aproximación, mantener la distancia de combate y seguramente manteniendo ese rumbo el viento iba a aumentar. Con esto quiero decir que la situación meteorológica en el amanecer del 2 de mayo fue un obstáculo circunstancial en el plan de batalla y no una causa definitoria para anular toda la operación. Queda así demostrado que el repliegue se debió a una clara decisión superior, para evitar que la flota se involucre en un combate decisivo.

En cuanto al hundimiento del Belgrano, los británicos sostienen que no sabían que nuestro ataque se había suspendido y que los dos grupos de la fuerza naval mostraban un lento repliegue. En su versión oficial, ellos sostienen que el crucero era una amenaza para las fuerzas británicas, motivo por el cual se cambian las reglas de empeñamiento y se ordena torpedear al Belgrano aquel 2 de mayo en las condiciones que ya todos conocemos –con rumbo oeste y fuera de la zona de exclusión–; con esta acción quedó demostrado el poder del submarino nuclear y lograron disuadir a la flota argentina de cualquier intento de reiniciar otro ataque.

Para el propósito disuasivo, el plan era hundir al portaviones 25 de Mayo –no olvidemos que desde el 30 de abril ellos contaban con la orden–, pero como no pudieron encontrarlo, tuvieron que hallar un objetivo similar para demostrar de forma efectiva la capacidad de sus submarinos, pero entonces, ¿por qué no lo atacaron el primero de mayo, cuando su rumbo de aproximación era más agresivo, que cuando se estaba replegando? Las respuestas las brinda José Enrique en el capítulo "El hundimiento del Belgrano".

La conmoción por el hundimiento del Belgrano en la Argentina fue muy profunda, pero la noticia no solo impactó en el país: en todas las fuerzas navales del mundo causó gran revuelo, porque era la primera vez que un submarino de propulsión nuclear demostraba la eficacia que todos imaginaban. Los británicos vinieron a las Malvinas no solo respondiendo al desafío de Galtieri y para pelear por unas islas lejanas: también expusieron su potencial bélico en la batalla y la vigencia de la Royal Navy que muchos creían en retirada. Aun así, y con gran sorpresa, el costo resultó mayor del que imaginaban y toda la operación, como lo dice el almirante Woodward, estuvo cerca de fracasar.

Para nosotros no fue fácil la decisión táctica del repliegue. Rescato el espíritu de los que estábamos embarcados, dispuestos a la batalla y a cumplir con nuestro deber. El suceso del Belgrano, lejos de disuadirnos, movilizó aún más el deseo de lucha y si bien no se concretó desde la flota, quedó manifestado con los ataques a los buques Sheffield, Atlantic Conveyor, Ardent, Antelope e Invencible y todas las acciones conocidas por distintas unidades de la Armada, durante el conflicto, incluyendo los buques tripulados por marinos que operaron desde las islas, los submarinos y la Infantería de Marina.

Luego del 2 de mayo, el grupo del 25 de Mayo estuvo muy expuesto hasta que llegó a aguas menos profundas. Aquí las versiones británicas no lo mencionan, pero los submarinos lo siguieron con clara intención de hundirlo, tal como lo revela en su libro Mariano Sciaroni. Hubo algo que fue disuasivo para los comandantes del Splendid y el Spartan: la permanente operación de los aviones y helicópteros antisubmarinos, en un trabajo muy profesional y coordinado, que brindó una excelente cobertura para todo el grupo.

Era lógico: las corbetas y los destructores tipo 42 tenían buenos sonares, los Tracker podían lanzar sonoboyas pasivas en un sector de 60 millas náuticas cuadradas, los helicópteros Sea King podían calar un sonar arriable sobre un punto dato y ambas aeronaves portaban bombas de profundidad y torpedos buscadores. ¿Era redituable arriesgar un submarino nuclear en esas condiciones? Obviamente no, y esa es la razón por la que no pudieron repetir el ataque del Belgrano, ya que el Conqueror, aprovechando que este grupo tenía una pobre detección sonar y no contaba con cobertura aérea, se acercó hasta los 1.200 metros para lanzar los torpedos de corrida recta.

Aunque cueste creerlo, hasta el 7 de mayo la guerra antisubmarina le ganó la batalla a los nucleares, gracias a tener una cubierta de vuelo en el grupo, capacidad que aún hoy es imprescindible para desplazar una fuerza naval lejos de la costa. Por otro lado, la protección del portaviones fue una tarea muy bien cumplida por el grupo de hombres especializados en esta tarea, tanto en aviones y helicópteros como en buques, pues evitaron que los submarinos operaran libremente sin oposición.

Sciaroni hizo una investigación fantástica sobre los resultados que se obtuvieron con el accionar antisubmarino del 25 de Mayo. Destaco un párrafo de sus conclusiones: "Los medios submarinos enemigos no hundieron a los buques del Grupo de Tareas por la sencilla razón de que no pudieron, y no, como se quiso hacer creer todos estos años, porque no quisieron".[12] En el mismo fragmento, comenta –y estoy totalmente de acuerdo con esto– que se podría haber hecho más si la cúpula de la Armada no hubiese tenido tanto respeto a la amenaza submarina. Por otro lado, Lombardo, que era submarinista, cuando comenta sobre los riesgos que corría la flota, confiesa que esta se hace al mar por la presión de sus comandantes. Hecho que es real y lo viví con la actitud y presencia de ánimo frente al riesgo que nos trasmitió en todo momento el comandante del portaviones, capitán de navío José Sarcona. Destaco con orgullo el ejemplo que fue para nosotros durante toda la operación.

Mi punto de vista

Mi modesta conclusión es que la única manera de lograr la batalla era dejar que la flota siguiera su despliegue y atacara entre el 2 y el 3 de mayo, y confiar en alguna forma de éxito, que estaba en las probabilidades, sin evaluar tanto las consecuencias.

Finalmente, del sentimiento íntimo de aquel 1º de mayo hasta todo lo analizado al día de hoy, mi convicción es que esta batalla debió llevarse a cabo. Contra todo pronóstico, especulación táctica y grandes riesgos pero a favor de lo más importante: a favor de la historia. Habiendo analizado todos los hechos, las intenciones y las decisiones de aquellos días, no cambia mucho lo que pensábamos en aquel momento los que estábamos en el mar. Con la decisión tomada era mucho más fácil seguir adelante que esperar otra oportunidad, que difícilmente volveríamos a tener, debido a la pérdida total de la sorpresa en cuanto a la posición de los buques propios.

Considerando la historia de las batallas navales, en las que se encuentran todo tipo de errores y el peso que el azar tiene en su desarrollo, nadie podía asegurar que los submarinos nos iban a encontrar en la aproximación de ataque y que íbamos a ser hundidos antes de la batalla. Otro detalle no menor es que luego de nuestro ataque –si se producía–, los aviones Super Étendard para esa fecha ya habían alcanzado el top

---

12 Sciaroni, M., *op. cit*, pp. 188-189.

de tiro para el lanzamiento del misil, por lo cual podían hacer su ataque después del nuestro y hubiese sido un verdadero golpe a las intenciones de la flota británica.

Toda esta serie de acciones quedaron truncas por la simple razón de la demora en el ataque y, luego, la suspensión de toda la operación, lo que dejó la iniciativa totalmente del lado británico y a nosotros, expuestos en el medio del mar.

Las razones y los argumentos de los almirantes Anaya y Lombardo suenan lógicos y prudentes ante la dimensión y capacidad de las fuerzas británicas, pero la oportunidad histórica se dio en ese momento y, más allá del resultado, seguramente hubiese cambiado el rumbo de la guerra.

Las batallas navales del siglo XX demostraron que cuando dos flotas se aproximan a distancia de combate, no queda otro camino que dar la batalla. En nuestro caso, nosotros aproximamos y ellos, sorprendidos, se alejaron tratando de evitarla. ¡Vaya si no era una oportunidad para seguirlos y atacarlos! La sorpresa y la iniciativa son dos elementos fundamentales en la táctica naval y el bando que las tiene predispone de manera muy positiva el ánimo de su gente y por tanto la eficiencia en el combate.

Digo esto en el contexto que estábamos viviendo: no me considero un temerario y jamás hubiese imaginado vivir esta experiencia bélica, pero cuando se está en el campo de batalla, lo que uno deja de hacer, lo hace el enemigo, no hay segundas oportunidades. Así lo atestigua la historia.

Lo expresado corrobora el párrafo del informe Rattenbach en cuanto a que la Junta Militar no supo emplear para la batalla uno de los medios estratégicos más importantes con los que contaba el país: la flota de mar. En el mismo informe, al analizar las operaciones del 1º y 2 de mayo con el hundimiento del Belgrano, el almirante Anaya indica que ordenó no seguir empleando las unidades de superficie de la Armada en la batalla a partir del 3 de mayo, aduciendo que el enemigo tenía una importante información satelital y que cinemáticamente era imposible alcanzar a la flota británica sin que antes nuestros buques fueran hundidos por los submarinos. Sobre el costo de esta decisión expresa textualmente: "En la Marina se ejercían tremendas presiones para emplear la flota porque se decía que era una vergüenza no emplearla. A raíz de esta situación fui a Puerto Belgrano y les dije a todos que era el único responsable y el único que iba a pasar vergüenza por no mover la flota era yo, excepto que alguien me presentase un plan con el cual pudiese destruir dos buques británicos y si eso se podía lograr yo ofrecía la flota argentina entera".[13]

Considero correcto que el almirante Anaya se haya hecho cargo de esta decisión, y también entiendo que volver a utilizar la flota en el conflicto tenía baja probabilidad de éxito, ya que la estarían esperando varios submarinos nucleares en su despliegue. La decisión errónea, a mi entender, fue replegarla cuando estuvimos a distancia de combate, con alto grado de sorpresa y posibilidades. En aquel momento, a pesar de las desventajas, el mejor destino para nuestra flota era la batalla, sobre todo después del hundimiento del Belgrano.

Como protagonista –y con ello incluyo a casi 4.000 hombres embarcados– puedo asegurar que la operación no debió suspenderse en ese punto. Claro está que si la batalla resultaba adversa, la Junta debía asumir todos los costos. No obstante, la gloria, cualquiera hubiese sido el resultado, quedaría de nuestro lado.

Quienes tomaron las decisiones en ese momento se debatieron entre enfrentar a las fuerzas británicas y la esperanza de lograr una negociación de último momento, mostrando reticencia a escalar el conflicto.

Esta actitud estratégica vacilante restó audacia y firmeza a las decisiones del alto mando y fue determinante, porque se perdieron posiciones relativas favorables e iniciativas importantes para lograr lo que tanto temía el almirante Woodward, según explica en su libro: "Cualquier incidente mayor como una explosión o un incendio en cualquiera de nuestros portaviones, sin duda habría resultado fatal para toda la operación".[14] Con la flota de mar y con casi noventa aviones de combate en el continente, los británicos no debieron llegar jamás a las islas. Claro está que para lograr este objetivo se hubiesen necesitado como mínimo seis meses de preparación conjunta, unidad de comando y unidad de criterio respecto de los propósitos políticos en la Junta.

Defender las islas en lugar de retirarnos provocó un estado general de improvisación, sin planificación y con escasos veinte días de

---

13 Informe Rattenbach, t. IV, Declaraciones, folios 774/775.
14 Woodward, S. *Los cien días. Las memorias del comandante de la flota británica durante la Guerra de Malvinas*, p. 16.

preparación para la acción. Los elementos bélicos de cada fuerza no se pudieron ubicar en los lugares clave para la defensa, y la ausencia casi total de coordinaciones generó vulnerabilidades que facilitaron notablemente las operaciones de los británicos.

Otra interpretación de estos cinco días de mayo es que la batalla se dio, pero por partes, y se cumplió con el objetivo de que los británicos no pudieran desembarcar hasta el 20 de mayo.

El 1º de mayo un portaviones y varios destructores se acercan a las islas y reciben varios ataques de la Fuerza Aérea argentina. El submarino San Luis, ubicado al norte de la isla Soledad, hace lanzamientos contra buques británicos, pero sus torpedos no se activan y reciben ataques sostenidos durante 48 horas. Ese mismo día por la noche la flota argentina sale a interceptar a la flota británica y el grupo del 25 de Mayo se coloca a 170 millas náuticas para un ataque. El 2 de mayo se suspende el ataque, y en la maniobra de repliegue a las posiciones iniciales, a las 16 horas hunden al Belgrano. El 3 de mayo atacan al aviso Sobral. El 4 de mayo dos aviones de la Armada hunden al destructor Sheffield y del 3 al 7 de mayo, los submarinos persiguen y tratan de atacar al 25 de Mayo y su grupo sin lograrlo.

Luego del repliegue de la flota argentina, los submarinos nucleares británicos asumieron una tarea de vigilancia tanto para evitar la salida de buques argentinos hacia las islas como para informar los despegues que se producían desde el continente, en una tarea de alerta temprana.

La secuencia de enfrentamientos da como resultado que los británicos no concretan ningún desembarco, evitan la batalla decisiva, y a partir de ese momento, sus portaviones se ubican para el resto del conflicto al este de las islas, entre 90 y 150 millas náuticas de Malvinas, y quedan así fuera de distancia de la aviación argentina basada en tierra, disminuyendo los riesgos.

Este concepto es bastante ajustado a la realidad, porque luego de ese período solamente se acercaron a las islas para el desembarco el 20 de mayo, cuando ya tenían asegurado el dominio del mar y apostaron todos sus esfuerzos a la defensa aérea, sabiendo que los ataques de los aviones basados en la costa argentina iban a suceder. Este esquema del conflicto quedó más o menos fijo hasta el final de la guerra.

Las enseñanzas de la guerra naval

La campaña naval de los primeros días de mayo entre la flota británica y la flota argentina dejó enseñanzas que revolucionaron la táctica naval para el futuro.

Hasta el 2 de mayo a la mañana, se pudo haber dado en el Atlántico Sur una batalla naval decisiva, quizás la última del siglo XX con armamento convencional y dos fuerzas de portaviones. Luego del hundimiento del Belgrano por un submarino nuclear, se ponía de manifiesto una nueva capacidad, que si bien era conocida, no se había probado en combate.

El 4 de mayo, con el hundimiento del Sheffield, causado por dos misiles Exocet lanzados por dos aviones Super Étendard y guiados por un avión explorador, se puso a prueba otra novedosa capacidad antisuperficie, tan efectiva que representó la sorpresa tecnológica de la guerra. Con esas dos capacidades en juego, que demostraron alta efectividad, se tornó imposible que hubiera un enfrentamiento naval como se podría haber dado el 2 de mayo.

Es decir, la utilización de esos dos nuevos armamentos determinó la imposibilidad de que una flota navegara con sus buques formando una fuerza agrupada, ya que hubiera sido un blanco perfecto para estos dos sistemas, y del mismo modo tampoco iba a encontrar una flota enemiga reunida para un combate clásico.

En el caso de Malvinas, la flota británica se alejó hacia el este para evitar el ataque aéreo, pero ellos tenían menor amenaza submarina de parte nuestra ya que contábamos solo con el San Luis (diésel) y ellos tenían cinco submarinos de propulsión nuclear amenaza insuperable para nuestros buques. Por otro lado, la amenaza que ofrecía el avión misilístico estaba reducida a solo cinco aviones y cinco misiles, sistema muy efectivo pero con limitada cantidad contra una flota que tenía como mayor capacidad, su defensa aérea. Por estas razones, ellos, gracias a los portaviones, continuaron con formaciones navales doctrinariamente tradicionales.

Después del conflicto, la enseñanza generalizada demostró la enorme ventaja de estos sistemas de armas que se dan por la dificultad que tiene una fuerza naval de detectar un submarino nuclear y la imposibilidad de detener un avión misilístico que lanza su armamento fuera de todo alcance de la defensa aérea.

Luego de esta experiencia, tener una flota naval reunida solo es pre-rrogativa de las grandes potencias, ya que navegan con un grupo de batalla que contiene portaviones y buques de gran capacidad antiaérea y antisubmarina. Suman a ello aeronaves de alerta temprana con capacidad de guiado de aviones y búsqueda antisubmarina, controlando un área de 500 millas náuticas de radio. No obstante, no están a salvo de las amenazas que mencionamos antes. Una fuerza naval de menor tamaño y sin portaviones tiene la disyuntiva táctica de navegar reunida o dispersa con grandes distancias. Siempre dependerá del tipo de amenaza que enfrente y qué capacidad de defensa antisubmarina o antiaérea posea.

A modo de resumen, los sistemas de armas que hundieron el Belgrano y el Sheffield demostraron que el 2 de mayo fue la última oportunidad para librar una batalla naval decisiva de carácter convencional, que hubiese sido la última del siglo XX. En 48 horas en el Atlántico Sur, la táctica naval había tenido la evolución más rápida desde la Segunda Guerra Mundial.

Quedó demostrado que el adiestramiento y la preparación previa para el combate son imprescindibles para tener un buen desempeño. El adiestramiento, paradigma de Nelson en Trafalgar y adoptado luego por todas las Armadas, demostró reiteradas veces excelentes resultados en la guerra. La Armada argentina, como las otras fuerzas, si bien tenía una aceptable preparación, no había tenido experiencia de guerra en los últimos cien años. Dejo a continuación unos apuntes finales sobre las enseñanzas de la guerra de Malvinas:

• Nuestra flota, preparada para grandes acontecimientos, tuvo su oportunidad entre el 1º y 2 de mayo. A pesar de haber alcanzado una posición muy favorable para atacar el enemigo, por un acaecimiento fortuito, le ordenan abandonar toda la operación, perdiendo así la única oportunidad de participar en el conflicto. Esta decisión merece análisis y reflexión para obtener una enseñanza histórica en la toma de decisiones.

• La modernidad del equipamiento militar inevitablemente se convierte en una ventaja en el combate; no obstante, cabe destacar que los ataques con aeronaves en vuelo rasante para evitar la detección radar y el lanzamiento en reguero de bombas con cola frenada resultaron una fórmula muy ingeniosa para equiparar las diferencias tecnológicas de buques, respecto de los aviones.

- La preparación previa para una operación determinada es fundamental para la moral del combatiente. El 2 de abril, el 95% de las Fuerzas Armadas y la totalidad del pueblo argentino desconocían la operación de reconquista de las islas. Permanentemente se aclaraba desde el gobierno que el objetivo era lograr una negociación y no escalar a una guerra.

- La Argentina no tenía fuerzas alistadas de utilización inmediata para una guerra de esas características. Para este propósito, era imprescindible una preparación para alcanzar el adiestramiento necesario, la logística y los planes de alternativa.

- Las fuerzas navales británicas pagaron el costo de no tener una exploración adecuada, alerta temprana eficaz, y misiles y cañones de corto alcance para la defensa de punto. Tampoco evaluaron correctamente las vulnerabilidades que tenían sus sistemas de defensa aérea y que fueron aprovechados por la aviación argentina.

- Loa aviones Harrier, por la falta de alerta temprana, actuaron casi siempre después de los ataques de los aviones argentinos, que aproximaban rasantes y no eran detectados.

Finalmente, es mi deseo rendir un homenaje al portaviones ARA 25 de Mayo (POMA), buque insignia de la flota de mar desde 1970 hasta 1988. Durante su servicio, en este buque se formaron una enorme cantidad de marinos en diferentes orientaciones y, especialmente, los aviadores navales que formaron el grupo aeronaval embarcado.

En mi caso, represento a varias promociones que fueron pasando por esta actividad con enorme dedicación y esfuerzo para que nuestra flota tuviera la magnífica capacidad del poder aéreo en el mar.

Fueron necesarios una gran entrega y un gran profesionalismo para lograrlo, y algunos pagaron con sus vidas para que esta difícil y extrema tarea de operar en una cubierta de vuelo muy reducida, convirtiera a pilotos, aeronaves y personal en un equipo confiable y seguro. Como ejemplo, que es además muy parecido al de muchos pilotos, yo comencé en el año 1972 con el glorioso T28 P North American, monomotor a explosión, que hacía despegue libre y enganchaba con cabina abierta. Luego pasé por el A4Q durante siete años y otros seis con el moderno Super Étendard, que operó desde 1983 hasta 1988. En ese año, siendo comandante de esta unidad, nuestro querido POMA sufrió serias averías en sus calderas en la primera etapa de mar y tuve el privilegio de tener el último catapultaje con el avión 3A211. Luego de ese episodio, se esperó en vano una reparación, y ya no pudo volver al mar. Quedaron sobre su cubierta los ecos sonoros de los reactores, los aviones Tracker, los helicópteros Sea King, Alouette y Fennec, que con sus tripulaciones también operaron desde el comienzo de su primera navegación.

Mi reconocimiento a todos los hombres de ese gran equipo que se formaba año a año con la tripulación, aviadores, personal de cubierta de vuelo, maquinistas, operaciones, armamento, servicios y tantos otros que, con abnegado esfuerzo, construyeron una valiosa historia de profesionales que lograron hacer efectiva la mejor capacidad naval a la que puede aspirar la flota de un país marítimo.

Reflexiones finales

José Enrique García Enciso y Benito Rotolo

A modo de resumen

Los hechos vinculados al conflicto armado de 1982 han pasado a ser una suerte de tema cerrado en el debate público nacional. Para una mayoría importante de historiadores y analistas, la guerra fue un gesto exasperado de la Junta Militar para ganar popularidad. Entre las imágenes de conscriptos con hambre y frío en las islas y el dolor producido por la derrota, las heridas recientes no habilitaron la posibilidad de analizar lo sucedido desde una perspectiva geopolítica de largo plazo. Sin dejar de considerar lo dicho hasta ahora y teniendo en cuenta la situación vivida por quienes participaron directa o indirectamente en el conflicto armado, es necesario tratar de plantear el escenario de Malvinas con una mirada a largo plazo.

Es en este marco en que se deben encuadrar las ideas del canciller Oscar Camilión, cuando en julio de 1981 planteó la necesidad de reflexionar sobre el tema Malvinas de cara al inminente cumplimiento de 150 años de posesión ininterrumpida de las islas por parte del Reino Unido. Camilión tuvo aún mayores motivos de preocupación luego de la reunión que mantuvo con su par británico del Foreign Office, lord Carrington, en Naciones Unidas en Nueva York. Allí percibió que Carrington "no había demostrado interés real en buscar fórmulas que permitieran dar, en el corto plazo, una solución real y efectiva al tema que fuera aceptable para la Argentina [y pensaba que] era necesario ejercer una fuerte presión diplomática sobre el Gobierno de Londres para lograr un progreso real en las tratativas".[1] Sabemos ahora que de acuerdo con el Informe Franks (documento oficial británico), no existía probabilidad de discutir el tema de la soberanía en tanto y en cuanto no lo aceptaran los representantes isleños.

Por ello, en una reunión realizada por el canciller Carrigton con sus principales asesores, se decidieron cuatro escenarios posibles:

1. Devolverle las islas a la Argentina.
2. Realizar una tarea de persuasión entre los isleños para ver si aceptarían una negociación con la Argentina.
3. Proponer a la Argentina algún tipo de arrendamiento por 100 o 150 años.
4. Hacer saber a los argentinos formalmente que no se iba a negociar la soberanía de Malvinas y atenerse a las consecuencias.[2]

Importa señalar que, contrariamente al sentir generalizado en nuestro país y en el Reino Unido de que la acción militar fue de responsabilidad exclusivamente argentina, la propia evidencia británica demuestra que esto no fue así. En efecto, el mencionado Informe Franks señala que a comienzos de 1981, el Foreign Office le solicitó al Ministerio de Defensa que actualizase sus planes de contingencia militar para el caso de una acción armada por parte argentina debido a nuestra conocida impaciencia por la renuencia británica a considerar la cuestión de soberanía. Como resultado, en septiembre de 1981 los Jefes de Estado Mayor aprobaron un plan de contingencia en el que destacaban que la acción militar británica debía ser fundamentalmente naval, habida cuenta de que los navíos de superficie tomarían alrededor de veinte días en llegar a las islas y que unos días más serían necesarios para añadir el reaprovisionamiento. En marzo de 1982, Thatcher suscribió: "Debemos tomar medidas de contingencia" de su puño y letra en un telegrama de la Embajada británica en Buenos Aires informando sobre el comunicado

---

1 Citado en Costa Méndez, N., *op. cit.*, p. 21.
2 Franks, L., *El servicio secreto británico y la guerra de las Malvinas.*, pp. 58-61.

"unilateral" y las repercusiones de nuestra prensa local con motivo del comunicado conjunto de fines de febrero por las delegaciones argentina y británica, reunidas en las Naciones Unidas, Nueva York, considerado insatisfactorio en cuanto al tratamiento en concreto de la soberanía.[3]

La idea de que el Reino Unido no consideraba hipótesis de conflicto con Argentina también queda refutada en el Informe Franks. En este informe se revela que el 15 de agosto de 1981 el Comité Militar estableció punto por punto todo lo que sería necesario para defender a las Islas Malvinas en caso de un conflicto bélico, desde la cantidad de buques (cincuenta) a la cantidad de brigadas necesarias (entre dos y tres), que fue exactamente lo que el Reino Unido envió en abril del año siguiente.

Cabe mencionar que, por moción del legislador Randolph Churchill, la Cámara de los Comunes sacó una declaración que sostenía que debía hacerse saber a los argentinos que en referencia a las islas no había nada que negociar. Esta declaración se produjo en ocasión de realizarse la primera visita de Davidoff a las islas Georgias, en diciembre de 1981.

En consecuencia, de acuerdo a los datos proporcionados por el propio Reino Unido en el Informe Franks, este realizó más previsiones para la hipótesis de un conflicto bélico que la Argentina. No obstante, coincidimos con el almirante Lombardo cuando afirma que de no haberse desencadenado la crisis por las Georgias, posiblemente aún estaríamos negociando con los británicos.[4]

Si consideramos el axioma de Clausewitz de que la guerra es la continuación de la política por otros medios, Malvinas es una prueba de ello, ya que se enfrentaron dos contendientes con propósitos políticos diferentes. La Junta Militar, ante el estancamiento de las negociaciones siempre sujetas al poder de veto de los isleños, fija como objetivo el eventual uso del poder militar para quebrar dicho estancamiento y provocar una negociación. Hechos ya descriptos en este trabajo demuestran cómo se precipita la intervención militar que estaba prevista solo como alternativa, y para después de julio de 1982. La recuperación de las islas cumplió solo una parte de lo propuesto; luego de esta acción quedó demostrada la falta de preparación para definir con claridad cómo lograr el objetivo político.

---

3 Ibid., pp. 109-112 y 152-153.
4 Lombardo, J. J., *Malvinas: Errores, anécdotas y reflexiones*, Cap. 8.

La primer ministro británica, por el contrario, siempre tuvo un objetivo definido. Este consistía, según lo manifiesta el historiador y ex editor de *The Economist* Simon Jenkins, en "remover por completo a los argentinos de las islas y restaurar en ellas la administración británica".[5] En función de este objetivo, no dudó en declarar ante los tories escoceses que "no cumpliría con su deber si no les advirtiera en los términos más sencillos y claros que un acuerdo negociado parece imposible".[6]

Mientras la Junta debatía sobre cuál debía ser la estrategia argentina utilizando un complejo sistema de consulta entre las tres armas, Thatcher dirigió la guerra casi como un tema personal. Jenkins sostiene que solo convocó al gabinete el 2 de abril, el 5 de mayo y el 18 de mayo, para solicitar su apoyo a decisiones tomadas casi en soledad con el argumento de que "cualquier dato podría costar vidas si trascendía"[7]. El parlamento, según Jenkins, era un frustrado espectador: "Ni la Cámara de los Comunes ni ninguna de sus comisiones era puesta al tanto del pensamiento oficial [...]. La determinación y el convencimiento de la primer ministro de que toda negociación era inútil, la revestía de una armadura contra cualquier sospecha de que se embarcaba en una peligrosa aventura".[8]

Para Jenkins, fue "la guerra de Mrs. Thatcher": "Como obtuvo el triunfo, se benefició de su buena suerte y juicio acertado. De haber fracasado, la expedición hubiera quedado como un empleo temerario de las fuerzas armadas británicas".[9]

Podemos decir que tanto en el Reino Unido como en la Argentina el poder político manejó directamente y de manera muy personalista el instrumento militar.

El 2 de abril, Margaret Thatcher reunió a su gabinete, y observó que la mayoría opinaba que era necesario algún tipo de negociación. Ante ese clima de concesión, ella definió dos conceptos que mantuvo con absoluta determinación durante el conflicto: primero, no se podía abandonar a ciudadanos británicos en las islas, y segundo, se debía tratar de que los argentinos se vayan de allí, si fuere necesario por la fuerza, y reponer las legítimas autoridades de las islas.

---

5. Hastings, M. y Jenkins, S. *La lucha por las Malvinas*, p. 359.
6. Ibid., p. 193.
7. Ibid., p. 357.
8. Ibid.
9. Ibid., p. 360.

Inmediatamente obtuvo el apoyo del primer lord del almirantazgo, Henry Leach, quien le sugirió que, a pesar de la distancia y de no contar con base de apoyo cercanas, podía mandar una fuerza naval con el Hermes, el Invencible y otros tantos buques de guerra (casi toda la flota británica) en el término de 48 horas. A este respecto, importa recordar que la Royal Navy enfrentaba una drástica reducción de presupuesto, relegándola a una mera función antisubmarina en el Atlántico Norte. Por este apoyo incondicional, Thatcher reiteró en varias ocasiones que "la ocasión produjo al hombre".

La Junta debió haber previsto la posibilidad de que el Reino Unido optara por la reacción militar en lugar de aceptar una negociación. No se podía desconocer, además, que –aunque la recuperación fuera incruenta– las imágenes de los marines rendidos, rayanas en la humillación, produjeron un enorme efecto en el Reino Unido, expuesto ante sus aliados de la OTAN a dar una respuesta acorde.

Debe tenerse en cuenta también el contexto político. La primer ministro se encontraba en un momento de bajísima popularidad (aún menor, según las encuestas, que la del general Galtieri). Para ella, la victoria militar era la única posibilidad de lograr la reelección.

Del mismo modo, en el gobierno argentino el cambio del objetivo principal –que era recuperar, retirarse y negociar– fue el principal error estratégico que cometió.

La acción previa al 2 de abril fue similar a la estrategia utilizada en el conflicto con Chile de 1978. La idea de maniobra era dejar escalar el conflicto hasta una situación límite, y allí proponer una negociación desde una posición de fuerza mayor. Ahora bien, confundir el contexto militar de entonces de las Fuerzas Armadas chilenas con la personalidad de la primer ministro británica constituyó un segundo error de apreciación del Gobierno argentino. La emocionalidad de la recuperación de las islas hizo que se perdiera de vista ese objetivo político.

Fue así que, cuando comienza el ataque británico, el 1º de mayo, este toma por sorpresa a la Junta, porque, al igual que el canciller, pensaban que las negociaciones todavía seguían vigentes. Este pensamiento dominó a la Junta durante todo el conflicto, donde aún con la evidencia de las acciones de guerra, siempre prefirieron no escalar con las fuerzas militares, esperanzados en que algún tipo de negociación detendría el mal mayor de una guerra total.

Lo contrario está demostrado en las expresiones de Margaret That-cher en sus memorias, donde ella manifiesta que nunca tuvo otro pro-pósito que recuperar militarmente las islas. Su objetivo era la retirada de las tropas argentinas y la vuelta al *status quo* anterior: recién allí iba a considerar algún tipo de negociación.[10] Entonces nos preguntamos por qué ella plantea un escenario de crisis en el Atlántico Sur, fijando una zona de exclusión, reglas de empeñamiento y el uso limitado de la fuer-za solo para autodefensa, si con la autorización de hundir al Belgrano el 2 mayo provoca una situación de guerra irrestricta, que no se le comu-nica al gobierno argentino hasta el día 4 de mayo.

Esta diferencia de actitud estratégica entre los dos contendientes de-terminó por el lado argentino la pérdida de iniciativa y la improvisación en las decisiones posteriores. Fue así que se cayó en un análisis poco ra-cional, donde se trató de ganar tiempo para que algún milagro diplomá-tico evitara el colapso final.

Esta conducta se vio claramente reflejada en las oscilantes decisiones respecto del uso oportuno del instrumento militar, que más allá de sus limitaciones de equipamiento y preparación para la lucha, soportaron una situación de incertidumbre constante en cuanto a las decisiones.

Esto en parte estaba expresado en la DEMIL número uno, de enero de 1982, que establecía como hipótesis de conflicto principal un enfrenta-miento bélico con Chile y en segundo término un conflicto con el Reino Unido. Estas premisas incidieron en el despliegue estratégico de las fuer-zas, donde se dispuso que el componente principal previniera un conflic-to con Chile y utilizar los elementos no comprometidos para la cuestión Malvinas. Finalmente, el conflicto principal se dio en el escenario de las islas y una prueba de ello es la declaración del almirante Lombardo en el Informe Rattenbach, donde expresa su convicción de que si la Argentina se quedaba sin flota, Chile avanzaría sobre los territorios del sur.[11]

La otra prueba es el despliegue de las tropas del Ejército con asiento en el noreste del país a Malvinas, manteniendo al personal más adiestra-do y mejor equipado para zona fría en la hipótesis de conflicto con Chile.

A las 23:30 del 1º de mayo hora de Lima, el presidente del Perú llamó a Galtieri para anticiparle una propuesta de paz, que luego envió por fax

---

10 Thatcher, M., *op. cit.*, p. 191.
11 Informe Rattenbach. Declaraciones, t. I, folio 80.

cerca de las 2 de la mañana (ver conversaciones entre Belaúnde Terry y Galtieri): era un momento oportuno para detener la guerra. De los siete puntos, el primero expresaba el "cese total de todas las hostilidades", y con certeza podemos decir que esa fue la razón principal de suspender el ataque de la flota de mar y posteriormente ordenar su repliegue.

Queda claro entonces que la falta de viento impidió el ataque en la madrugada del 2 de mayo, pero no fue la causa de la suspensión de la operación, y durante esta supuesta tregua, con el hundimiento del Belgrano naufraga la última posibilidad de lograr una negociación que evitara una confrontación bélica. Como fue señalado, Thatcher estaba más interesada en la acción militar que en una propuesta de paz: no había llegado a ese punto para volverse con una negociación desfavorable y con la flota sin combatir.

No obstante, si bien Galtieri había confirmado la aceptación de la propuesta –y por ello Belaúnde anunció una ceremonia formal de firma de la paz–, el enorme impacto emocional provocado por el hundimiento del Belgrano y la angustia que causó la suerte que podían haber corrido sus tripulantes hicieron que la propuesta de paz de Belaúnde que había sido aceptada en principio y anunciada por Belaúnde en Lima (tal como lo informa el despacho de Associated Press) no tuviera consideración periodística ni trascendencia en la opinión publica. De allí la necesidad que asumimos de relatar detalladamente los pormenores de la negociación del 2 de mayo y demostrar cuán cerca estuvimos de lograr la paz.

Para lo que vino después, no había previsión y ninguna planificación para la defensa de las islas. Hubo de improvisarse todo, y las acciones ocurrieron sin un plan estratégico de defensa, donde las fuerzas fueron disponiendo los medios para las acciones de combate sin las coordinaciones necesarias y sin una verdadera unidad de comando.

Cada fuerza atendió su espacio: la acción conjunta nunca se había practicado para esta ocasión, y los actos de guerra –si bien fueron heroicos y algunos, muy efectivos– no alcanzaron para detener a las fuerzas británicas y defender las islas.

En todo conflicto, lo imprevisto juega un rol fundamental. Por ello debe dejarse el menor espacio posible a la improvisación, lo cual no implica cercenar la libertad de acción necesaria para las operaciones. En el caso argentino fueron notables varias muestras de improvisación.

Un error muy grande fue no conocer al adversario, principio bási-co ya mencionado por Tsung Tzu y recordado siempre por Napoleón. Se analizó la posible reacción británica, pero no se estudió la psicología de quien finalmente tomaría las decisiones. Se subestimó la decisión de Margaret Thatcher de jugarse el todo por el todo teniendo en cuenta que su situación política era endeble. En aquel momento las encuestas de opinión le profetizaban poco tiempo de supervivencia. El conflicto le posibilitó demostrar su audacia, su capacidad de liderazgo y su capaci-dad política para convertir una tragedia, como lo es siempre la guerra, en una victoria personal.

No tener preparadas alternativas diplomáticas y políticas para en-frentar la opinión pública internacional que rechaza la utilización de la fuerza, y tampoco haber previsto la reacción interna de gran emotivi-dad que influyó enormemente en las decisiones que se estaban toman-do fue otro error.

Además, se interpretaron erróneamente muchas señales e informa-ciones provenientes del adversario, como por ejemplo, estimar que la flota británica fue movilizada para ejercer presión pero que no se utili-zaría para un enfrentamiento armado.

Otras falencias fueron sobreestimar la importancia que Estados Uni-dos daba al escenario centroamericano con respecto al escenario de la OTAN y no haber tenido en cuenta la consideración del rol que jugaría la isla Ascensión como punto de apoyo logístico.

El Reino Unido también cometió algunos errores, como haber sub-estimado al adversario considerando que con las primeras escaramuzas la Argentina aceptaría retirarse y volver al "status quo ante". Además, demostraron desconocimiento de las capacidades operativas y tecno-lógicas de las Fuerzas Armadas argentinas y la determinación que sus hombres tuvieron en la lucha por la defensa de las islas. Por último, sub-estimaron la enorme importancia emocional que tiene la cuestión Mal-vinas para los argentinos, recordando que en el Reino Unido la inmensa mayoría de la población no sabía que las islas existían. En la Argentina, el 100% de la población conoce la cuestión desde la escuela primaria.

Como en todo hecho histórico de semejante magnitud, se pueden señalar múltiples errores, pero también aspectos positivos.

En el caso argentino, sorprendió cómo aun dentro de la improvisa-ción mencionada, las Fuerzas Armadas argentinas causaron a la flota expedicionaria británica daños que fueron mucho más allá de cualquier cálculo que se hubiera realizado anteriormente.

Además, la estrategia del Reino Unido de invocar la prescripción adquisitiva de las islas porque la Argentina solo había presentado protestas formales quedó definitivamente descartada por el conflicto, puesto el mismo cambia las perspectivas futuras.

Hasta aquí, nuestras conclusiones de las experiencias y los trabajos de apoyo realizados, que hemos desarrollado con total honestidad; nuestro propósito es acercarnos a la verdad de todas las implicancias que tuvo este conflicto.

Al levantarse las restricciones del Informe Rattenbach en el año 2012, observamos que parte de la documentación que se utilizó en ese informe provenía de la oficina de la Secretaría General de Presidencia de la nación.

Los documentos que mencionamos, y que fueron enviados a Tam Dalyell, habían sido antes fotocopiados y entregados al general Iglesias; allí también figuran algunos de los asesoramientos de nuestro equipo.

Más allá de que el mayor González, jefe de José Enrique, lo haya alentado a guardar todo lo que pudiera resultar útil para fundamentar la acusación de Tam Dalyell a Margaret Thatcher, labor que se extendió hasta 1985, se tuvo la precaución de conservar copias para Secretaría General.

Entre los documentos mencionados por la comisión figura una de las únicas dos copias de la traducción al castellano realizada por José Enrique del libro de Tam Dalyell, *El torpedo de la Thatcher*;[12] la otra copia es la que se puede observar en el Anexo.

En nuestra opinión, el informe Rattenbach es el trabajo más serio realizado sobre el conflicto, desde el punto de vista argentino. Llevado adelante con absoluta objetividad y sin la más mínima concesión a las decisiones de la Junta Militar, cuenta con las declaraciones bajo juramento de todos los protagonistas principales de estos hechos.

Más allá de los análisis que se hayan realizado sobre el conflicto Malvinas, queremos destacar el enorme compromiso que asumieron quienes combatieron en la adversidad con un espíritu inclaudicable. A ellos, nuestro homenaje.

---

12 Informe Rattenbach, t. I, folio 117.

Futuro del Atlántico Sur

A veces se olvida –sobre todo en países como el nuestro, con pocos conflictos limítrofes–, lo endebles que son las fronteras y los límites de los países. Existen conflictos de fronteras y de soberanía en cientos de lugares en todo el mundo. La Patagonia es un terreno codiciado, muy valioso por sus hidrocarburos, por su viento y por sus amplias costas, y Argentina la tiene prácticamente deshabitada. Los argentinos muchas veces pensamos en la Patagonia como una parte *obvia* de nuestro país, pero hasta 1890 en los mapas del mundo aparecía como un terreno "disponible", mientras que a la nación Argentina la dibujaban con Bahía Blanca como su extremo sur. En Chile circulan varias ediciones cartográficas en las que la Patagonia figura como parte de su territorio y si los chilenos no ponían a alguien de su lado en su base del estrecho de Magallanes, más tarde o más temprano las potencias europeas lo iban a ocupar, como hicieron con todos los estrechos del mundo: tomaron Singapur, Gibraltar, el canal de Suez, controlan el de Panamá... Las grandes potencias mundiales aseguraron todos los grandes estrechos del mundo, y no era descabellado pensar en pleno siglo XIX que no fuesen a apuntar al de Magallanes, en especial si no tenía defensa. Por eso nos llama la atención que los argentinos no perciban claramente el valor y la importancia de la Patagonia. No solo por sus recursos y minerales e hidrocarburos en tierra, sino además por su riqueza ictícola en su mar territorial y adyacente, más su plataforma continental, igualmente con seguras existencias de minerales y petróleo. Otro tanto puede decirse sobre la Antártida, afortunadamente bajo un régimen de exclusiva exploración científica y de protección de su medioambiente, pero que será un tema a tratar en las próximas décadas.

Con esto no queremos decir que la Patagonia esté actualmente en riesgo. Nos referimos a una visión geopolítica a largo plazo y, dentro de esta mirada, es necesario tener en cuenta todos los escenarios posibles.

Aventurar cómo pueden desarrollarse los acontecimientos en el Atlántico Sur está ligado íntimamente al escenario actual, a los actores gravitantes y al gran número de intereses en juego. Por esta razón, lo primero que vamos a mencionar es la situación actual del Atlántico Sur, incluyendo la asignatura pendiente de la consolidación de nuestra soberanía territorial en las Islas Malvinas, Georgias y Sandwich del Sur, más los espacios marítimos otorgados por la ley del mar y el derecho internacional. La Argentina tiene un mandato constitucional desde 1994 que impone la recuperación de dichos territorios y el ejercicio pleno de la soberanía sobre ellos, conforme a los principios del derecho internacional, respetando el modo de vida de sus habitantes y como objetivo permanente e irrenunciable del pueblo argentino.

Luego del conflicto de Malvinas, en 1986, y por iniciativa de Brasil, el Atlántico Sur fue declarado por la Asamblea General de las Naciones Unidas "Zona de paz y cooperación regional" con el objetivo de mantener el área libre de conflictos. Esta iniciativa fue importante, y periódicamente se aprueban resoluciones en la ONU para el seguimiento de proyectos relacionados con esta idea. En 2009, doce países que tienen litoral marítimo en el Atlántico Sur se reunieron en Lanzarote, Canarias, para tratar temas comunes.

En cuanto al Reino Unido, luego de 1982 fortaleció el crecimiento económico de las islas y desarrolló una base militar importante con capacidad de proyectar fuerzas navales y aéreas en todo el espacio terrestre y marítimo que ocupa, con el pretexto de protección y disuasión efectiva para evitar situaciones como la de 1982.

Paralelamente, se registró un desarrollo económico en las islas que permitió aumentar el ingreso per cápita de los isleños, que hoy es superior al de los argentinos y uno de los más altos del mundo, debido a la venta de derechos de pesca y a su escasa población.

Esta realidad es muy gravitante para Argentina, ya que no solo persiste la disputa por la soberanía de las islas, sino que además, aunque no se lo reconozca, el Reino Unido ha pasado a ser un "estado ribereño", vecino a nuestras costas y con proyección al mismo sector antártico que reclama la Argentina. De esta manera se configura una situación donde tenemos conflictos de soberanía territorial con el mismo país en el mismo ámbito (Atlántico Sur), uno sin avance (la Antártida) y otro (Malvinas, Georgias y Sandwich), con las negociaciones estancadas.

Un actor que despertó su interés con gran entusiasmo por esta desolada región marítima después de 1982 fue Brasil. En este caso, nuestro país trabajó con decisión esta relación, y hoy podemos decir que contamos con el apoyo del país más importante de la región, también con un extenso litoral marítimo, que interactúa por nuestros reclamos, pero que también está muy decidido a desempeñarse como un actor de peso en todo el Atlántico y en la Antártida, porque seguramente ya tiene diseñada una estrategia para el Atlántico Sur.

Otro actor importante es Chile, un país al que hay que reconocerle su coherencia e intenso trabajo de presencia en los mares del Sur, los pasos bioceánicos y la Antártida. En este caso, se ha fortalecido esta relación con ambos países y se llevan adelante esfuerzos sostenidos para actuar en forma conjunta en el territorio Antártico, donde el actual régimen jurídico respecto de reclamos territoriales puede presentar cambios en el futuro próximo.

En la orilla oriental, están muy atentos Sudáfrica y varios países del litoral africano –algunos de los cuales pertenecen al Commonwealth– para interactuar en la región, y es muy posible que no vayan a estar de nuestro lado en la defensa de los intereses que el país sostiene en la zona marítima.

Considerando el Frente Marítimo Argentino como el espacio de prioridad estratégica del país en el mar, en este espacio, las aguas, el lecho y el subsuelo marinos son ámbitos de incumbencia argentina sobre los que ejerce sus derechos jurisdiccionales y el dominio de los recursos naturales, susceptibles de ser afectados por otros actores. Estos espacios marítimos se pueden categorizar en: soberanos (el mar territorial); jurisdiccionales (Zona Económica Exclusiva, área de responsabilidad de búsqueda y rescate [SAR]); y de interés (aguas contiguas a las jurisdiccionales o localizadas en áreas donde deba contribuirse a proteger y obtener un interés nacional).

Nuestro mar, en su inmensidad, contiene una invalorable cantidad de recursos. La riqueza ictícola constituye una fuente renovable de gran valor económico si se lo explota en forma racional y controlada. Además, también se hallan hidrocarburos, nódulos polimetálicos y otros minerales de la plataforma y la corteza continental extendida a 350 millas náuticas por determinación de la Comisión Nacional de Límite Exterior de la Plataforma Continental (COPLA), y que serán explotables cuando la tecnología haga rentable su obtención. Todos estos recursos pertenecen a la Nación y deben protegerse para el futuro de los argentinos. Esta demarcación definitiva de la plataforma marítima incorpora a la jurisdicción de nuestro país 1.700.000 kilómetros cuadrados de superficie marítima, otorgando el derecho de explotación de los recursos del subsuelo.

Actualmente, centenares de barcos pesqueros de origen asiático y europeos pescan en forma indiscriminada e ilegal en el Atlántico Sur, zona considerada como de mayor biodiversidad marina y último caladero virgen del planeta; es sin duda la última gran reserva ictícola del mundo. Aquí, tanto Argentina como el Reino Unido otorgan licencias considerando la Zona Económica Exclusiva y la milla 201, pero esta tarea no coordinada es de por sí conflictiva, y no sabemos si es suficiente para detener la pesca ilegal y asegurar la conservación del caladero. Esta situación, en principio, exige una franca comunicación y acuerdos con países que tienen litoral marítimo, comenzando en la región, para asumir una responsabilidad global sobre el alcance de los derechos, con pautas fundamentadas que garanticen la sustentabilidad del recurso.

No obstante, aun logrando estos acuerdos, le corresponde al estado ribereño –en este caso, Argentina– ordenar la milla 201 mediante el derecho internacional, velar por el cumplimiento de las normas con más presencia naval en la zona y evitar los abusos que ponen en riesgo la supervivencia del caladero.

La Ley 22.445 que aprueba el "Convenio Internacional sobre Búsqueda y Rescate" firmado en la ciudad de Hamburgo en 1979 establece la responsabilidad a nuestro país de la salvaguarda de la vida en el mar sobre un área que desde nuestras costas hacia el este se extiende por una superficie de 16.000.000 km².

Otro aspecto que caracteriza a nuestro mar es su condición de puerta y ruta necesaria hacia el continente antártico. Los puntos de apoyo a la navegación y los aeropuertos de nuestro litoral son útiles y convenientes para el despliegue de todos los medios propios y de otros países reclamantes que se dirigen hacia las distintas bases. Estar presentes, conducir en forma eficiente las actividades científicas propias y cooperar con las actividades internacionales que se desarrollan en este continente fortalece la posición argentina en el contexto de los tratados y convenios a los que adhiere, y también la posicionan bien como posible partícipe de los beneficios futuros que la Antártida pueda ofrecer.

Además de nuestras responsabilidades en las aguas australes, tenemos también el control efectivo compartido con Chile en el estrecho de Magallanes, el canal de Beagle y los pasos bioceánicos, espacios que en determinadas circunstancias pueden adquirir enorme relevancia estratégica global. El paso del Pacífico al Atlántico y viceversa es el factor geográfico de mayor relevancia estratégica en el mar del sur desde los tiempos de la conquista de América y en este siglo su importancia crece día a día en función del incremento del tráfico internacional.

Este breve repaso de los actores, intereses y elementos que componen el escenario del Atlántico Sur lo define, a nuestro entender, como de carácter esencialmente estratégico. Podemos decir que responde a la naturaleza misma del concepto de "estrategia", tomado como una lucha de voluntades donde varios actores disputan los mismos intereses. Conociendo, además, el valor de estos intereses tales como reclamos territoriales, recursos vitales como lo son fuentes de alimentos, de energía, de minerales necesarios para tecnologías de punta, áreas extensas para la investigación científica y el incierto desenlace de la explotación de un nuevo continente, como la Antártida, donde están pendientes reclamos de varios países regionales y extrarregionales, definen por sí solo un futuro de alta complejidad.

A lo expresado hay que sumarle que esta zona marítima del planeta es considerada uno de los grandes espacios "vacíos", donde salvo las jurisdicciones otorgadas a la Argentina por el dilatado litoral, lo demás está expuesto a cualquier actor estatal o extraestatal que con medios adecuados ejerza actividades de presencia, explotación y ocupación como un acto de derechos que pueden ser reclamables a futuro.

Frente a este escenario, tenemos una zona de nuestro territorio nacional integrado por las provincias de Santa Cruz, Tierra del Fuego e Islas del Atlántico Sur, también considerada como un gran espacio vacío continental, con valiosos recursos de hidrocarburos, minería y agua potable en abundancia por ríos de deshielos cordilleranos.

Esto también constituye un área estratégica sensible, de índole geopolítica, por su posición privilegiada de dominio y proyección a los espacios marítimos australes, antárticos y áreas insulares en disputa.

Definido así el perfil estratégico de este enorme espacio continental y marítimo, podemos ensayar posibles ideas y políticas nacionales de Estado para enfrentar los desafíos que la Argentina tendrá, sin lugar a dudas, en este escenario considerado de alto interés nacional y enorme responsabilidad histórica, donde está en juego nuestra soberanía marítima y la gran fuente de ingresos para el progreso de los argentinos.

Para atender este escenario, la Argentina debe forjar políticas de Estado de alto consenso interno, para asegurar su continuidad en el tiempo. En particular, debe elaborar una política de Estado para aplicar en el Atlántico Sur que refuerce su presencia en cada uno de los intereses mencionados anteriormente. Debe demostrar con férrea voluntad política la condición de actor relevante que le otorga su ubicación geográfica y llevar adelante una política oceánica integrada que abarque toda la complejidad de intereses, comunicando con estas acciones la importancia y el grado de protección para cada uno.

Para ello, es necesario redoblar su presencia en el Mar Argentino, contar con los medios adecuados y tener en cuenta a sus aliados en los foros internacionales.

Debemos reforzar los buenos vínculos cooperativos en la región (Brasil, Uruguay, Perú y Chile), para construir una fuerte alianza regional que contribuya a defender nuestra posición.

Nuestra relación con Brasil merece más atención, porque es el país más importante del Atlántico Sur y tiene una política muy definida de medios adecuados para lograr presencia en la zona, y nos necesita como socios. Esto es muy conveniente para nosotros, porque Brasil desarrolló una doctrina para oponerse a la teoría de los espacios vacíos, creyendo amenazada la Amazonia por las grandes potencias, y este problema lo tenemos en la Patagonia, por lo que la doctrina de los espacios vacíos en el Atlántico Sur no es una novedad para ambos países, lo que demuestra su complementariedad.

La ocupación de la Antártida probablemente ocurra cuando finalice el tratado, y esto simplemente es así porque la historia demuestra que la sucesiva ocupación de los espacios vacíos del planeta fue por dos caminos: el reclamo de derechos o la ocupación por intereses, y si eso sucede, el país debe encontrarse con una estrategia de alianzas regionales e internacionales que lo ayuden a defender sus reclamos y derechos.

Toda esta región oceánica ha incrementado su relevancia estratégica, por lo que es imprescindible el ejercicio pleno de los derechos correspondientes a los espacios marítimos soberanos y jurisdiccionales cumpliendo con todas las obligaciones que nos corresponden y nos han sido asignadas como estado ribereño.

Debemos elaborar un proyecto nacional para desarrollar una proyección oceánica que incremente la actividad, el crecimiento económico, la investigación y la explotación, relacionados con los recursos del mar, en todo nuestro litoral.

También hay que consolidar los límites de la Patagonia oceánica, integrar al resto del país la Patagonia continental y ejercer un verdadero control de ese vasto espacio marítimo. Además, es necesario proteger las líneas de comunicación y de comercio internacional, controlar los pasos interoceánicos y mantener el apoyo y la permanencia en las actividades antárticas. Vigilar la explotación sustentable de recursos renovables y no renovables del mar argentino y espacios en disputa también será esencial.

Toda esta actividad, sumada a la presencia activa del Estado en el mar, debe ejercerse con un poder naval integrado, con proyección oceánica, que tenga capacidad de permanencia en estos espacios y un poder de disuasión creíble, acorde al nivel de los países que interactúan por los mismos intereses.

Consolidar estos objetivos nos posibilitaría alcanzar alianzas políticas, económicas y estratégicas que coadyuvarían a disminuir vulnerabilidades, para actuar con más solidez, en un escenario de gran interés nacional y enorme importancia estratégica para nuestro frente marítimo.

En términos de futuro, el conflicto de Malvinas, y quizás el de la Antártida, tienen una dimensión bilateral con el Reino Unido, una multidimensional en Naciones Unidas, y una cooperativa y de apoyo con los países de la región. Estas opciones deben ser tratadas con total determinación por la diplomacia y política exterior, y deben ser consideradas una prioridad del Estado. Debe ser una estrategia que le otorgue coherencia a cada acción, provea las capacidades necesarias para su cumplimiento y sea permanente en el tiempo, con una clara voluntad política. Alcanzada esta posición podemos pensar un futuro promisorio en el terreno de las negociaciones. De no ser así, quedaremos a merced de las estrategias y capacidades de los demás.

Testimonios de oficiales embarcados

Teniente de corbeta 1 Alberto H. Messidoro

Integrante de la plana mayor de la corbeta ARA Drummond

¿Qué sentíamos todos en aquel momento? No me animo a responder cuál era el sentimiento en otros buques de la flota de mar, pero aunque ha transcurrido mucho tiempo, sí recuerdo que a bordo de la corbeta ARA Drummond la atmósfera era de expectación, una combinación de curiosidad y ansiedad por ver salir nuestros misiles. Se parecía al ambiente de tensión que había primado a bordo un mes antes, durante el amanecer del 2 de abril, cuando escoltamos al ARA San Antonio para el desembarco de las tropas en la capital de las islas. Pero la sensación era más intensa, quizás la frase que mejor resume nuestros sentimientos era que queríamos acción.

La operación que intentamos a principios de mayo de 1982 consistía en hacer confluir tres corbetas y lanzar misiles sobre la Fuerza de Tareas británica al amanecer, junto con el ataque aéreo simultáneo de cazabombarderos lanzados desde nuestro portaviones. Todo eso desde el noroeste, mientras que desde el sur se aproximaban a los británicos un crucero y dos destructores, al menos como distracción táctica. En esa fecha, la cantidad de unidades de combate de ambos bandos no difería sustancialmente, y la subestimación que los británicos admitieron después haber profesado por nosotros jugaba a nuestro favor. Sin embargo,

---

1 Todas las jerarquías aquí mencionadas refieren al momento relatado.

en las primeras horas del domingo 2, la operación se postergó y no se llevó cabo posteriormente.

Ríos de tinta se escribieron explicando que los británicos nos vencieron porque tenían mejores medios, porque otra nación los apoyaba, o porque sus tropas terrestres eran profesionales y no soldados conscriptos. Y la lista sigue. Aunque la combinación de todos esos motivos pudiera ser cierta, mi hipótesis es distinta. Entiendo que los británicos triunfaron porque arriesgaron todo lo que tenían y porque vinieron con la decisión de vencer. A la confianza en sí mismos la sazonaron con procesos de decisión rápidos, flexibles. Sutilmente Woodward los menciona varias veces, pero quien los hace explícitos es Richard Hutchings en su texto Special Forces Pilot. Hay mucho que aprender ahí.

Volviendo a los primeros días de mayo, motivo de este libro, creo relevante mencionar que la actitud de combate era homogénea en todas las unidades que estaban en el mar. Luego de abortado el ataque aeronaval del amanecer, en la tarde del 2 de mayo la cortina de buques que escoltaba al portaviones ARA 25 de Mayo, al noroeste de las Islas Malvinas, se hallaba bien establecida. Se le habían asignado sectores relativos a cada buque, centrados en el portaviones, y al menos un helicóptero arriaba su sonar a proa de la formación aleatoriamente, mientras el núcleo zigzagueaba.

Lejos de allí, al sudoeste de Malvinas, los dos destructores que cortinaban al crucero ARA General Belgrano estaban estacionados –desde hacía varias horas– uno en la amura de estribor y el otro en la aleta de la misma banda. El helicóptero de rescate estaba trincado en la cubierta del crucero y su tripulación en el camarote. El submarino Conqueror se situó en la amura opuesta, la de babor. Asomó el periscopio dos veces antes de lanzar tres torpedos de corrida recta, uno de los cuales impactó sin estallar contra el destructor que estaba en la aleta del crucero. ¿Es imposible suponer que, de haber estado en vuelo, la tripulación del helicóptero podría haber avistado la estela del periscopio, aunque no estuviera calificada para evaluar la amenaza?

A bordo de nuestro querido General Belgrano fallecieron 321 personas, que representaban casi un tercio de los 1.023 tripulantes que estaban a bordo.

Al cumplirse tres décadas del conflicto bélico por nuestras Islas Malvinas, el Boletín del Centro Naval tuvo la deferencia de publicar una nota que escribí al respecto. Retrospectivamente, pienso que tal vez debiera haberle agregado al título la onomatopeya "tsic", ese chasquido involuntario que al frotar la lengua contra el paladar expresa desencanto, frustración, desazón. Cambio entonces el final del texto que escribí alguna vez: "Pero... tsic... si estábamos tan cerca".

Teniente de navío Jesús Eduardo Poblet

Jefe del sistema de lanzamientos de aviones (catapulta) del portaviones ARA 25 de Mayo

Particularmente, guardo un cariño muy grande por el portaviones ARA 25 de Mayo (POMA), porque estuve allí destinado varios años y en momentos muy importantes. En 1972, formé parte de su dotación en el viaje a los EE. UU. para recibir a los aviones Douglas A4Q Skyhawk y su posterior traslado hacia la Argentina. En 1982, participando en la guerra de Malvinas. En 1983 y 1984, en la adaptación de los aviones Súper Étendard (SUE) a bordo. Y de 1989 a 1993, para la repotenciación del POMA en su propulsión, parte eléctrica y máquinas auxiliares.

En 1981, la Armada designó a cuatro oficiales (dos maquinistas, el Sr. Capitán de Corbeta Moreno y yo, y dos aviadores, el teniente de navío Ibáñez y el teniente de navío Iriart) para realizar un curso en Francia acerca de la operatividad de los SUE a bordo. Fueron dos semanas de instrucción teórica en París y dos semanas más a bordo del portaviones R99 Foch, observando enganches, abastecimientos y catatapultajes, señales, etc.

En febrero de 1982 me trasladé de pase del Crucero ARA General Belgrano (CRBE) al POMA. Allí tomé subcargos: sistema de lanzamientos de aviones, aire de alta presión y combustibles de aviación, e inmediatamente iniciamos el adiestramiento general y la preparación de equipos para recibir a los SUE. Se interpuso luego la guerra de Malvinas y por esta causa todo quedó postergado para 1983.

La Operación Rosario ya había transcurrido hacía un mes y todo había resultado a la perfección. Nuestro trabajo de apoyo del desembarco había sido arduo pero sin sobresaltos. Ahora estábamos frente a algo más complejo, pues sabíamos que los británicos habían iniciado las hostilidades. La pregunta era: "¿A qué vamos?", y la respuesta más razonable era: "Para luchar".

El 25 de abril habíamos concluido una navegación de nueve días y zarpamos el 28. En esos tres días equipamos al POMA de todo: combustible JP1 (680.000 litros) para los ocho A4Q y los helicópteros: tres Sea King y dos Alouette; aeronafta 115/145 (120.000 litros) para los cuatro Tracker (S2E); Fueloil más gasoil para el POMA en sí; alimentos, armamento, bombas, misiles y demás pertrechos para soportar muchos días en el mar.

En la navegación para la Operación Rosario, el comandante capitán de navío José Sarcona nos había reunido y nos había comunicado que íbamos a tomar Malvinas. En esta etapa, no nos informó nada... Todos nos imaginábamos que íbamos a enfrentar a los británicos.

Si bien nuestra Fuerza de Tareas era bastante poderosa (un portaaviones con un grupo aeronaval embarcado importante, rodeado por dos destructores tipo 42 y tres corbetas A69, que le daban al POMA muy buena cobertura aérea, de superficie y submarina respectivamente), no dejábamos de sentir temor, pues no se trataba de un ejercicio de adiestramiento sino de un enfrentamiento, nada más y nada menos que contra una de las flotas más poderosa de la tierra. Paralelamente, sentíamos mucho orgullo debido a que, de alguna manera, la Armada (o el destino) nos había ubicado en esos días en un puesto y lugar de altísima responsabilidad y cada uno de nosotros debía dar, cual engranaje pequeño de una gran maquinaria, lo mejor de sí.

Sentíamos gran ansiedad por lanzar aviones de combate configurados como tales... Por fin íbamos a participar en una batalla naval real, lo cual siempre lo habíamos leído o visto en alguna película... En mi caso, lo iba a hacer en un puesto envidiable, como era el de "catapultero". También pensábamos que esos aviones iban a salir, pero no estábamos seguros de sus regresos... En fin, nuestros sentimientos eran una mezcla de emociones: alegrías y tristezas, lindas y feas, buenas y malas... Supongo que esta polarización es normal en situaciones extremas como es una guerra.

Por ser el "catapultero" del portaviones, mi lugar de trabajo era básicamente la cubierta de vuelo (CV) y en los momentos de pausa de las operaciones, iba a la Torre de Control (TOCO), al puente de comando y/o a la sala de pilotos listos o de prevuelo. Allí me enteraba de las últimas noticias de la guerra.

Por ser el lanzador de aviones, los pilotos me trataban con mucha cordialidad y afecto, pues de nuestro trabajo dependía el éxito de cada catapultaje. Fundamentalmente, nuestras tareas de mantenimiento más importantes eran, entre otras: verificación del correcto funcionamiento de las válvulas de lanzamiento, dilatación de la catapulta, implementación correcta de los valores de presión de vapor para el catapultaje, calculada por la TOCO y verificada por el catapultero. Con respecto a la presión de lanzamiento, yo siempre le agregaba un porcentaje de más, "por las dudas". A sus regresos, los pilotos me preguntaban de cuánto había sido ese porcentaje de más y algunos exageraban diciendo que "se habían visto los intestinos con sus ojos". La mejor manera de entender lo que se siente en cada catapultaje o enganche es practicarlo. Por esta razón, una o dos veces por año, salíamos como acompañantes en algún S2E. Realmente las aceleraciones y desaceleraciones que allí se imponen ameritan del piloto un adiestramiento muy exigente.

Durante esos días, mi "cata" funcionó a la perfección, y eso fue sin ninguna duda el resultado del trabajo silencioso pero muy eficiente de mi personal. Por eso lo destaco de sobremanera. Fue muy valiosa la tarea desarrollada por mi oficial ayudante, el guardiamarina Cabrera, quien, motivado por los sucesos que estábamos viviendo y su juventud, adicionaba un excelente espíritu general.

Las condiciones de alistamiento de la cata eran: "a la orden", "a la orden modificada" y "a 15 minutos". La diferencia radicaba en la cantidad de equipos y personal en servicio. Durante todos esos días mantuvimos la cata "a la orden", pues estábamos en condición de crucero de guerra real con interceptores listos en CV (ILC). Recuerdo al capitán Phillipi en la cabina de un A4Q durante horas cumpliendo esta tarea. Más de una vez, se arrancaba el avión y se lo conducía hacia la cata. A veces salía y otras se cancelaba el lanzamiento por tratarse de información falsa. La cata pasó todos esos días "fumando". Se decía así, cuando por sus 58 metros en la CV salía un hilo de vapor producto de las 45 libras por pulgada cuadrada de presión que le insuflábamos para mantener su correcta dilatación (¾ pulgadas). Cada hora sacábamos diagramas en las válvulas de lanzamiento y realizábamos lanzamientos en vacío, a veces "cortos". Todo esto correspondía hacer por norma, para mantener el sistema operativo en todo momento.

Al día 1º de mayo, habíamos realizado 185 catapultajes, 122 de S2E y 63 de A4Q. Habíamos alcanzado el nivel óptimo al lograr catapultar aviones A4Q cada 1m20s. De esta forma, en 10m40s teníamos ocho A4Q en el aire. Los A4Q se ubicaban encolumnados frente a la cata. Mientras lanzábamos uno, el siguiente se colocaba inmediatamente detrás de la pantalla deflectora de gases. Salía el primero, bajábamos la pantalla y mientras el siguiente se ubicaba en su lugar para retenerlo y estrobarlo, ya traíamos el carro de lanzamiento a popa para iniciar nuevamente el proceso. La luz verde de la TOCO se encendía para el primer lanzamiento y no se apagaba hasta haber lanzado el último. Con personal de aviación de CV y de catapulta bien adiestrados, lo hacíamos posible.

A las 20 horas del 1° de mayo me enteré de que el arrumbamiento general era 120° aproximado, rumbo a la flota británica. Llamé a los más antiguos de mis subordinados y les expresé: "¡Prepararse… vamos para allá!". Nadie tuvo dudas a qué me refería, pues habíamos hablado mucho sobre un posible combate naval… Se produjo un gran silencio mezclado con orgullo al pensar que se estaba concretando algo para lo cual nos habíamos preparado desde nuestro ingreso a la Escuela Naval Militar o a la Escuela de Mecánica de la Armada, que era combatir por nuestra patria, un gran privilegio que muchas generaciones no tuvieron. Paralelamente, nos inundó un sentimiento de tristeza al pensar que una de las posibilidades era morir y no poder compartir el resto de nuestras vidas con nuestras familias. En mi caso personal, habíamos tenido un hijo que en esos momentos tenía 4 meses y mis deseos de estar con él eran inmensos.

Aproximadamente a las 2 de la mañana del 2 de mayo, llegó al puente de comando el meteorólogo, confirmando el parte del día anterior, que no íbamos a tener viento real para el crepúsculo matutino. Este dato fue totalmente determinante para no llevar a cabo la tan ansiada operación ese amanecer. A modo de ejemplo, el tema era así: un A4Q con bombas necesitaba una Velocidad Mínima de Seguridad (VMS) de 145 nudos. Esto se conseguía con 125 nudos dados por la catapulta "a su máxima capacidad" (es decir, "al mango") por diseño (habíamos efectuados lanzamientos con carro calibrador [chancho] y con aviones con esos valores, sin inconvenientes), más 10 nudos del POMA (viento relativo), más 10 nudos de viento real. Al haber 0 de viento real, necesitábamos 20 nudos a sumar a la cata, para realizar lanzamientos seguros. Nuestro querido POMA no conseguía esa velocidad en esos momentos.

A las 3 de la mañana aproximadamente del 2 de mayo, me enteré de que había llegado la orden, para toda la fuerza, de replegarnos. Hasta estos momentos, nuestro Sr. Comandante parecía un león enjaulado, pues se caminaba todo y cuando me veía me preguntaba: "¿Y, Poblet? ¿Tenemos viento? ¿Cómo anda la cata? ¿Dónde anda el meteorólogo?". Recuerdo que a raíz de sus problemas coronarios que había tenido hacía poco, el Departamento de Sanidad había embarcado todo el material para atenderlo en caso necesario. Unos minutos después de las 3, el POMA comenzó a virar a una proa aproximada de 270°, con lo cual se confirmaba el alejamiento de la flota británica. Esta decisión nos cayó como un balde de agua fría y solo atinábamos a decir: "No tuvimos suerte", y lo repetíamos... También pensábamos que esa directiva era transitoria y que repetiríamos nuestras acciones en otro momento más adecuado de ese mismo día o siguientes, pero eso no se dio... y comenzamos a sentir que había pasado el gran tren de nuestras vidas profesionales y como argentinos, y no habíamos podido aprovecharlo. Horas más tarde, nuestros aviones exploradores (S2E) nos informaban que la flota británica se había alejado más aún de nuestras posiciones.

Los días venideros fueron de mucho trabajo, máxime teniendo en cuenta que la División Lima, por planilla de armamento, no tenía relevos. Todos descansábamos y/o dormíamos vestidos y donde se podía, cercano a nuestros puestos de combate. La falta de un buen descanso era contraproducente con la seguridad, por lo que naturalmente nos controlábamos entre nosotros. Si bien teníamos algunos conscriptos de refuerzo, en nuestro caso no era la total solución debido a la complejidad de los mecanismos, que llevaban mucho tiempo para su aprendizaje y conducción y por ende eran operados por profesionales.

Durante el repliegue hacia aguas poco profundas, hubo mucho movimiento en la CV, sobre todo de los aviones antisubmarinos (Tracker S2E, Sea King y Alouette), los que salían a menudo con misiones concretas y reales por posibles submarinos británicos. En este sentido, hubo 36 lanzamientos de S2E. También se produjeron 21 lanzamientos de A4Q configurados como ILC, lo que se debía a que detrás de nuestros exploradores de regreso, a veces se colgaban los exploradores británicos (Sea Harrier).

Aún teníamos bastante combustible de aviación, más los combustibles propios del POMA, más las bombas existentes en el hangar... Realmente, si nos llegaban a tocar, estábamos "fritos".

Continuamente observábamos el horizonte, pues sabíamos que los posibles misiles enemigos iban a venir rasantes al mar. Si lográbamos ver alguno, debíamos dar la voz de alarma y protegernos.

Por la tarde-noche del día 2 de mayo, nos enteramos de que el Belgrano (CRBE) había sido atacado y hundido. Fue un golpe muy grande, y para mí mucho más, debido a que hacía tres meses yo formaba parte de su tripulación y por ende conocía a muchos de sus integrantes.

Dos días después del hundimiento del CRBE, dos aviones SUE nuestros, guiados por un viejo explorador de la Armada, un Neptune, lograron hundir uno de los buques más importante de la flota británica: el HMS Sheffield. Eso levantó nuestra moral. Después de muchos años, siendo mis hijos grandes, mi señora esposa encontró una carta mía fechada en esos días, desde el POMA navegando en algún punto de nuestro mar, donde le expresaba precisamente que nuestra moral era elevada y que teníamos muchas ganas de combatir...

Continuamos con nuestro repliegue y el día 10 de mayo, tomamos puerto. Antes, catapultamos los ocho A4Q y los seis S2E, mientras que los helicópteros despegaban directamente de la CV. El silencio de la cubierta de vuelo sin aviones fue muy triste y doloroso. Fue la señal definitiva de que ya no volveríamos a Malvinas.

Fue la gran oportunidad del siglo XX para que la flota de mar y nuestro querido portaviones ingresaran en la historia grande de las batallas navales de nuestro país. Cualquiera de los resultados posibles (ganar o perder, vencer o morir) para nosotros hubiese sido glorioso. Estábamos dispuestos a combatir, era nuestro deber, para eso nos habíamos formados, y así lo íbamos a cumplir.

Teniente de navío Jorge Luis Carlos

Jefe del cuarto de Dirección de Aviones del portaviones ARA 25 de Mayo

Esos días me encuentran ocupando el cargo de Jefe del Cuarto Dirección de Aviones (CDA), donde se realizaba el control de todas las aeronaves que se incorporaban al buque hasta su proximidad, pasando el control al señalero / TOCO para su anavizaje; o las que se destacaban en cumplimiento de una tarea (traslado, exploración, ataque, antisubmarina, interceptación aérea, etc.).

Había llegado de pase en 1979 al Departamento Operaciones y a partir de 1980 asumí la jefatura de la CDA. Esto me permitió que con el transcurso de las etapas de adiestramiento de la flota de mar se lograra una ejecución de operaciones aeronavales seguras y confiables, afianzando el cumplimiento de procedimientos en vigor y el entendimiento piloto-controlador, lo que daba como resultado que el porcentaje de éxito en las operaciones fuese más elevado.

El 28 de marzo de 1982 zarpamos en el portaviones para cumplir ejercitaciones de adiestramiento en una etapa de mar de rutina. El día 30, el comandante, capitán de navío José Sarcona nos reúne a los jefes y oficiales en el salón de descanso y nos comunica que formábamos parte de una Fuerza de Tareas que iba a tomar militarmente las Islas Malvinas. Nadie salía de su asombro ante algo totalmente inesperado. De todas maneras, se trataba de ejecutar una simple operación de desembarco, considerando que la defensa estaba a cargo de una compañía de unos 100 Royal Marines. Se podía calificar como "desembarco administrativo", de no ser que se imponía que ningún isleño ni militar británico podía sufrir daño personal o material alguno.

El 2 de abril se realiza la Operación Rosario, perfectamente planificada hasta el último detalle, cumpliéndose con todas las premisas y con todo éxito. Se toman las islas sin producir daños personales ni materiales, sufriendo nuestra Fuerza la baja del capitán de IM Pedro Giachino y dos heridos graves que son evacuados.

Finalizada la recuperación, la flota regresa a su apostadero para su reabastecimiento, y vuelve a zarpar promediando el mes de abril. Se conforma así una Fuerza de Tareas al noroeste de Malvinas compuesta por el portaaviones ARA 25 de Mayo, los destructores ARA Hércules, ARA Santísima Trinidad y ARA Py, y las corbetas ARA Drummond, ARA Guerrico y ARA Granville. Al sudoeste de Malvinas se ubica otra Fuerza de Tareas compuesta por el crucero ARA General Belgrano y los destructores ARA Bouchard y ARA Piedrabuena. Ambas fuerzas navegaban esas zonas manteniéndose fuera de la Zona de Exclusión impuesta por los británicos.

El 1º de mayo al amanecer se produce un ataque con aeronaves Sea Harrier sobre posiciones de Puerto Argentino y buques mercantes fondeados en la rada, que produce daños menores. Por la tarde se lleva a cabo un ataque de la Fuerza Aérea Argentina a la flota británica. Se aproximaron en altura desde el continente, pasando por la vertical de nuestra Fuerza, y se observaron más de una decena de contactos en el radar. Cuando regresan al continente desde el sudeste, se destaca el ILC (Interceptor Listo en

Cubierta) para su identificación y para constatar que no los siga un avión británico. Cumplido y al identificarlos por VHF, me solicitan rumbo a Comodoro, San Julián y Río Gallegos; se les brinda la información. Se les notaba la voz quebrada: habían cumplido su bautismo de fuego. No todos regresaban. El aviso ARA Sobral es destacado a una posición estimada a rescatar dos pilotos eyectados de un Camberra. El final es conocido.

Alcanzada la noche, el comandante llama a su camarote a cinco jefes y oficiales de su confianza, entre los que me incluye, y nos comunica que se ordenó a la Fuerza un rumbo sudeste, y que la intención era realizar un ataque sobre el grupo de portaviones británicos que se encontraba al noreste de las islas con el grupo aeronaval de ataque y los misiles de las corbetas y los destructores. Las corbetas fueron destacadas a 20 millas a proa en formación antisuperficie. Los destructores, escalonados en defensa aérea de área y puntual próximos al POMA. Escucho nuestra opinión y todos coincidíamos en que el único obstáculo era la amenaza submarina, y esta se había dejado de lado por ser demasiado grande y no poder contrarrestarla en esa operación. Las respuestas fueron muy parecidas, más o menos optimistas respecto al resultado. A la flota británica se le podía producir un daño que haga peligrar el cumplimiento de su misión.

La Fuerza que se encontraba al sur también iniciaba una incursión con rumbo Este para presentar otra amenaza y batir blancos de oportunidad. Pasada la medianoche me encontraba controlando una aeronave de exploración Tracker S2E que mantenía exploración en contacto sobre la Fuerza británica; le advierto que una PAC (Patrulla Aérea de Combate) se aproxima por el este a unas 30 millas e inicia un rápido arrumbamiento al oeste para no delatar la posición de nuestra Fuerza y disminuye su altitud a rasante. El Sea Harrier es detectado e iluminado por los radares del Hércules y el Santísima Trinidad; la aeronave cambia de rumbo alejándose rápidamente de nuestra posición. Nuestro avión Tracker inicia el regreso al POMA y aterriza cerca de la 01:30 a. m. trayendo la información de la conformación del grupo de portaviones británico.

Con pleno conocimiento de que estábamos por enfrentar a una de las armadas más poderosas de la OTAN, nuestro ánimo era el mejor. Esto pude observarlo cuando tuvimos contacto radar con el Sea Harrier y al toque de "combate", de inmediato se cubrieron todos los puestos de la CDA, con la seguridad y confianza que brinda el convencimiento y conocimiento de la tarea individual y de equipo.

Los aviones A4-Q atacarían, alguno sería derribado y los que pudieran regresar era probable que algún submarino hubiera alcanzado a nuestro portaviones. La suerte de los otros buques se podría definir en el enfrentamiento misilístico de superficie o con algún otro submarino por su mayor velocidad. Se estimaban del orden de tres o cuatro submarinos nucleares en la zona.

Ya en la madrugada del 2 de mayo, esperando en el cuarto de prevuelo, nos informan que por falta de viento no se podía lanzar los aviones, que se había ordenado a las corbetas invertir el rumbo y que regresábamos a la zona de espera al noroeste de Malvinas. Estábamos convencidos de que con el cambio de meteorología a favorable se realizaría el ataque. El enemigo se encontraba a menos de 200 millas, una distancia ideal. Se conjugó todo excepto la meteorología. Los británicos se alejaban tomando distancia y nosotros no los seguíamos; allí empezamos a dudar de si se repetiría el ataque.

Por la tarde llega la noticia de que el ARA General Belgrano había sido torpedeado y hundido.

Pasan los días y no ponemos rumbo sudeste. Los británicos están más al este porque los sorprende el hundimiento del HMS Sheffield por haber sido impactado por dos misiles AM 39 lanzados por dos SUE guiados por un Neptune. Ellos también se sorprenden. Se posicionan más alejados con el objeto de replantear la defensa. El paseo tiene más costo que el esperado.

Si se producía el ataque el 2 de mayo, no puedo asegurar qué quedaba de nuestra flota. Puedo asegurar que quedaba la gloria para la Armada y que difícilmente se hubiese producido el desembarco británico en Malvinas.

Capitán de corbeta Emilio Goitía

Piloto adscripto a la escuadrilla aeronaval antisubmarina embarcada en el portaviones ARA 25 de Mayo

El día 1° de mayo estaba embarcado con la cuadrilla de aviones Tracker en el portaviones 25 de Mayo. Yo era capitán de corbeta y comandante de avión, y dado el acercamiento que estábamos haciendo hacia la flota británica, me tocó realizar un vuelo de exploración con el teniente de corbeta Marinsalta de copiloto.

La misión fue prevista para las 21, con el preciso objeto de detectar las unidades de la flota británica y su disposición, ya que en el vuelo anterior, el capitán de corbeta Dabini había detectado los buques de la flota, pero no teníamos la disposición como para realizar un ataque. Dos horas antes del despegue, analizando los detalles del prevuelo, pude abstraerme un instante y recuerdo claramente la emoción que viví a bordo, ya que todo indicaba que nos dirigíamos a una batalla naval. También recuerdo con precisión cómo toda la tripulación del buque se movía con gran profesionalismo en sus tareas específicas, viviendo los acontecimientos en una tensa calma y con gran expectativa.

Varios de los tripulantes pasaban por la sala de pilotos y me preguntaban si ya con esta distancia podían confirmar la posición de los buques británicos. Toda esta situación ponía sobre nosotros una gran carga de responsabilidad; lejos de medir los riesgos del vuelo, que ya de por sí era nocturno y a baja altura, lo que más nos preocupaba era no cometer errores, poder encontrar al enemigo y, por supuesto, volver a bordo con la misión cumplida y los datos fundamentales sobre la flota británica.

Nos catapultan a las 21, con un mar calmo y noche clara, y a baja altura nos dirigimos al primero de los cuatro puntos que debíamos explorar. Por suerte, todo en el avión funcionaba bien, y la maniobra prevista con total discreción era ascender cerca de la posición estimada, con el detector de emisión radar encendido, hasta unos 2.500 pies; allí, con el radar en stand by, se hacía una misión de solo una vuelta de antena y rápidamente se descendía rasante. Así continuábamos hasta el próximo punto previsto. De esta manera, al llegar al punto más lejano, y repitiendo la misma maniobra, al ascender recibimos una fuerte emisión de los radares británicos. En ese instante hacemos la vuelta de antena y observamos con estupor que teníamos un eco grande y siete medianos a solo 35 millas náuticas de distancia. El operador radar copió la imagen y rápidamente apagamos todas nuestras emisiones y descendimos bruscamente, ya que asumimos que habíamos sido detectados y que posiblemente lanzarían una interceptación sobre nosotros. A pesar de todo lo que estaba ocurriendo, teníamos una gran alegría: habíamos logrado la posición exacta de la flota británica.

El viejo Tracker E no era un avión rápido. Con Marinsalta hubiésemos querido tener el jet más veloz de la Tierra para desaparecer, pero tuvimos que llenarnos de paciencia, y nuestra resignación fue que la gran ventaja de esta noble aeronave lenta es que permitía volar muy pegado al agua. Otra ventaja era que los motores a explosión no dejan emisión infrarroja, que los misiles de los Harrier detectaban con facilidad.

Durante el descenso no dudé en pasar cuanto antes los datos obtenidos de la posición, por si éramos abatidos antes de volver al portaviones. Reconozco lo inconveniente de exponernos con esta comunicación, pero lo importante era el resultado de la misión antes que nuestra seguridad.

Ya rasantes, más bajos que nunca y con rumbo de regreso, atravesamos una flota pesquera de origen ruso, algunos totalmente iluminados por la pesca del calamar. No dudamos en pasar a ser un buque más, por nuestra altura de vuelo, pensando que si alguien nos estaba siguiendo, seguramente allí nos iba a perder. Aproximadamente a cien millas del portaviones, y con control positivo radar y comunicación con el destructor que nos controlaba, nos avisan que tenían un contacto no identificado muy cerca y detrás nuestro. Rápidamente recibimos instrucciones de hacer maniobras evasivas. En ese instante, la adrenalina se respiraba en toda la tripulación del avión. Con una gran tensión, mantuvimos la concentración en el vuelo: cruzamos los dedos y esperamos que nos indicaran qué rumbo poner para esquivar esta amenaza y encontrar lo antes posible al portaviones.

Lo último que escuchamos por nuestra radio era al buque control pidiendo identificación al contacto desconocido. Posterior a eso, vivimos un gran silencio y por suerte ya teníamos asignado el rumbo al portaviones. Aproximadamente a la 01:25 avistamos el buque, bajamos tren de aterrizaje y gancho, y por fin encendieron las luces de pista faltando solo un enganche seguro para finalizar esta increíble misión.

Aterrizado a bordo, mucha gente se me acercó. Solo atiné a decir que teníamos la posición, y me dirigí de inmediato al puente almirante.

Con toda esta información, nuestra flota se aprestaba para una batalla decisiva al amanecer. Ya en la sala de pilotos listos, totalmente colmada por la curiosidad y la expectativa, relatábamos los detalles del vuelo, que gracias a un gran trabajo profesional de los controladores aéreos pudimos completar la tarea asignada.

Con el teniente Marinsalta compartimos los recuerdos de esta misión por muchos años. Para nosotros fue un orgullo poder sortear tantos obstáculos y obtener los datos del enemigo que nos dio una tremenda iniciativa para lanzar el ataque de los A4Q; lamentablemente, esta ventaja no se pudo aprovechar.

Yo destaco que más allá del temor, que nunca demostré, conté con una tripulación excepcional, porque nadie fue vencido por las incertidumbres vividas, manteniendo en todos sus actos gran aplomo y valor. No puedo dejar de mencionar al radarista cabo primero Néstor Conde, y al operador del detector de misiones electrónicas suboficial segundo Rodolfo Lencina. Toda la tripulación me causa un gran orgullo cuando pienso en este histórico vuelo. Nuestro compromiso fue contribuir con ese gran equipo de mar que era nuestra flota y que a su vez le teníamos una gran confianza para la batalla.

Teniente de navío Gustavo Tufiño

Controlador aéreo del portaviones ARA 25 de Mayo.

No es mi pretensión contar una verdad revelada, ni tenerla; esto es solo un relato de sensaciones y realidades vividas, solo quiero aquí narrar la historia de mi frustración o de qué manera me quedé con sabor a poco.

En el año 1982 yo era teniente de navío y estaba destinado en el portaviones ARA 25 de Mayo; mis funciones eran las de controlador aéreo, o sea, contribuía a que las aeronaves cumplan sus tareas dentro del área de aproximadamente 200 millas náuticas en la que se traslada este aeropuerto flotante.

Después de participar en la Operación Rosario, teníamos una sensación de victoria, por haber hecho bien las cosas, y de que aún nos faltaba enfrentarnos de una vez por todas con la flota británica, así que regresamos a puerto para realizar tareas de mantenimiento y volvimos a zarpar el 17 de abril, pero una avería en la caldera de popa nos hizo retornar para realizar reparaciones de la caldera en cuestión. Esta situación había afectado nuestra velocidad máxima y, por ende, cambiado uno de los tres elementos necesarios para poder hacer decolar los aviones (viento generado por el buque + viento meteorológico + fuerza de la catapulta).

Zarpamos finalmente de Puerto Belgrano el día 28 de abril a las 8 de mañana llevando aún a bordo a los operarios que estaban efectuando la reparación de la caldera de popa, y pusimos rumbo al sur.

Suponíamos ahora que era el momento de iniciar las acciones contra la flota británica. Yo, por mis tareas, estaba al tanto de las operaciones aeronavales, fundamentalmente aquellas de búsqueda de superficie, con los aviones Trackers S2E, que se incrementaron sensiblemente a partir del día 30, tratando de obtener información acerca de las posiciones de la flota del Reino Unido.

Se sentía un ambiente tenso, previo a las situaciones críticas, un ambiente de conflicto.

En el plano personal, no podía dejar de pensar en mi familia, que había quedado al cuidado de mi esposa, pilar de toda mi carrera, ya que en esos momentos yo tenía cuatro hijos y ellos estaban en Bahía Blanca.

La sensación de que íbamos a participar de una situación trascendente, de un momento histórico para el cual nos estábamos preparándonos desde que ingresamos a la Armada, se sentía en el aire.

Durante esos días los ejercicios de combate, control de averías y abandono tomaron real dimensión, y se ejecutaron a la perfección, sabiendo que de ellos probablemente dependería nuestra supervivencia.

A las 10:20 a.m. del día 30 se comenzó a recibir información acerca de las posiciones de los buques de la flota del Reino Unido. Esta información se mantuvo actualizada durante este día y el 1º de mayo.

Simultáneamente, desde el 29, un centro de alta presión se había instalado arriba de la Fuerza y los vientos en la zona eran de poca intensidad, de modo que nuevamente uno de los tres elementos necesarios para permitir un despegue desde la cubierta de un portaviones estaba fallando.

Alrededor de las 20:00 del 1º de mayo el comandante de la Fuerza comunica a todas sus unidades que, de acuerdo a informes de inteligencia, el enemigo se encontraba aferrado a operaciones y que por lo tanto se iniciaban las maniobras de aproximación para efectuar el ataque sobre las fuerzas enemigas.

Entre la medianoche y la 01:10 se ordena converger hacia las posiciones detectadas de la flota enemiga.

El resto de la flota recibió las órdenes necesarias para converger y atacar posteriormente a que en las primeras horas del 2 de mayo lo hagan los aviones del portaviones, acción que se complementaría posteriormente con un ataque de misiles de las corbetas francesas y una posible intervención del crucero en el sector sur.

Esa madrugada el centro de la presión emotiva estaba instalado en la zona del puente de comando del portaviones, cuarto de pilotos listos, cuarto de dirección de aviones, meteorología, cubierta de vuelo.

Sin embargo, alrededor de las 02:00 el comandante de la Fuerza decide suspender el ataque. Y alrededor de las 04:00, la Fuerza pone arrumbamiento general oeste.

Los fundamentos de esta decisión, que no están en mi conocimiento actual ni anterior, ¿fueron meteorológicos? ¿Fueron estratégicos, al cambiar las condiciones imperantes? ¿O fueron políticos? No lo sé.

Solo sé que cuando nos enteramos del cambio de rumbo y por lo tanto de situación, me sentí mal, muy mal, pero al no tener en mis manos toda la información para tomar la famosa decisión, solo pude confiar que fuera la mejor tomada en ese momento.

Nunca dejé de pensar qué habría pasado de efectuarse el ataque previsto; es imposible hacer futurología sobre situaciones pasadas, pero sí estoy convencido de que la historia habría sido diferente.

Bibliografía citada

Creemos necesario hacer al lector una advertencia. Nuestro relato es testimonial. Hemos tratado de hacerlo con la mayor fidelidad posible, reflejando la situación tal cual la veíamos entonces.

Para los antecedentes de la cuestión Malvinas el lector puede recurrir a dos clásicos de permanente actualidad: *La pugna por las Malvinas*, de Julius Goebel, y *Las Islas Malvinas*, de Ricardo Caillet-Bois. También será de provecho el libro de Nicanor Costa Méndez, *Malvinas: esta es la Historia* y, naturalmente, el Informe Rattenbach, el trabajo más exacto y veraz que puede consultarse sobre el tema. También *El derecho a saber: La historia secreta del hundimiento del Belgrano*, de Clive Ponting, que cuenta el encubrimiento de los hechos relacionados con el hundimiento del Belgrano. Por haber advertido al Parlamento de estas maniobras siendo funcionario de carrera en el Ministerio de Defensa, el autor fue exonerado, procesado y despedido.

Otro aporte indispensable son los libros de Tam Dalyell –no publicados en castellano– *One Man's Falklands* y *Thatcher's Torpedo*, cuya lectura recomendamos para una cabal comprensión de este tema.

Lo mismo puede decirse de Desmond Rice y Arthur Gavshon. Su libro *The Sinking of the Belgrano*, editado en Argentina con el título *El hundimiento del Belgrano*, es un enorme esfuerzo por llegar al fondo de la cuestión. La investigación realizada por Desmond Rice y Tam Dalyell en Lima y Arthur Gavshon en Washingto,n entrevistando tanto a Haig como a Helms, es de valor y recomendamos enfáticamente su lectura.

Un joven peruano, Einar Giménez, apasionado defensor de la causa argentina, produjo una serie documental, hoy disponible en YouTube, titulada *Malvinas. Un asunto latinoamericano*. En ella realizó entrevistas a Belaúnde Terry y a Javier Arias Stella, ministro de Relaciones Exteriores de Perú en ese momento. Ambos reconocen que la Argentina había aceptado la propuesta de paz de Belaúnde y que el Reino Unido lo sabía.

AMENDOLARA, Alejandro J. (2007). "¡Hundan el portaaviones!". *Boletín del Centro Naval*, año 126, vol. CXXV, n° 817, mayo-agosto de 2007, pp. 235-240: Buenos Aires.

BICHENO, Hugh (2009 [2006]). *Al filo de la navaja. La historia no oficial de la Guerra de Malvinas*. Traducción de Teresa Arijón. Debate: Buenos Aires.

BROWN, David (1987). *The Royal Navy and the Falklands War*. Leo Cooper: Londres.

CARDOSO, Raúl; KIRSCHBAUM, Ricardo, VAN DER KOOY, Eduardo (1992 [1983]). *Malvinas: La trama secreta*. Planeta: Buenos Aires.

CAILLET-BOIS, Ricardo (1950). *Una tierra argentina: las Islas Malvinas*. Peuser: Buenos Aires.

COSTA MÉNDEZ, Nicanor (1993). *Malvinas. Esta es la historia*. Sudamericana: Buenos Aires.

DALYELL, Tam (1982). *One Man's Falklands*. Cecil Woolf: Londres.

DALYELL, Tam (1983). *Thatcher's torpedo*. Cecil Woolf: Londres.

FRANKS, LORD (1985). *El servicio secreto británico y la guerra de las Malvinas. Informe a la Cámara de los Comunes sobre el conflicto de Malvinas fundado en el Material de la Comunidad Inglesa de Inteligencia*. Ediciones del Mar Dulce: Buenos Aires.

FREEDMAN, Sir Lawrence (2005). *The Official History of the Falklands Campaign. Volume II: War and Diplomacy*. Routledge: Chippenham, Wiltshire (Reino Unido).

GAVSHON, Arthur; RICE, Desmond (1984). *El hundimiento del Belgrano*. Emecé: Buenos Aires.

GOEBEL, Julius (1983 [1950]). *La pugna por las Islas Malvinas. Un estudio de la historia legal y diplomática*. Traducción de la Armada Argentina. Edición de la Municipalidad de la Ciudad de Buenos Aires con autorización de la Yale University: Buenos Aires.

Higgit, Mark (2001). *Through Fire and Water.* HMS Ardent: *The Forgotten Frigate of the Falklands.* Mainstream Publishing Company: Edimburgo.

Hastings, Max y Jenkins, Simon (1984). *La Batalla por las Malvinas.* Emecé: Buenos Aires.

Lombardo, Juan José (s/d). *Malvinas. Errores, anécdotas y reflexiones.* Edición del autor.

Middlebrook, Martin (1989). *The Fight for the 'Malvinas'. The Argentine Forces in the Falklands War.* Viking: Bungay, Suffolk (Reino Unido).

Pereyra, Ezequiel Federico (1969). *Las Islas Malvinas; soberanía argentina. Antecedentes. Gestiones diplomáticas.* Eds. Culturales Argentinas: Buenos Aires.

Ponting, Clive (1985). *El derecho a saber: la historia secreta del hundimiento del Belgrano.* Atlántida: Buenos Aires.

Rattenbach, Benjamín (responsable de la Comisión de Análisis y Evaluación de las Responsabilidades del Conflicto del Atlántico Sur de la Junta Militar) (1983, desclasificado en 2012). *Informe final,* disponible en 17 volúmenes en https://www.casarosada.gob.ar/ informacion/archivo/25773-informe-Rattenbach.

Sciaroni, Mariano (2010), *Malvinas. Tras los submarinos ingleses.* Instituto de Publicaciones Navales del Centro Naval: Buenos Aires

Solanet, Manuel A. (2004). *Notas sobre la guerra de Malvinas.* Edición del autor: La Plata.

Thatcher, Margaret (1993). *Los años de Downing Street.* Sudamericana: Santiago de Chile.

Train, Harry (2012 [1987]). "Malvinas: un caso de estudio" y "Debates ulteriores". *Boletín del Centro Naval,* año 130, vol. CXXX, n° 834, sept-dic de 2012, pp. 231-262: Buenos Aires.

Woodward, Almirante Sandy (con Patrick Robinson) (1992). *Los cien días. Las memorias del comandante de la flota británica durante la Guerra de Malvinas.* Traducción de Julio Sierra. Sudamericana: Buenos Aires.

Agradecimientos

Nuestro profundo reconocimiento a todos los que combatieron en la guerra de Malvinas. Con gran entrega y coraje pelearon con valentía a pesar de las diferencias de equipamiento, preparación y desventaja tecnológica. Lo hicieron con independencia de los motivos políticos del conflicto, actuaron por amor a la patria y por la legitimidad que representa la causa de Malvinas. En los combates hubo desempeños sobresalientes que en muchos casos fueron reconocidos por las mismas fuerzas británicas. Nuestra honra a los que dieron lo más valioso que tenían, que eran sus vidas. Ellos son los héroes, los que no volvieron y que nos comprometen a mantenerlos vivos en nuestro corazón.

A la República del Perú, a todo su pueblo y a sus gobernantes, por el apoyo incondicional y fraterno. A su presidente Fernando Belaúnde Terry, que trabajó incansablemente desde el principio de la crisis para lograr la paz. Por todo ello, nuestro profundo reconocimiento.

Al equipo que integró José Enrique en la Secretaría General de Presidencia, que ya no están con nosotros pero que con seguridad compartirían la necesidad de que esta historia se conozca: al mayor Horacio González, al licenciado Luis González Balcarce, a la licenciada Nelly Seinhert y a Fernando Lascano.

A Tam Dalyell, Arthur Gavshon y Desmond Rice, porque en su búsqueda infatigable de la verdad, hicieron que se conociera y comprendiera la posición argentina, más allá de la lógica propaganda del vencedor.

Al senador Jesse Helms, quien ayudó a que nuestra voz fuera escuchada en el Congreso y Gobierno de los EE. UU.

Al Dr. Roberto Porcel, expresidente de la Academia Argentina de la Historia, y al Dr. Isidoro Ruiz Moreno, por sus valiosos comentarios luego de leer el manuscrito.

A los que también aportaron sugerencias en relación al texto: Horacio Bauer, Aníbal Parera, China Elizalde de Sánchez, Ramón Alcides Fernández, Rosana Guber, Alejandro Amendolara, Félix Lanusse, Martín Bourel, Roberto Sylvester, Juan Membrana y Miguel Fajre. A Nicolás Scheines, por su apoyo entusiasta y a Ricardo Burzaco, por su espontánea y generosa colaboración para la búsqueda fotográfica.

Al embajador Juan Eduardo Fleming, por el enorme trabajo de búsqueda de información relacionada con nuestro relato testimonial, y su invalorable capacidad de análisis, que amplió nuestra visión del conflicto.

Al joven periodista peruano Einar Jiménez Troncoso, apasionado defensor de la causa de Malvinas, por lograr con sus entrevistas históricos testimonios de los principales protagonistas peruanos.

Anexo fotográfico y documental

Capitán de navío José Sarcona, comandante del portaaviones ARA 25 de mayo.
Foto con el grado de Contraalmirante.

Arriba: Benito Rotolo con el Almirante Jeremy Black, en su residencia en las afueras de Londres, año 2000. Abajo: Con el Almirante Allan West, cuando era Comandante de la Flota de la Armada Real, en su despacho en Northwood, diciembre del 2000.

Arriba: Al regreso de un vuelo en F-14 Tomcat, con el Capitán de Fragata Roy Gordon (US Navy). Base Aeronaval de Oceanía, Norfolk, Virginia, 1989. Abajo: Aniversario de la Aviación Naval, Punta Indio, 2007. Capitán de Navío(RE) Roberto Sylvester (izq.), Benito I. Rotolo (centro), y el Capitán de Corbeta(RE) Carlos Lecour (der.). Los tres pilotos integraron la última sección que atacó a la Fragata HMS Ardent, el 21 de mayo de 1982.

Óleo del pintor marinista Allan O´Mill. Inspiración del relato del 1º y 2 de mayo.

Desmond Rice
en la casa del Partido
Liberal de Corrientes
(1985).

Desmond Rice
en el Salón de
acuerdos de la
legislatura de
Corrientes, con José
Enrique García Enciso,
el ex combatiente
Sargento Primero
Roberto Baruzzo y
miembros de la
Juventud Liberal
(1985).

El periodista Fernando Lascano,
integrante del equipo, encargado de
mantener la comunicación con
Isidoro Gilbert, representante
de la Agencia TASS en Buenos Aires,
quien le proveía de información de
inteligencia y satelital de origen soviético.

De arriba hacia abajo: Antecedentes que motivaron la designación de José Enrique García Enciso como especialista con conocimiento de la cultura británica y designación en el cargo. Opinión del Mayor González sobre el desempeño en la Secretaría General. Traducción de *Thatcher's Torpedo,* que el Mayor Daniel Horacio González solicitó a José Enrique García Enciso. En esa obra Tam Dalyell acusa a Margaret Thatcher de haber ordenado hundir al Belgrano para evitar que la propuesta de paz de Belaúnde Terry pudiera ser aceptada por Argentina. En la portada interior se puede apreciar la dedicatoria del autor.

De izquierda a derecha: Luis González Balcarce, Francisco García Enciso hijo,
José Enrique García Enciso, Luis González Balcarce hijo (1992).

Francisco García Enciso, Carlos Lecour, Roberto Sylvester, José Enrique García Enciso
y Benito I. Rotolo. Círculo de Armas (28 de Diciembre de 2019).

14th March 1984

José García Enciso
Sanchez de Bustamante 1450
1427 Buenos Aires
Argentina

Dear José García Enciso,

The enclosed copy of THE SINKING OF THE BELGRANO
is sent to you at the request of the co-author
Desmond Rice. He has asked me to convey to you
his appreciation for the help and advice you have
provided.

Yours sincerely,

Beth Macdougall

Beth Macdougall

Martin
Secker &
Warburg
Limited

54 Poland Street
London W1V 3DF
Registered office
telephone 01-437 2075
Telegrams
Prefabook London
Registered London
971333

A Jose García Enciso.

Con mis gracias las más
sinceras por toda su ayuda
sin la cual jamás hubiera
podido escribir este libro!

Y con un fuerte abrazo.

Desmond Rice.

Corrientes
16/8/85

ARTHUR GAVSHON
DESMOND RICE

**El hundimiento
del Belgrano**

Emecé Editores

PROLOGUE

At 17.44 Lima time (19.44 Argentine time) on 2 May 1982, after a press conference announcement by President Belaúnde Terry of Peru of a new development in the confrontation between Argentina and Great Britain in the South Atlantic, the Associated Press agency man in Lima filed the following message to his New York headquarters:

PRESIDENT FERNANDO BELAUNDE TERRY SAID TODAY THAT GREAT BRITAIN AND ARGENTINA WOULD TONIGHT ANNOUNCE THE END OF ALL HOSTILITIES IN THEIR DISPUTE OVER THE FALKLANDS.
THE BASIC DOCUMENT WAS DRAWN UP BY US SECRETARY OF STATE ALEXANDER HAIG AND TRANSMITTED TO THE ARGENTINE GOVERNMENT BY THE PERUVIAN PRESIDENT.
HE SAID THAT LONG AND CONTINUOUS CONTACTS BETWEEN THE TWO SIDES BEGAN YESTERDAY, CONTINUED LAST NIGHT AND EARLY THIS MORNING AND WILL BE PUBLISHED TONIGHT.
BELAUNDE SAID THAT HE WAS UNABLE TO MAKE KNOWN THE TERMS OF THE AGREEMENT IN ADVANCE EXCEPT FOR THE FIRST, ABOUT WHICH THERE IS NO DISCUSSION: IMMEDIATE CEASEFIRE.[1]

xiv

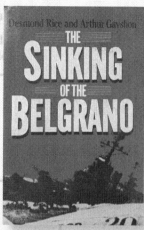

PRÓLOGO

A las 17:44 hora de Lima (19:44 hora argentina) del 2 de mayo de 982, luego de una conferencia de prensa en la cual el presidente del Perú, Belaúnde Terry, anunció un nuevo rumbo en la confrontación entre la Argentina y Gran Bretaña en el Atlántico Sur, el representante de la Associated Press en Lima despachó el siguiente mensaje a la sede central de la agencia en Nueva York:

EL PRESIDENTE FERNANDO BELAÚNDE TERRY DIJO HOY QUE GRAN BRETAÑA Y ARGENTINA ANUNCIARÁN ESTA NOCHE EL CESE DE TODAS LAS HOSTILIDADES EN SU DISPUTA POR LAS ISLAS MALVINAS.
EL DOCUMENTO BASE FUE PREPARADO POR EL SECRETARIO DE ESTADO ALEXANDER HAIG Y TRANSMITIDO AL GOBIERNO ARGENTINO A TRAVÉS DEL PRESIDENTE PERUANO.
ÉSTE EXPRESÓ QUE AYER SE INICIARON LARGOS Y PERMANENTES CONTACTOS ENTRE AMBAS PARTES, QUE PROSIGUIERON ANOCHE Y ESTA MADRUGADA Y QUE SERÁN DADOS A CONOCER ESTA NOCHE.
BELAÚNDE DIJO QUE NO PODÍA ADELANTAR LOS PUNTOS DEL ACUERDO SALVO EL PRIMERO, SOBRE EL CUAL NO EXISTE DISCUSIÓN: INMEDIATO CESE DEL FUEGO.[1]

Aunque el presidente Belaúnde no lo sabía, acababa de consumarse el hecho crucial de la guerra mientras él celebraba su conferencia de prensa. A las 16:01 hora argentina (14:01 hora peruana) el submarino nuclear británico *Conqueror* había atacado al crucero argentino de cuarenta y cuatro años de antigüedad

15

El prólogo de la obra se inicia reproduciendo el cable del anuncio de la paz por parte de Belaúnde Terry. Desmond Rice había quedado muy impresionado al conocer esta información en su primera visita en Argentina, en su encuentro con José Enrique García Enciso.

Interpelación a Michael Heseltine sobre la actuación del submarino HMS Conqueror en el conflicto de Malvinas

Traducción de la transcripción taquigráfica del debate de la Cámara de los Comunes del 7 de noviembre de 1984 a las 14:35, archivado en vol. 67 cc106-11, obtenido de https://api.parliament.uk/historic-hansard/commons/1984/nov/07/hms-conqueror-log-book, titulado "HMS Conqueror (Libro de registro)".

Sr. Denzil Davies (Llanelli) (por aviso privado) preguntó al Secretario de Estado de Defensa británico qué sucedió con el libro de registro del HMS Conqueror.

El secretario de Estado de Defensa británico, Sr. Michael Heseltine: Durante la campaña de Malvinas, el HMS Conqueror mantuvo un registro con información operativa detallada que fue utilizada para elaborar los procedimientos del informe formal del submarino. Este es un documento clasificado y se encuentra en poder del Ministerio de Defensa.

El oficial de navegación del submarino también mantuvo una "sala de registro de control" que marca latitud y longitud, distancia recorrida, trayecto, velocidad y la profundidad del submarino en intervalos de una hora junto con otras lecturas de rutina. Este documento no contiene información estratégica. Fue extraviado y al ser clasificado se está desarrollando una junta de investigación.

Sr. Davies: Estoy agradecido con el secretario de Estado por contestar la pregunta. El insólito reconocimiento de que la Armada, su Departamento y él aparentemente perdieran –algunas personas poco compasivas podrán decir "perdieran de manera oportuna"– el libro de registro de navegación, no de cualquier transbordador, sino del HMS Conqueror, es otro extraordinario episodio en los intentos patéticos del Gobierno de justificar todas las circunstancias relacionadas con el hundimiento del General Belgrano.

¿Reconoce el secretario de Estado que solo hay dos explicaciones en cuanto a lo sucedido con el libro de registro? La primera es que se ha perdido debido a una gran incompetencia por parte de la Armada, pero muy pocas personas creen que la Armada pierde libros de registro de ese tipo. La segunda es que ha sido robado –y puede haber sido destruido– por alguien que considera que la información detallada en el libro de registro es vergonzosa no solo para el Gobierno de Su Majestad, sino también para la primer ministro personalmente.

No es un hecho que este documento altamente clasificado contenga todos los detalles de los movimientos tanto del Conqueror como posiblemente del Belgrano también, el 30 de abril, cuando se cambiaron las reglas de empeñamiento; del 1º de mayo, cuando ahora nos dicen –aunque no nos dijeron originalmente– que el Conqueror detectó al Belgrano; y del 2 de mayo, cuando se hundió el Belgrano. ¿No será que el libro de registro –el secretario de Estado intenta minimizar su importancia– podría haber contenido todos los movimientos detallados de esos dos buques, seguramente durante esos tres días?

¿Podrán finalmente el secretario de Estado y el Gobierno sincerarse, tratar este Parlamento con respeto, y brindarnos un verdadero, honesto y claro registro de las circunstancias que conducen al hundimiento del Belgrano?

Sr. Heseltine: El muy honorable miembro comprenderá que una vez que se abra una investigación dentro del Ministerio de Defensa, es de nuestra competencia averiguar los resultados de la investigación antes de que se generen opiniones al respecto.

El muy honorable miembro presenta una acusación aún más seria en la que me invita a sincerarme respecto al hundimiento del Belgrano. Lo hago sin vacilación. La decisión fue tomada para proteger la vida de los británicos. [Interrupción.] El Parlamento y el país están hartos y cansados de la forma [Interrupción.] en la cual, los miembros opositores, por limitadas e inexplicables razones, siguen la campaña en contra de los intereses nacionales británicos.

Sr. John Wilkinson (Ruislip-Northwood): Reconozco que la pérdida de cualquier información clasificada es un asunto grave y es digno de una investigación, pero ¿no está de acuerdo mi muy honorable amigo en que el hundimiento del Belgrano por el HMS Conqueror en efecto dejó a la Armada argentina fuera de la guerra, y de esta manera se protegieron vidas británicas y nos aseguramos del éxito de la operación de las Malvinas?

Sr. Heseltine: Hubo indudables consecuencias, aunque el Parlamento tendrá en cuenta que sufrimos pérdidas importantes después del hundimiento del Belgrano, especialmente el hundimiento del HMS Sheffield. Por lo tanto, acepto en gran medida el vínculo realizado por mi muy honorable amigo. El punto importante es que el Gobierno tomó de manera expeditiva asesoramiento militar relacionado con el hundimiento del Belgrano, y bajo mi punto de vista fue inevitable. Lo que deben asegurarse los miembros opositores es que el Parlamento entienda que si hubieran rechazado el asesoramiento militar nuestras vidas hubieran estado en riesgo.

Dr. David Owen (Plymouth, Devonport): ¿Acepta el secretario de Estado que muchos muy honorables y honorables miembros nunca buscaron ni fue su intención atacar la decisión tomada por el gabinete de guerra de hundir el portaviones el 30 de abril, que fue la primera y más importante decisión de defensa asesorada por el Jefe de Gabinete? En segundo lugar, ¿están dispuestos a reconocer los muy honorables señores que muchos de nosotros no creemos que mediante el hundimiento del Belgrano el día 2 de mayo, había alguna intención de hundir cualquier iniciativa de paz que pudo o no pudo haber estado encaminada con los peruanos? De lo que no estamos hartos y de lo que el país nunca estará harto es de insistir que se le diga la verdad a la Cámara de los Comunes. Ahora nos encontramos en una situación en la que la primer ministro, el secretario de Estado y varios subsecretarios se encuentran registrados en Hansard formulando declaraciones en la Cámara de los Comunes que ahora sabemos no son verdaderas. Tenemos el derecho y en efecto el deber de exigir que el Gobierno corrija el registro de Hansard de la manera que considere apropiado, preferentemente a través de un Libro Blanco-informe técnico en el que pueda ser debatido –y cuanto más pronto lo hagan, mejor–.

Sr. Heseltine: Muy honorables señores, es muy certero llamar la atención del Parlamento en cuanto a los distintos puntos de vista sobre el hundimiento del Belgrano, y de ninguna manera buscaría asociarlo con los puntos de vista del muy honorable miembro de Llanelli (Sr. Davies), pero él habrá oído, como yo también oí, que los muy honorables señores claramente sugieren que el libro de registro al cual me referí se perdió "de manera oportuna". Existe únicamente una clara implicación en esa declaración. Fue a esa declaración que yo estaba dirigiendo mi respuesta.

Ahora me gustaría lidiar con lo dicho por el muy honorable miembro de Plymouth, Devonport (Dr. Owen), a quien acepto completamente, y adopta un enfoque muy diferente en este asunto. Como ministro ahora responsable de asesorar a la primer ministro en estos asuntos, he observado meticulosamente los registros y asesoré a la primer ministro en todos los asuntos donde he creído posible modificar esos registros, teniendo en cuenta todos los intereses nacionales; donde el registro pudo ser cambiado, se lo cambio para corregirlo. La primer ministro, en cartas conocidas, bien documentadas y publicadas, siempre aceptó el asesoramiento que recibió y en el caso de encontrar imprecisiones, estas deberían rectificarse. Ella ha sido meticulosa ajustando inmediatamente el registro para llegar a la verdad del asunto.

Sir John Biggs-Davison (Epping Forest): ¿No es una señal del deseo de muerte en el Partido Laborista que los miembros laboristas deberían estar tan ansiosos de exculpar a la Argentina, el agresor en contra de nuestro colega británico subordinado en las Islas Malvinas, y dañar la reputación de la Marina Real y la nación británica, la cual rechazó de manera unida la agresión de esas islas británicas?

Sr. Heseltine: Acepto completamente los puntos de vista de mi muy honorable amigo. Es increíble que tantos miembros del Parlamento aparentemente estén más interesados en las posturas provistas por las fuentes argentinas que aquellas provistas por su propio Gobierno. Pero cuando mi muy honorable amigo se refiere a un deseo de muerte por parte de la oposición, encuentro una curiosa contradicción. Es difícil para los cadáveres morir dos veces.

Sr. George Foulkes (Carrick, Cumnock y Doon Valley): Me gustaría volver al registro, el cual entiendo es el asunto de esta cuestión privada [Interrupción.] Abordaré ese tema más tarde. ¿Está al tanto el secretario de Estado que cuando le hice dos preguntas parlamentarias a la primer ministro los días 22 y 29 de octubre de este año, ella aparentemente consultó y utilizó el registro antes de contestarlas? ¿Está también al tanto el secretario de Estado que se convocó a alguien de Orkney para la junta de investigación, quien no tuvo contacto con el Conqueror durante al menos un año? ¿Nos podrá decir el secretario de Estado exactamente cuándo él o los oficiales de su departamento vieron por última vez el registro?

Sr. Heseltine: La primer ministro, en respuesta a los muy honorable señores, se basó en reglas de clasificación general que se aplicarían a todos los libros de registros de ese tipo.

En segundo lugar, dudo bastante que los ministros hayan visto el registro.

Sr. Foulkes: ¿O los oficiales del departamento?

Sr. Heseltine: Debería realizar una investigación en ese aspecto. [Interrupción.] Creo –voy a verificarlo– que el registro estaría en manos de la Marina y que no llegó a estar en manos de los oficiales de mi Departamento. Examinaré la situación. Así como fui claro en mi primera respuesta, el registro es un documento de rutina y es portado por todos los submarinos y buques, y creo que no es habitual que llegue a las manos de los oficiales del Ministerio de Defensa.

Sra. Elaine Kellett-Bowman (Lancaster): ¿Podrá enfatizar mi muy honorable amigo que, así como le dijo esta mañana al Comité Selecto sobre su evidencia, hay una gran diferencia entre el registro del navegante y el registro del capitán? ¿No es particularmente extraordinario que miembros de la oposición presten más atención a la información planteada o filtrada por los argentinos que a la de nuestros propios oficiales o nuestra Marina Real?

Sr. Heseltine: Mi muy honorable amiga tiene toda la razón en cuanto al hecho de que los miembros de la oposición parecen estar más inclinados a oír información provista por los antiguos enemigos de este país que la provista por su propio Gobierno.

También tiene toda la razón en llamarnos la atención en cuanto a la distinción entre los antecedentes que guardaría el capitán y los antecedentes en el registro que estamos considerando, el cual no incluiría información táctica o cualquier referencia en cuanto a la ubicación de buques argentinos. La información en el registro del comandante sería muy diferente, y ese documento lo tiene el Ministerio de Defensa guardado de manera segura.

Sr. Donald Stewart (Western Isles): ¿Reconoce el secretario de Estado que Argentina se involucró en una agresión sin provocación y que todo lo que le sucedió a las Fuerzas Armadas, incluyendo barcos de guerra, fue causado por ellos mismos? El curso del Belgrano es completamente irrelevante. No obstante, ¿reconocen también los muy honorables señores que algunas preguntas quedan pendientes de respuestas y que en esas circunstancias, el hecho de que el registro desapareció es más serio y puede tener connotaciones siniestras? Es muy importante que busquen el registro lo antes posible.

Sr. Heseltine: Apoyo enérgicamente lo dicho por los muy honorables señores. Este es un asunto serio y por esta razón el comité de investigación está examinando las circunstancias relacionadas con la pérdida. Apenas llegue a una conclusión que esté basada en la investigación, estaré muy complacido.

Sir John Farr (Harborough): Considero que el hundimiento del Belgrano fue completamente necesario y que el HMS Conqueror hizo un muy buen trabajo. Sin embargo, la pérdida del libro de registro es un asunto serio. ¿Podrá decirme mi muy honorable amigo que con los métodos electrónicos modernos de comunicación con buques bajo el agua en cualquier lugar del mundo, no pudo haber sido posible monitorear el curso del HMS Conqueror bajo el agua en aquel momento? De ser así, ¿no podrá haber una copia disponible de tal registro en el Ministerio de Defensa?

Sr. Heseltine: Estoy muy de acuerdo con el primer punto de mi muy honorable amigo. Sin embargo, dudo que hubiese suficiente certeza de habilitar comunicaciones electrónicas para que reemplacen los antecedentes del manual de registro por el cual estamos discutiendo. Por lo que sé, los métodos manuales son indispensables para el cuidado de un registro de rutina.

Sr. Merlyn Rees (Morley y Leeds Sur): Aquellos que estuvimos en la guerra sabemos lo que sucede en la guerra. No obstante, se realizaron declaraciones de buena fe al Parlamento que luego se revocaron, creando una impresión fuera del Parlamento que algo inapropiado estaba sucediendo. La pérdida del libro de registro intensificó esa sensación. Por lo tanto, ¿no sería una buena idea publicar un documento oficial-técnico detallando todos los hechos?

Sr. Heseltine: Tengo un gran respeto por la función que cumplieron los muy honorable señores en la investigación relacionada con la guerra de las Islas Malvinas. Tomo de manera seria el punto abordado, el cual también fue abordado por otros honorables miembros. Sin embargo, a mi pesar, la conclusión resulta ser que, habiendo revisado la información de manera meticulosa y a la luz del interés más amplio de la seguridad nacional, el Gobierno ha corregido –en la medida que fuera posible y apropiado– el registro de lo dicho al Parlamento con las mejores intenciones, pero sin toda la información, la cual es difícil obtener rápidamente en tiempos de guerra. A pesar de que el registro fue corregido y que la primer ministro describió el escenario en el contexto más amplio posible, las mismas persistentes indagaciones continúan intentando obtener información de que la primer ministro ha dejado claro ningún Gobierno responsable consideraría publicarlo. Esto contrasta completamente la manera en que las fuentes de inteligencia de Argentina son utilizadas por varios partidos de este país para intentar obtener del Gobierno comentarios ilícitos en estos asuntos los cuales únicamente podrían estar en contra del interés nacional, y ningún Gobierno lo hará.

Sr. Robert Adley (Christchurch): A menos que mis electores-constituyentes sean completamente diferentes de aquellos de las otras 649 circunscripciones, son...

Sr. Nicholas Baker (Dorset, North): Son muy afortunados.

Sr. Adley: Mi honorable amigo del cual adquirí muchos de ellos, podrá confirmar que no es tan así. Mis epresentados no solo están desinteresados en el asunto, como un asunto de acontecimientos actuales, sino que están consternados en pensar que la Oposición Real de Su Majestad, que supuestamente debería estar bajo ese nombre, pasa su tiempo denigrando al Gobierno de ese momento, que estaban haciendo lo que se suponía que debían hacer, ¿o no lo estaban haciendo, al enfrentar una guerra comenzada por nuestros enemigos? ¿No cree mi muy honorable amigo que la frase bíblica "amad a nuestros enemigos" alcanzó proporciones ridículas en la manera en la que la oposición parece ingerir todo a favor de la Argentina, y hacen todo lo posible para denigrar el gobierno de Su Majestad y la Marina Real?

Sr. Heseltine: Muchos de nosotros siempre tuvimos la más profunda admiración por el criterio de los electores de mi honorable amigo, de enviarlo de vuelta aquí con una de las más grandes mayorías Conservadoras del país. Comparto este criterio, que la inmensa mayoría del pueblo del país crea que la primer ministro actuó correctamente y que tendría una sola crítica, si hubiera tomado cualquier otra decisión que la que tomó.

Sr. Russell Johnston (Inverness, Nairn y Lochaber): ¿Está de acuerdo el secretario de Estado que hoy no estamos tratando la opinión de la primer ministro, sino la pérdida del libro de registro? ¿Está también de acuerdo que si estuviera en los bancos de la oposición, no lo estaría describiendo como un documento de rutina, estaría dándole azotes al Gobierno de turno por la pérdida de un documento valioso que describió como clasificado? En primer lugar, ¿nos dirá cuál fue la clasificación y en segundo lugar nos podrá confirmar cuándo se perdió?

Sr. Heseltine: Puedo confirmar que todavía no tengo todos los hechos relacionados a la pérdida de este documento. Ese es uno de los puntos al que el comité de investigación se está dirigiendo adecuadamente. No pueden esperar que yo defina el documento en el Ministerio de Defensa como si estuviera en los bancos opositores, particularmente porque tengo las definiciones de los libros de registro que me fueron entregados por aquellas personas que saben lo que son los libros de registro. Me parece apropiado que como secretario de Estado de Defensa, debería confiar en la Marina Real más que en la oposición leal de Su Majestad.

Sr. Jonathan Sayeed (Bristol, East): ¿Podrá mi muy honorable amigo confirmar que estamos hablando del cuaderno del navegante que es una libreta de apuntes utilizada por el navegador para correcciones y otra información de navegación importante? No estamos hablando del registro del buque. El registro del buque HMS Conqueror tiene toda la información en cuanto a lo que el buque estaba haciendo, dónde estaba, hacia dónde se dirigía y las maniobras y actividades que estaba realizando.

Sr. Heseltine: Mi honorable amigo tiene razón. Intenté hacer esa distinción en la primera respuesta que le di al Parlamento. He visto una copia proforma en uno de estos documentos. De hecho tengo una en frente mío. Es un registro técnico conservado por el navegante del barco y funcionarios de servicio. Tiene información técnica y no es un registro del capitán o del comandante lidiando con temas más amplios. [HONORABLES MIEMBROS: "¿Es importante?"] Me preguntan si el documento es importante. Claro que es importante, y por esa razón es clasificado. No es importante en el contexto de intentar ver la opinión táctica del comandante, pero sí es importante para que nuestros enemigos vean la forma en que la Marina Real hunde sus buques en alta mar. Si la sugerencia de la oposición es que la Marina Real publique detalles técnicos de sus tácticas militares, resultaría en un grave incumplimiento del interés nacional.

Sr. Dick Douglas (Dunfermline, West): ¿Podrá el secretario de Estado dejar en claro que un registro de timonel de este tipo sería de vital importancia al determinar las características de ubicación y maniobra del buque cuando entra en acción? ¿Reconoce que en cualquier investigación relacionada al hundimiento de un barco extranjero tal documento sería de suma importancia para el almirantazgo y para el Ministerio de Defensa para examinar la conducta del comandante del barco? ¿Qué instrucciones se les asignó a los muy honorables señores para proteger todos los registros de todos los barcos de aquella campaña para asegurarnos que no se repita la pérdida o extravío de documentos con semejante importancia?

Sr. Heseltine: El Reglamento del Departamento sería apropiado que asegurara los antecedentes del Departamento. El hecho de que hubiera un incumplimiento es un tema de preocupación y objeto de investigación. La primera pregunta de los honorables señores marca mi punto de vista. La revelación en la manera en la que nuestros buques negociaron esperando un ataque no trasmitiría nada al almirantazgo que habría diseñado las tácticas, pero revelaría a los enemigos o potenciales enemigos cómo ejercemos ese tipo de actividad.

Varios honorables miembros se ponen de pie.

Sr. Moderador: Orden. Le recuerdo al Parlamento que esto es un asunto fuera del orden del día. Le hemos dedicado 20 minutos. Al tener que tratar un asunto importante, creo que deberíamos continuar.

Sr. Max Madden (Bradford, West): En una cuestión de orden, Sr. Moderador. ¿Podrá confirmar que los comités selectos del Parlamento tienen derecho a convocar a las personas y documentos apropiados para sus investigaciones? ¿Podrá guiar al Parlamento en cuanto al derecho del Poder Ejecutivo de retener documentos de los comités selectos? ¿En qué clasificación podrá realizarse? En nombre del Parlamento y de los miembros de los comités selectos, ¿hará investigaciones del Ministerio de Defensa en cuanto al mandato de su investigación y cuando intente facilitar toda la documentación solicitada por los comités selectos?

Sr. Moderador: Creo que el Parlamento está al tanto de las reglas que rigen los comités selectos. Si un comité selecto no está de acuerdo con la información provista o cree que la información fue retenida, le corresponde al Comité Selecto realizar una denuncia al Parlamento. No he recibido tal denuncia en este asunto.

Fin de la transcripción.

Los autores

De Cañuelas a Malvinas

Benito Rotolo

Yo nací en Alcorta, provincia de Santa Fe, pero en realidad mi historia comienza en Cañuelas, en el campo. Mis padres recién habían llegado de Italia y, luego de una breve estadía en Alcorta, donde tenían unos familiares, consiguieron una parcela para explotación agrícola cerca de Cañuelas, a unos 70 kilómetros de la ciudad de Buenos Aires. Allí pasé los primeros años de mi vida, una infancia cuyas vivencias fueron inolvidables. Luego, en los años 60, antes de que yo cumpliera 13 años, mi padre decidió dejar Cañuelas para ir a vivir a la ciudad, a Buenos Aires.

El destino fue el barrio de Belgrano, y más allá de que al final le encontré el gusto a la vida citadina, siempre volvían las nostalgias de los horizontes y atardeceres de aquella infinita llanura.

Comencé la secundaria en una escuela técnica de Colegiales, donde descubrí mi facilidad para la física y las matemáticas, aunque mi atracción eran las ciencias en general. Lo que más disfrutaba de la vida en Buenos Aires era poder ir a las librerías de la calle Corrientes: en esa arteria de la ciudad se abrió un nuevo mundo para mí. Los libros me fascinaban, y por esos tiempos había una efervescencia distinta a cualquier otra época entre los jóvenes; existía una avidez por el conocimiento, por la cultura y también por las ideas políticas. Devorábamos libros como hoy probablemente los jóvenes miran series de televisión.

Durante esos años, pensando en mi futuro profesional, notaba una inclinación natural hacia una carrera en ingeniería, con orientación a la física nuclear. Sin embargo, promediando el cuarto año de colegio, una charla cambió el destino de mi vida para siempre.

Una tarde, nos llevaron a todos los alumnos de 3º y 4º año al salón de conferencias para escuchar una charla que daba un miembro de la Armada, para brindar información sobre la carrera naval y las condiciones de ingreso a la Escuela Naval Militar. Era una posibilidad totalmente nueva para mí, me gustaron las oportunidades que se ofrecían y veía los cuatro años de la Escuela Naval como el inicio de una gran preparación, y también una vida de acción y desafíos que me provocaron un gran entusiasmo. Fue así que decidí presentarme y rendí un exigente examen de ingreso, con materias tales como análisis matemático, física y química, que afortunadamente tenía bien preparadas en mi secundaria. Así fue que en febrero de 1967, para mi total sorpresa, ingresé con muy buena ubicación sobre un grupo numeroso de aspirantes. De un momento a otro mi vida había cambiado, y ahora, en vez de pensar en un futuro como ingeniero, me iba a preparar para comenzar la carrera naval.

Mi educación allí fue muy formativa y excedió ampliamente mis expectativas. Las materias eran fascinantes: aparte de las matemáticas y la física, navegación, astronomía y tantas otras humanísticas eran todas de mi interés. Además, el entrenamiento físico, la navegación a vela, el remo y otros deportes náuticos, así como los embarcos periódicos, llenaban los días con gran satisfacción.

En 1971 finalmente llegó la decisión que había postergado: cuál sería mi especialización dentro de la Armada. En la profesión naval si bien hay muchas opciones, los que integran el cuerpo de comando son los que, con el tiempo, pueden ser comandantes de las unidades operativas que dispone la Armada. Eso me hizo reflexionar, y decidí ingresar a la aviación naval. Mi gran duda era si tenía el "don de volar". Conversé mucho con mis superiores y me recomendaron que si era mi deseo, lo intentara; de no resultar, podía luego seguir la carrera con alguna otra opción. Sin pensarlo demasiado, me abracé al sueño de ser aviador naval, y en febrero de 1971 recalé en la Escuela de Aviación Naval de Punta Indio. Ese año me senté en un avión y nunca más me bajé.

La vida como aviador naval resultó mucho más intensa de lo que podía imaginar, volando diferentes tipos de aviones, operando con la flota de mar y desplegándonos frecuentemente a las bases del sur en la Patagonia. La década del 70 fue una etapa en la que disfruté mucho la actividad de vuelo, adquirí una gran experiencia y me fui especializando en caza y ataque y portaviones. Si puedo mencionar un hito en todo lo que fue mi carrera naval –además de mi participación en Malvinas, por supuesto–, fue haber logrado, junto con todos mis camaradas, que un portaviones de la Segunda Guerra Mundial pudiese ser operativo con distintos tipos de aviones y con reactores como el A4Q[1]. Bautizado como ARA 25 de Mayo, el portaviones ligero de la clase Colossus había llegado a la Argentina hacía muy poco desde de Holanda (1970). Fue construido en el Reino Unido al final de la Segunda Guerra y luego adquirido por la Marina holandesa, donde tuvo un reacondicionamiento que fue esencial para que pudiera funcionar adecuadamente casi treinta años después.

Comencé a operar en portaviones apenas recibido de aviador, en 1972. Era la segunda escuadrilla de ataque con aviones North American T28, un avión biplaza monomotor a hélice muy robusto y pesado, pero excelente para hacer los primeros enganches y ganar experiencia en ese tipo de vuelo. Se aterrizaba con la cabina abierta y todo dependía de ese enorme motor a explosión que nos llevaba hasta el punto de toque. Con el tiempo, pasaría por la primera escuadrilla con aviones a reacción Aeromachi, también biplaza, y una vez completado el adiestramiento avanzado, pasé a la tercera escuadrilla con aviones A4Q, donde completé todo mi adiestramiento, operando portaviones hasta 1982. En ese momento, por mi condición de señalero, llevaba una permanencia de siete años, incluyendo en ese tiempo mi pasaje como instructor de vuelo en la aviación naval de la Marina de los Estados Unidos.

El 2 de abril de 1982 nos tomó a todos por sorpresa; en ese momento yo ni siquiera estaba en el país. Me encontraba en Brest, realizando un curso de aviones Super Étendard en la Marina francesa. El 14 de abril regresé a Buenos Aires. Unos días después, en un avión Tracker, embarqué en el portaviones 25 de Mayo, que se encontraba en operaciones en algún punto del Mar Argentino.

Otra vez en casa, navegando con mis amigos y camaradas, sentí con placer que estaba en el lugar correcto.

---

1 Aviones de la familia A4, del tipo Q, que eran los que usaba la Armada argentina en ese entonces. A lo largo del libro se los mencionará indistintamente como A4 o A4Q.

De Corrientes a la Casa Rosada

José Enrique García Enciso

Mi historia familiar se remonta a la ciudad de Mercedes, en la provincia de Corrientes. Allí fue donde se afincó mi bisabuelo materno durante el siglo XIX, y allí fue donde toda la familia echó sus raíces. Las tierras que fue adquiriendo mi bisabuelo para trabajar el campo luego pasaron a mi abuelo y sus hermanos, y más tarde, también a mi padre y luego a mí.

Papá quería ser militar. Al terminar el colegio comenzó su formación y desde entonces fue ascendiendo hasta llegar a ser teniente coronel. Con ese rango, y teniendo tan solo 38 años, se retiró del Ejército en 1963, luego del conflicto entre azules y colorados que se dio ese año en las fuerzas armadas, y en forma coincidente con la muerte de mi abuela, hecho que dejó muy deprimido a mi abuelo. En ese momento, el eje de mi padre cambió 180 grados, y de la carrera militar pasó a ocuparse del campo. Sin embargo, todo lo que él encaraba lo hacía con gran ímpetu y enorme dedicación, por lo que pronto se convirtió en un dirigente agropecuario importante de la zona, además de presidir el club social y también el aeroclub de Mercedes, luego de haberse convertido en piloto.

Yo nací en 1951. Mercedes es mi lugar en el mundo, aunque por la carrera militar de mi padre, hice primer y segundo grado en Buenos Aires, y luego nos mudamos a Mar del Plata. Después de ese periplo regresamos a Mercedes, hasta que llegó el momento de comenzar el secundario. Para esa época tomé una decisión que iba a resultar trascendental en mi vida, aunque aún yo no lo sabía. Le dije a mi padre que durante el secundario quería aprender inglés. En Mercedes había estudiado con una profesora particular y me había cautivado tanto la adquisición de una nueva lengua como el nuevo mundo que se ofrecía a partir de conocerla. También influyó mucho el hecho de que en Mercedes se encontrara la estancia Itá Caabó, el establecimiento rural más importante de capitales británicos en todo el país, con lo cual conocí a muchos británicos que trabajaban allí y que fueron amigos míos.

Luego de hablarlo en casa, se comenzaron a hacer averiguaciones y surgió la opción de ir a Buenos Aires. Los colegios pupilos eran entonces más habituales de lo que son hoy, y el San Jorge de Quilmes ofrecía todo lo que estábamos buscando, porque allí se podía cursar tanto el College inglés como el Colegio Nacional argentino, con docentes británicos y locales de alto nivel académico.

En el San Jorge de Quilmes pasé cuatro años de mi vida con dedicación absoluta: ingresaba el 10 de marzo y salía el 10 de diciembre, con la única excepción de las dos semanas de invierno. Al estar pupilos, constituíamos una familia, con lo cual pude conocer gente de otros países, y también tuve muchísimo tiempo para leer y estudiar. Aprendí inglés muy rápido y pude conocer a fondo la cultura británica a través de los libros y de las experiencias que compartían mis docentes nacidos en el Reino Unido. Aquel período de mi vida influyó decisivamente para que me llamasen para el trabajo de investigación sobre Malvinas, en función de los antecedentes que acreditaban estos méritos. Apenas terminé el colegio me anoté para estudiar Economía. Luego de tres años en la carrera encontré una vocación más fuerte en el estudio de Ciencias Políticas. Era lógico que así fuera, puesto que en mi casa la política fue siempre central. Mi bisabuelo, mi abuelo, su hermano, mis tíos y mi padre en algún momento de su vida ocuparon cargos políticos. Era habitual en aquel tiempo participar activamente, y en mi familia todos pertenecían a un partido: había mayoría de liberales, pero también los había autonomistas y radicales y un peronista. Era un debate permanente, pero con muchas ideas y con un impacto real en la sociedad, porque en el pueblo, que aún era muy pequeño, cualquier decisión política que se tomase tenía un gran impacto en el quehacer cotidiano. Además, todos tenían ascendencia en la sociedad ganadera, que siempre fue uno de los principales motores de la economía de Mercedes, lo que implicaba que sus opiniones tenían cierto peso.

En definitiva, mi cambio de Economía a Ciencias Políticas fue para bien; en ese momento era una carrera que recién empezaba y se daba solo en la Universidad Católica Argentina (UCA) de Buenos Aires, en la Universidad del Salvador y también en Rosario. Yo estudié en la UCA y enseguida tuve mis inicios en la práctica política –más allá de los estudios–, porque fui el primer presidente del Centro de Estudiantes de la carrera muy poco después de haber comenzado a estudiar.

Con el título en mano y recién casado, volví a Corrientes para dar una mano con la administración de los campos familiares. La vida en

Mercedes me permitía estar cerca de mi familia originaria, desarrollar mi propia familia en tranquilidad, participar de la política local y hasta hacerme tiempo para estudiar y poder escribir mi primer libro, *La Constitución como pacto político*, que hace poco reedité con cierto pesar pues, tantos años después, creo que su tesis esencial sigue siendo válida: la Argentina sigue necesitando de un gran pacto político como aquel que se dio cuando se redactó la Constitución de 1853 y que se quebró en 1930. Opiniones aparte, lo central es que en Mercedes me encontraba a gusto y en crecimiento permanente, repleto de actividades y, aun así, con tiempo libre para pensar.

Papá se había convertido en una figura cada vez más influyente del partido liberal correntino, y llegó a ser vicegobernador de la provincia, además de haber ocupado cargos de alta jerarquía en la dirigencia agropecuaria del Litoral. Por mi parte, yo comencé a militar en la Juventud Liberal de Corrientes y llegué a ser su presidente. Mi carrera política iba en franco ascenso, mi desarrollo académico estaba por coronarse con la publicación de mi primer libro y mi vida familiar era feliz, sobre todo después del nacimiento de mi primer hijo. Apenas había sobrepasado los treinta años cuando un llamado cambió mi vida para siempre.

El director de la carrera de Ciencias Políticas de la UCA me había recomendado para una tarea muy especial –de la cual desconocía casi todos sus detalles– en torno a Malvinas. El trabajo era en Buenos Aires, en la Casa de Gobierno, y tenía que empezar urgentemente. La recomendación se dio porque yo había tenido un buen desempeño en la carrera, pero además porque le habían preguntado específicamente si conocía a un politólogo con dominio bilingüe del idioma inglés y con amplio conocimiento de la cultura británica, y él recordó entonces mi paso por el San Jorge de Quilmes y mis años de pupilo abocado a esos estudios. Sin proponérmelo, por mi formación acabé resultando el candidato más adecuado para aquella búsqueda.

Un lunes de mediados de octubre de 1981 recibí el llamado, y ese mismo viernes estaba cargando el auto con todas mis cosas para hacer el primero de mis dos viajes de mudanza ese fin de semana. Puse todo lo que entró y el sábado a la mañana estaba descargando todo mi equipaje y algunos muebles en el departamento familiar que teníamos en Buenos Aires. Esa misma tarde, volvía con el auto vacío a Corrientes, para salir nuevamente la noche del sábado con dirección a Buenos Aires; esa vez, en el auto llevaba más valijas y venían conmigo también mi esposa y mis dos hijos. El domingo a la madrugada ya estábamos instalados, y el lunes a las 7 ponía por primera vez en mi vida un pie en la Casa Rosada, que iba a ser, a partir de ese día, mi nuevo lugar de trabajo. Comenzaba para mí una historia completamente distinta, que me iba a marcar para siempre, y en la que sucedieron los hechos que se contarán en los próximos capítulos de este libro.

El encuentro

Haber contado nuestras historias personales no vale sino para mostrar que nuestros orígenes son diversos. Como resulta evidente, hasta 1982 no existe ningún punto en común entre nuestras hojas de ruta, excepto el de ser casi coetáneos y compartir una misma generación, quizás con valores similares y con muchas coincidencias en formas de pensar y de ver el mundo. Pero, más allá de eso, nuestros caminos en la vida fueron diferentes: uno por la Armada, y el otro por la política.

El primer punto de coincidencia en nuestras historias es la guerra de Malvinas, aunque tampoco fue allí donde nuestros destinos se cruzaron. Recién en el año 2014 nos vimos las caras por primera vez, sin saber nada el uno del otro. Ya éramos grandes, ya habíamos desarrollado importantes carreras cada uno en su ámbito. Estas no se tocaban: uno con incidencia en la vida política de Corrientes y el otro con asiento en Buenos Aires y la Armada. Pero ambos estábamos marcados por la presencia de Malvinas en nuestras vidas, que no había significado únicamente los meses de abril y mayo de 1982, sino que se había extendido a lo largo del tiempo, con una vinculación estrecha con los excombatientes, con investigaciones y lecturas, con redacción de informes sobre el despliegue estratégico-militar durante la guerra, con viajes al Reino Unido y conversaciones con excombatientes británicos... Malvinas es para los dos un hito ineludible, una marca a fuego en nuestras vidas, tal vez tan significativa para nuestras historias personales como lo es para la historia del país.

Nuestro encuentro fortuito se dio en una de tantas charlas sobre Malvinas. Ambos formábamos parte de un panel, y cuando cada uno contó su historia, descubrimos que, pese a haber sucedido demasiado lejos una de la otra –en Buenos Aires y en el Atlántico Sur–, los dos relatos estaban íntimamente relacionados y se complementaban entre sí.

Luego de ese encuentro, intercambiamos tarjetas y nos pusimos en contacto. Más allá de la profunda relación que hemos desarrollado y de la amistad que decantó naturalmente de nuestros encuentros, en cada reunión que tuvimos pudimos descubrir que la relación entre ambas historias era tal que excedía nuestra propia relación, y que debía ser contada, porque no se trataba de una mera casualidad, sino de una revelación para todos los estudios sobre la guerra de Malvinas. Genuinamente, descubrimos que, contadas una al lado de la otra, nuestras historias venían a traer una novedad en el campo de la investigación histórica de lo que sucedió en Malvinas, puntualmente en lo que tiene que ver con las negociaciones por la paz, el hundimiento del Belgrano, la chance más firme que tuvimos de realizar un ataque sorpresivo sobre uno de los dos portaviones de la flota británica, cómo se perdió esa oportunidad y las incógnitas que se despertaron durante años entre los tripulantes del portaviones 25 de Mayo.

Esa es la historia que venimos a contar, que es un desprendimiento de nuestras vidas y del momento en que ellas se cruzaron. Confiamos en que servirán para clarificar algunos hechos y para que la verdad sobre esos días comience a asomar.

Made in the USA
Columbia, SC
21 September 2023

23144498R00164